COLLECTION FOLIO

Réjean Ducharme

L'avalée
des avalés

Gallimard

Dans une île du grand fleuve canadien, la famille Einberg occupe une abbaye désaffectée. Par contrat, les parents se sont partagé leur progéniture : c'est ainsi que Christian, l'aîné, sera catholique comme sa mère, jeune Polonaise attirante et mystérieuse ; Bérénice appartient à son père « qui l'emmène à la synagogue » où elle entend le rabbin Schneider brandir les foudres du Dieu des Armées — « Vacherie de vacherie ! » murmure la fillette irrespectueuse. Dans la « guerre de Trente Ans » qui divise les époux, Bérénice a compris que les enfants ne sont que des pions. Elle s'évertue à détester sa mère — « Chat Mort » comme elle l'a surnommée —, mais y réussit-elle ? Toute sa réserve d'affection est acquise à Christian qui l'initie aux joies de l'exploration de la flore et de la faune. Mais la jolie Mingrélie apparaît, et Bérénice connaît la morsure de la jalousie.

Les époux Einberg se séparent. Bérénice poursuivra ses études à New York, recueillie par ce « saint homme » d'oncle Zio qui habite un « columbarium à dix cases où il a juché sa nichée ». Constance Chlore, sa camarade d'enfance, l'accompagne dans la grand-ville, mais un accident mortel l'emporte — le dialogue continue pourtant avec « Constance Exsangue ». Esseulée, Bérénice noie Christian sous un flot de missives enflammées qui restent sans réponse. Désormais pubère, elle se nourrit de littérature pornographique, mais ne peut supporter la moindre caresse de son boy-friend Dick Dong. De propos délibéré elle accumule les coups de tête et parvient à lasser la patience de Zio qui, les époux Einberg s'étant réconciliés après cinq ans, la réexpédie dans l'île.

M. Einberg reçoit sa fille d'un œil sévère, lui étale sous les yeux ses lettres délirantes à Christian et lui signifie son départ pour Israël. Voilà Bérénice enrôlée. Mais l'armistice — précaire — vient d'être signé : la consigne est d'éviter tout incident. Bravant l'opinion de ses camarades, Bérénice se plaît à s'afficher en compagnie de Gloria, surnommée « la Lesbienne ». Mais elle ne pourra s'empêcher longtemps, par jeu, de presser la détente de sa mitraillette. L'enfer se déchaîne entre les armées ennemies. Bérénice en sera quitte pour la peur, s'étant fait un rempart du corps de son amie criblé de balles.

Réjean Ducharme est né en 1941 à Saint-Félix-de-Valoix (Comté de Joliette). Il a fait du stop, du taxi, de la marche, du surplace. Il a publié six romans, fait jouer quatre pièces, scénarisé deux films. Il cherche du travail.

1

Tout m'avale. Quand j'ai les yeux fermés, c'est par mon ventre que je suis avalée, c'est dans mon ventre que j'étouffe. Quand j'ai les yeux ouverts, c'est par ce que je vois que je suis avalée, c'est dans le ventre de ce que je vois que je suffoque. Je suis avalée par le fleuve trop grand, par le ciel trop haut, par les fleurs trop fragiles, par les papillons trop craintifs, par le visage trop beau de ma mère. Le visage de ma mère est beau pour rien. S'il était laid, il serait laid pour rien. Les visages, beaux ou laids, ne servent à rien. On regarde un visage, un papillon, une fleur, et ça nous travaille, puis ça nous irrite. Si on se laisse faire, ça nous désespère. Il ne devrait pas y avoir de visages, de papillons, de fleurs. Que j'aie les yeux ouverts ou fermés, je suis englobée : il n'y a plus assez d'air tout à coup, mon cœur se serre, la peur me saisit.

L'été, les arbres sont habillés. L'hiver, les arbres

9

sont nus comme des vers. Ils disent que les morts mangent les pissenlits par la racine. Le jardinier a trouvé deux vieux tonneaux dans son grenier. Savez-vous ce qu'il en a fait ? Il les a sciés en deux pour en faire quatre seaux. Il en a mis un sur la plage, et trois dans le champ. Quand il pleut, la pluie reste prise dedans. Quand ils ont soif, les oiseaux s'arrêtent de voler et viennent y boire.

Je suis seule et j'ai peur. Quand j'ai faim, je mange des pissenlits par la racine et ça se passe. Quand j'ai soif, je plonge mon visage dans l'un des seaux et j'aspire. Mes cheveux déboulent dans l'eau. J'aspire et ça se passe : je n'ai plus soif, c'est comme si je n'avais jamais eu soif. On aimerait avoir aussi soif qu'il y a d'eau dans le fleuve. Mais on boit un verre d'eau et on n'a plus soif. L'hiver, quand j'ai froid, je rentre et je mets mon gros chandail bleu. Je ressors, je recommence à jouer dans la neige, et je n'ai plus froid. L'été, quand j'ai chaud, j'enlève ma robe. Ma robe ne me colle plus à la peau et je suis bien, et je me mets à courir. On court dans le sable. On court, on court. Puis on a moins envie de courir. On est ennuyé de courir. On s'arrête, on s'assoit et on s'enterre les jambes. On se couche et on s'enterre tout le corps. Puis on est fatigué de jouer dans le sable. On ne sait plus quoi faire. On regarde, tout autour, comme si on cherchait. On regarde, on regarde. On ne voit rien de bon. Si on fait attention quand on regarde comme ça, on s'aperçoit que ce qu'on regarde nous fait mal, qu'on est seul et qu'on a peur. On ne peut rien contre la solitude et la peur. Rien ne peut aider. La faim et la soif ont leurs pissenlits et leurs eaux de pluie. La solitude et la peur n'ont rien. Plus on essaie de les calmer, plus elles se démènent, plus elles crient, plus elles brûlent. L'azur s'écroule, les continents s'abîment : on reste dans le vide, seul.

Je suis seule. Je n'ai qu'à me fermer les yeux pour m'en apercevoir. Quand on veut savoir où on est, on se ferme les yeux. On est là où on est quand on a les yeux fermés : on est dans le noir et dans le vide. Il y a ma mère, mon père, mon frère Christian, Constance Chlore. Mais ils ne sont pas là où je suis quand j'ai les yeux fermés. Là où je suis quand j'ai les yeux fermés, il n'y a personne, il n'y a jamais que moi. Il ne faut pas s'occuper des autres : ils sont ailleurs. Quand je parle ou que je joue avec les autres, je sens bien qu'ils sont à l'extérieur, qu'ils ne peuvent pas entrer où je suis et que je ne peux pas entrer où ils sont. Je sais bien qu'aussitôt que leurs voix ne m'empêcheront plus d'entendre mon silence, la solitude et la peur me reprendront. Il ne faut pas s'occuper de ce qui arrive à la surface de la terre et à la surface de l'eau. Ça ne change rien à ce qui se passe dans le noir et dans le vide, là où on est. Il ne se passe rien dans le noir et dans le vide. Ça attend, tout le temps. Ça attend qu'on fasse quelque chose pour que ça se passe, pour en sortir. Les autres, c'est loin. Les autres, ça se sauve, comme les papillons. Un papillon, c'est loin, loin comme le firmament, même quand on le tient dans sa main. Il ne faut pas s'occuper des papillons. On souffre pour rien. Il n'y a que moi ici.

Mon père est juif, et ma mère catholique. La famille

marche mal, ne roule pas sur des roulettes, n'est pas une famille dont le roulement est à billes. Quand ils se sont mariés, ils se sont mis d'accord sur une sorte de division des enfants qu'ils allaient avoir. Ils ont même signé un contrat à ce sujet, devant notaire et devant témoins. Je le sais : j'écoute par le trou de la serrure quand ils se querellent. D'après leurs arrangements, le premier rejeton va aux catholiques, le deuxième aux juifs, le troisième aux catholiques, le quatrième aux juifs, et ainsi de suite jusqu'au trente et unième. Premier rejeton, Christian est à Mme Einberg, et Mme Einberg l'emmène à la messe. Second et dernier rejeton, je suis à M. Einberg, et M. Einberg m'emmène à la synagogue. Ils nous ont. Ils sont sûrs qu'ils nous ont. Ils nous ont, ils nous gardent. Mme Einberg a Christian et elle le garde. M. Einberg m'a et il me garde. J'ai mis du temps à comprendre ça. Ça n'a pas l'air difficile à comprendre, mais, quand j'étais plus petite, je trouvais que ça ne tenait pas debout, que c'était impossible que mes parents ne puissent pas s'aimer et nous aimer comme je les aimais.

M. Einberg voit d'un œil irrité son avoir jouer avec l'avoir de Mme Einberg. Il est sur des charbons ardents quand Christian et moi jouons ensemble. Il pense que Mme Einberg se sert de Christian pour mettre le grappin sur moi, pour me séduire et me voler. Mme Einberg dit que je suis son enfant au même titre que Christian, qu'une mère a besoin de tous les enfants qu'elle a eus, qu'un petit garçon a besoin de sa petite sœur et qu'une petite fille a besoin de son grand frère. Je fais semblant de jouer le jeu que M. Einberg prétend que Mme Einberg joue. Ça fait enrager M. Einberg. Il tombe sur le dos de Mme Einberg. Ils se querellent sans arrêt. Je les regarde faire en cachette. Je les regarde se crier à la figure. Je les regarde se haïr, se haïr avec tout ce qu'il peut y avoir de laid dans leurs yeux et dans leurs cœurs. Plus ils se crient à la figure, plus ils se haïssent. Plus ils se haïssent, plus ils souffrent. Après un quart d'heure, ils se haïssent tellement que je peux les voir se tordre comme des vers dans le feu, que je peux sentir leurs dents grincer et leurs tempes battre. J'aime ça. Parfois, ça me fait tellement plaisir que je ne peux m'empêcher de rire. Haïssez-vous, bande de bouffons ! Faites-vous mal, que je vous voie souffrir un peu ! Tordez-vous un peu que je rie !

Ils ont envoyé Christian loin de moi. C'est tout un honneur ! Ils l'ont mis dans une enveloppe et ils l'ont expédié à un camp de scoutisme. Va faire des B. A., Christian, loin de ta petite sœur vénéneuse ! Quand le temps des vacances arrive, c'est immanquable : il faut qu'il y ait un de nous deux qui parte. Si je ne suis pas envoyée en tournée avec la chorale, Christian est envoyé dans un camp de scoutisme. Mme Einberg n'est pas d'accord. Laissez donc ces enfants tranquilles, espèce de fou ! M. Einberg, le maître des départs, ne veut rien savoir, tient son bout. Si tu n'envoies pas ton moutard faire des B. A., j'envoie ma moutarde faire des gammes ! Les voyages déforment la jeunesse ! crie-t-elle. Les voyages forment la jeunesse ! crie-t-il.

Je ne suis qu'une fille. Einberg m'a, mais il n'est pas content de m'avoir. Il est jaloux de l'autre. Il aimerait bien mieux avoir Christian. Une fille, ce n'est pas bon,

ça ne vaut rien. Ça ne me fait rien. Qu'ils s'arrangent !
J'attends que Christian revienne. Il ne fait jamais rien
de méchant. Il ne dit jamais rien de dur. Tout ce qu'il
fait et tout ce qu'il dit est doux, doux et triste comme
une fleur, comme de l'eau, comme tout ce qui est
tranquille et laisse tranquille. Christian est doux
comme une chose. Il y a les choses, les animaux et les
hommes. Vacherie de vacherie ! Hein ?

2

Quand Einberg m'emmène à la synagogue, il me
tient par la main avec une grande tendresse. Sa main
est si dure qu'on dirait qu'il a envie de m'arracher le
bras. Il me bouscule. Il me tire et me pousse comme si
j'étais le chien de la voisine et venais de patauger dans
ses plates-bandes. Ça me fatigue. Je lui dis de prendre
sur lui. Il me dit de parler à mon père sur un autre ton.
Change de ton ! Nous nous mettons à nous battre. Je
lui flanque des coups de pied. Il me flanque des paires
de claques.

— Tiens-toi tranquille ! Prie ! Écoute ce que le rabbi
dit !

Le rabbi Schneider ouvre son gros livre rouge à
tranche dorée. Il lit :

« Les impies seront brûlés comme paille. »

Dans ma tête, je vois Christian brûler comme de
l'herbe morte. Priez Yahveh ! Plus vous prierez, meil-

leure sera votre place, plus vous serez près de l'arène. Si vous priez terriblement, vous risquez d'être aux premiers rangs quand les impies brûleront. Ça donne honte. Ça donne hâte d'être une impie. Si Einberg ne m'emmenait pas de force à la synagogue, je n'y mettrais pas les pieds. Ça sent le sang et la cendre dans les synagogues. C'est ça qui les excite. Il y en a qui ont hâte que leur père meure pour ne plus aller à l'école. Moi, j'ai hâte que mon père meure pour être impie tant que je veux. Bande de fous ! Dire qu'ils me prennent pour une des leurs ! Le rabbi Schneider parle de ceux qui ne craignent pas le vrai Dieu. Il dit que le Dieu des Armées a dit qu'Il foudroiera ceux qui ne le craignent pas, qu'Il ne leur laissera ni racines ni feuillage. Si le rabbi Schneider pense que j'ai peur, il se fourre le doigt dans l'œil. Les frissons qu'Il me donne, son « Dieu des Armées », ce sont des frissons de colère. Plus il en parle, plus je le méprise. Ils ont un Dieu comme eux, à leur image et à leur ressemblance, un Dieu qui ne peut s'empêcher de haïr, un Dieu qui grince des dents tellement sa haine le fait souffrir. Quand le rabbi Schneider parle comme ça, je pense à mon orme. Mon orme se dresse au milieu de notre grande île, seul comme un avion dans l'air. Ce doit être un impie. Je ne lui ai jamais vu de feuilles. Son écorce tombe en lambeaux ; on peut la déchirer comme du papier. Sous l'écorce, c'est lisse lisse, doux doux. Quand il vente, ses grandes branches sèches claquent, on dirait qu'il est plein de squelettes. Qu'il me les arrache mes feuilles et mes racines, leur Dieu des Armées ! Je n'attends que ça. Qu'il me dégrade ! Qu'il se contente !

Je les lui tends, mes feuilles et mes racines. Quand il me les aura enfin arrachées, il n'y aura plus de doute. Je serai sûre qu'il ne me prend pas pour un de ses élus, pour un de ses assoiffés de sang et de cendre, un de ses admirateurs de boucherie. Je pourrai dormir tranquille. Le rabbi Schneider est beau ; il a l'air doux. C'est lui qui mène la chorale. Il dit que je suis sa meilleure soliste. C'est une chorale qui a un nom grand comme un jour sans pain. « La Chorale des Enfants des Enfants de Dieu en exil au Canada. » L'année dernière, nous avons passé l'été en tournée en Amérique du Sud. Cha cha cha. Après ses sanglants discours, le rabbi vient me parler et me sourire. Je suis presque sûre qu'il ne croit pas ce qu'il dit quand il prêche. Il n'a pas l'air de ce qu'il dit quand il prêche. Ce doit être son gros livre rouge à tranche dorée qui l'excite.

3

L'orme, c'est mon navire. Quand je ne sais plus quoi faire, je m'embarque. J'ai noué une oriflamme jaune au faîte. La vieille boîte de conserve toute rouillée qui pend au bout d'une ficelle, c'est mon ancre. Larguez les continents. Hissez les horizons. Ici, on part. J'ai mis le cap sur des rivages plus escarpés et plus volcaniques que ceux de ce pays. Je suis à cheval sur la branche la plus haute, pour voir si des récifs se détachent de la brume. Tout à coup, mon pied dérape, je perds l'équilibre. Je chavire. En tombant, mon visage cogne une pierre et je m'évanouis, et je glisse jusqu'au fond de l'océan sourd et noir. Je suis noyée. L'orme vogue à la dérive, quille par-dessus pont. Je me retrouve sur un lit d'hôpital. En reprenant connaissance, je sens qu'il me manque quelque chose dans la bouche. Il y a de quoi. Il me manque les quatre dents de devant. Je ne peux m'empêcher de me mettre la langue dans la brèche. Mme Einberg est à mon chevet. Elle s'empresse de me rassurer. Tes dents vont repousser ! Quand on est une petite fille comme toi, tout repousse, tout reprend, tout guérit. J'ai neuf ans. Christian a onze ans. Einberg et Mme Einberg sont vieux comme mon ancre. Ils sont au bas de la pente, de l'autre côté de la colline.

Einberg est riche et important. Quand nous paraissons aux marches de la synagogue, les gens s'élancent, viennent se masser autour de nous. Ils savent tous que je suis tombée d'un arbre, que j'ai été à l'hôpital, que j'ai des dents de brisées. Ils font leurs petites révérences à Einberg, puis ils se rabattent sur moi, tout fiers d'avoir quelque chose à dire, tout fiers de montrer qu'ils savent compatir aux petits malheurs des enfants. Ouvre ta bouche ! Fais voir tes pauvres dents ! Ils veulent tous me voir les dents. Ils me font ouvrir la bouche et ils plongent des regards excessivement tristes dedans. Quel malheur ! Pauvre petite ! Comme elle a dû souffrir ! Il faut que je leur raconte ce qui s'est passé en long et en large. Je ne dis pas tout. Je dis que je suis tombée d'un arbre, que j'ai perdu connaissance, que j'ai été transportée à l'hôpital, que j'ai craché mes quatre dents sans m'en rendre compte.

Je ne vois Constance Chlore nulle part. Je vois ses frères, mais j'aime mieux ne pas leur parler. Ils ne m'aiment pas. Je ne sais pas pourquoi. Ils me font des airs patibulaires.

— Bonjour, ma petite apache.

Après m'avoir saluée en ces termes, le rabbi Schneider m'attrape par le dessous des bras et m'assoit sur ses genoux. C'est lui qui dirige la chorale. Nous chantons. Il se fait aller les bras. Il dit qu'il bat la mesure. Il bat l'air, si vous voulez le savoir. Il est comme beau. Je suis portée à le regarder. Ses grands yeux de vache sont du noir lumineux, vivant, doux comme le vent. Il joue avec mon nez, avec mes oreilles, avec mes tresses. Ça m'agace. Ça m'irrite jusqu'à la haine. Quand il me prend sur ses genoux et commence à me toucher, je perds les pédales, je me mets en colère, je ne vois plus clair. J'oublie qu'il est beau et qu'il rit tout le temps. Ce n'est plus qu'un géant inconfortable qui profite lâchement de la supériorité de ses forces. Ce n'est plus qu'un de ces grands malades qui serrent un petit oiseau dans leur grosse main et lui caressent le bec de leurs gros doigts en s'imaginant que le petit oiseau aime ça, en s'imaginant que le petit oiseau va éprouver de la reconnaissance et les aimer. Je né veux pas qu'on joue avec moi comme avec une chose, comme avec sa montre. Il n'y a que les chiens, les chats et quelques autres prostitués de la sorte qui se laissent tripoter. Une dinde ne se laisse pas tripoter. Pour quoi le rabbi Schneider me prend-il donc ? Je ne suis pas son épagneul. Je ne suis pas son meilleur ami de l'homme. Je suis quelqu'un et je m'appartiens. Qu'est-ce qu'il dirait, si j'entrais dans sa maison et me mettais à tripoter ses tables, ses chaises et ses statuettes ? Laisse mes tables, mes chaises et mes statuettes tranquilles !

— Étrenne-t-on ce corsage finement brodé ?

Quand on n'a rien de fertile à dire, on devrait se la tenir fermée. Il écarte mes lèvres pour voir mes dents. Il a ses doigts dans ma bouche. J'ai envie de mordre. Vas-y, rabbi ! Fais comme si c'était ta propre bouche ! Fais comme chez toi !

— Voilà qui nous privera pour quelque temps de notre brillante prima donna. Tu me demanderas mon avis avant de prendre part à une autre hoplomachie.

— Je n'ai besoin de l'avis de personne. Et je suis bien contente de ne plus pouvoir chanter.

— As-tu mangé le lion ? Tu n'es pas un gladiateur ordinaire. D'habitude, c'est le gladiateur qui se fait manger, qui passe par le couteau et la fourchette.

Le rabbi Schneider se trouve drôle. Il rit. Son ventre et ses cuisses en sautent ; ce qui me fait sauter. Elle est bien bonne. Les mains dans les poches, le visage glacé, les yeux ternes, Einberg attend qu'on en ait fini avec moi.

— Comment va ta jolie maman ?

— Allez le demander à ma jolie maman ! Comment voulez-vous que je sache ?

Tout à coup, je prends le rabbi Schneider en pitié. Il m'aime. Il fait tout pour que je l'aime. Est-ce sa faute s'il est maladroit ? Je n'aurais jamais dû lui parler sur ce ton. Mais on regrette toujours pour rien, étant donné qu'on ne peut regretter qu'après. Et puis, est-ce qu'il a pitié de moi, lui ? Me respecte-t-il ? Vacherie de vacherie !

Je trouve mes seules vraies joies dans la solitude. Ma solitude est mon palais. C'est là que j'ai ma chaise, ma table, mon lit, mon vent et mon soleil. Quand je suis assise ailleurs que dans ma solitude, je suis assise en exil, je suis assise en pays trompeur. Je suis fière de mon palais. J'ai à cœur de le garder chaud, doux et resplendissant, comme pour y recevoir des papillons et des oiseaux. Si j'avais plus d'orgueil, j'anéantirais par des meurtres ceux qui compromettent le bien-être de ma solitude, ceux qui font gronder de la haine dans sa cheminée, ceux qui tendent de la tristesse à ses fenêtres. Je tuerais Einberg et sa femme. Je tuerais Christian et Constance Chlore. Je suis seule. Parfois, je suis absente de mon palais. Alors il y en a qui en profitent pour s'y glisser. Je les chasse, aussitôt que je rentre. Quand quelqu'un est entré dans mon palais, c'est parce que j'ai manqué de vigilance ; et j'en ai honte. C'est dur de mettre Constance Chlore à la porte, de flanquer Christian dehors. Mais mon palais est trop fragile pour que je puisse y recevoir des amis. Quand un ami marche dans mon palais, les murs tremblent, l'ombre et l'angoisse s'engouffrent par les fenêtres de lumière et de silence que chacun de ses pas brise. Quand je ne suis pas seule, je me sens malade, en danger. J'ai ma peur à vaincre. Pour vaincre la peur, il faut la voir, l'entendre, la sentir. Pour voir la peur, il faut être seul avec elle. Quand je perds ma peur de vue, c'est comme si je perdais connaissance. C'est peut-être

parce que j'ai été sevrée deux jours après ma naissance.
Ce sont eux qui m'ont sevrée. Mais j'aime mieux croire
que je me suis sevrée moi-même, que, dans un grand
élan d'orgueil, j'ai mordu le sein de ma mère, que
j'avais des dents de fer rouillé et que le sein s'est
grangrené. J'imagine toutes sortes de choses et je les
crois, je les fais agir sur moi comme si elles étaient
vraies. Il n'y a de vrai que ce que je crois vrai, que ce
que j'ose croire vrai. Einberg n'a pas voulu laisser
Mme Einberg me nourir. Il était écœuré que je ne sois
qu'une fille. Quand Einberg est parti en voyage, je vais
à la messe avec Christian et Mme Einberg. Mais il faut
que je ne dise pas un mot. A la messe, c'est comme à la
synagogue : c'est beurré de cendre et de sang partout.
Avoir la foi, c'est frémir comme un vampire quand on
entend parler de sang et de cimetière. Bande d'écu-
meurs de cimetières ! Je m'arrange pour qu'Einberg
sache que j'ai été à la messe. Ça l'écœure…

4

J'ai le visage tissé de boutons. Je suis laide comme
un cendrier rempli de restes de cigares et de cigarettes.
Plus il fait chaud, plus mes boutons me font mal. J'ai le
visage rouge et jaune, comme si j'avais à la fois la
jaunisse et la rougeole. Mon visage durcit, épaissit,
brûle. Ma peau se desquame comme l'écorce des
bouleaux.

Nous entrons dans la synagogue. Nous passons la moitié de notre temps à la synagogue. Nous avons la synagogue fréquente. J'aimerais mieux que nous ayons le vin triste. Einberg me tient par la main. Einberg laisse s'envoler ma main et me pousse sur un banc. Le rabbi Schneider lit dans son gros livre rouge à tranche dorée.

« Tous les arrogants, tous les impies ne seront que paille. Le feu qui vient les flambera, dit Yahveh des Armées. Il ne leur laissera ni racines ni feuillage. »

— Vacherie de vacherie !

Je fouille des yeux la morne assemblée. Je glisse des regards entre les épaules ; j'en lance par-dessus les chapeaux. De visage en visage, le même visage anonyme et repoussant se reproduit. Nulle trace de Constance Chlore.

« Voici sur qui je regarde : sur l'humble, sur celui qui a le cœur brisé et qui tremble à ma parole. »

— Le cœur brisé... Vacherie de vacherie... !
Comme dans les chansons d'amour !

Le rabbi Schneider vient nous voir. Il allait me serrer la pince et me pincer la joue. Mais, vu l'état de mes joues, il se contente de me serrer la pince. Quand le rabbi Schneider vient nous voir comme ça, j'ai le goût de n'avoir jamais su parler, le goût de ne plus prononcer un mot du reste de ma vie. J'ai le goût de m'en aller, d'être partie pour toujours. Quelqu'un qui m'aborde, c'est quelqu'un qui veut quelque chose, qui a quelque chose à échanger contre quelque chose qui est pour lui d'une plus grande valeur, qui a une idée derrière la tête. Je les vois venir avec leurs gros sabots.

Ils ont quelque chose à me vendre. Merci! Je n'ai besoin de rien. Repassez! Quand vous repasserez, je ne manquerai pas mon coup. Je serai pleine de serpents et je vous les lancerai à la figure. Quand j'ai besoin de quelque chose, je prends, comme un escogriffe. Je ne demande jamais. Je ne fais pas de grâces. Je ne souris ni avant de prendre ni après avoir pris.

Nous sortons de la synagogue. Dans la rue, il vente, la lumière et les ombres tremblent. Il fait chaud. Einberg me prend par la main. Au bout du trottoir, notre automobile nous attend. Nous marchons derrière un convoi sinistre d'hommes en chapeau noir et en complet noir. Einberg ne peut pas marcher vite : il a été blessé à une guerre. Un éclat d'obus, d'eau bue... Ah. Ah. Il boite. J'ai envie de caracoler. Il me tient par la main et il me tient bien. Je ne peux pas caracoler.

— Vacherie de vacherie!

— Je te défends de jurer. Je t'interdis de prononcer ces mots.

— Vacherie de vacherie! Vacherie de vacherie! Vacherie de vacherie!

— Continue et je te flanque des paires de claques.

— Ta femme dit « vacherie de vacherie » tant et plus.

— Je t'interdis de la désigner de cette manière.

— Vacherie de vacherie!

— Un autre « vacherie de vacherie » et je t'enferme dans ta chambre pour le reste de la journée. Et tu te passeras de manger.

— Vacherie de vacherie! Si tu penses que ça me fait peur!

Je n'ai pas peur de lui. D'ailleurs, il ne met jamais à exécution ses menaces de m'enfermer pour le reste de la journée. Quand il a pris la peine de me flanquer des paires de claques, il se sent acquitté de ses devoirs de père pour un bon bout de temps.

— Pourquoi me tiens-tu toujours par la main ?

J'essaie de libérer ma main. Plus je tire, plus il serre. C'est fort, un adulte ! Constance Chlore me prend par la main. Ce n'est pas la même chose.

— Pourquoi ne réponds-tu jamais à mes questions ? Pourquoi ne me laisses-tu pas tranquille si je ne t'intéresse pas ? Pourquoi es-tu si méchant ?

Einberg ne répond pas. Il regarde les maisons.

— Tu sais, Einberg... Les personnes impies et arrogantes...

— Le feu qui vient les flambera comme paille, a dit Yahveh.

— Il ne leur laissera ni racines ni feuillage, comme à l'orme.

Quand je serai grande, je serai arrogante et impie. J'aurai poussé des racines grosses comme les colonnes de la synagogue. J'aurai des feuilles grandes comme des voiles. Je marcherai tête haute. Je ne verrai personne. Quand le feu qui vient viendra, il brûlera ma peau, mais mes os ne flancheront pas, mais mon échine ne fléchira pas.

— Je me cacherai la tête dans le sable quand le feu qui vient viendra. J'aurai trop honte. Je ne veux pas être debout sur l'estrade quand les impies seront massacrés.

Je ne marcherai pas avec Yahveh. Je marcherai

contre les flammes et contre les armées. J'aime mieux être du mauvais côté, s'il faut absolument être d'un côté. Mes boutons me reviennent à l'esprit. Soudain, la brûlure qui empèse mon visage m'est agréable. Je me pénètre de la douleur, je l'excite, je la déguste, je m'en délecte. Elle est produite par les flammes mêmes qui flamberont les arrogants et les impies.

— Einberg, tu sais... les autres, les humbles, ceux qui tremblent...

— Oui ! Oui !

— S'ils tremblent, n'est-ce pas parce qu'ils ont peur ? Est-ce que ce n'est pas parce qu'ils n'ont pas assez d'orgueil et de courage ? Cette année, il y avait un garçon dans notre classe qui se laissait battre par les filles. Les filles lui volaient ses billes et il allait pleurer dans les jupes de Dame Ruby.

Einberg n'entend plus. Quand il a entendu le premier mot de la première phrase de ce que je dis, il en a entendu assez. Il a les oreilles pleines. La plupart du temps, il m'ignore. Espèce d'ignorant ! Quand Mme Einberg ne lui dispute pas ma possession, il me trouve tout à fait dénuée d'intérêt. Quand il me gronde, il se force.

Je marche dans le marais, le visage dans les feuilles des peupliers, d'un peuplier à l'autre. Le marais, c'est le plancher du ciel. Les peupliers, c'est le bal, ce sont les danseuses du ciel. J'ai de l'eau et des sagittaires jusqu'aux genoux. Je suis tombée à plat ventre tout à l'heure et ma robe neuve est toute mouillée. C'est Einberg lui-même qui achète mes robes. Les peupliers ont des pattes, comme les êtres humains. Comme les

25

femmes, ils portent une jupe : c'est leur feuillage. Ils l'ont troussé pour danser dans l'eau. Les arbres poussent sur la terre. Quand on regarde par en haut entre les branches d'un arbre, le ciel est plein de feuilles et on dirait que c'est dans le ciel que les arbres poussent. Il vente, par bourrasques. Ça fait tinter les feuilles. On dirait un orage sur l'asphalte. On dirait une pluie de sous. Je suis juchée sur une butte et je ne bouge pas. Je regarde. J'attends. J'attends que la sonnerie des feuilles et la chaleur du vent aient fini de me prendre. J'attends d'être tout à fait dissoute dans le vent et les feuilles. Les feuilles ont un côté terne et un côté brillant. Une grenouille saute sur mes pieds, reste figée là. La grenouille est froide et propre. Mes pieds sont sales et chauds. Elle cligne des yeux, lentement, comme si elle s'endormait. Floc ! Elle a replongé sous l'eau. Les grenouilles ont des yeux sortis de la tête et leurs paupières n'ont pas de cils. Comme les léopards, les grenouilles sont ocellées. Les grenouilles qu'on voit dans l'herbe sont vertes. Celles qu'on voit dans les labours sont brunes. Les femmes qui portent des souliers rouges ont un sac à main rouge. Celles qui portent un sac à main noir ont des souliers noirs. Christian n'est pas encore revenu. Je suis sous l'effet de l'attente.

5

Quand j'étais plus petite, j'étais plus tendre. J'aimais ma mère avec toute ma souffrance. J'avais toujours envie de courir me jeter contre elle, de l'embrasser par les hanches et d'enfouir ma tête dans son ventre. Je voulais me greffer à elle, faire partie de sa douceur et de sa beauté. Venu avec la raison, l'orgueil m'a fait haïr le vide amer qui se fait dans l'âme afin qu'on aime. Maintenant, ce qu'il faut, c'est rompre tout à fait avec Mme Einberg, c'est rendre cette femme tout à fait nulle. J'exècre avoir besoin de quelqu'un. Le meilleur moyen de n'avoir besoin de personne, c'est de rayer tout le monde de sa vie. Ce que j'ai à faire, je le sais : conjurer les puissances que le monde coalise contre moi, répondre par d'autres attentats aux attentats à la solitude commis contre moi. J'ai à grandir, à me prolonger par en haut, jusqu'à supplanter tout, jusqu'à planer au-dessus des plus hautes montagnes. J'ai à élever un échafaudage, à construire une échelle, une échelle si grande que je pourrai mettre mes mains dans l'azur. Quand je descendrai, j'aurai les cheveux pleins d'azur, tout comme on a les cheveux pleins d'eau quand on sort du fleuve. Ma mère est un oiseau. Les oiseaux ne nous aiment pas. Aussitôt qu'ils nous voient, ils se sauvent. Quand on en attrape un, il se débat. Même si on lui dit qu'on l'aime, il veut s'en aller, il ne veut pas rester avec nous. Les chiens et les chats aiment se laisser flatter. Les oiseaux n'aiment pas ça. Une fois, j'ai essayé de prendre une poule dans mes bras. Je la trouvais belle. Elle a poussé des cris de mort. Elle m'a donné de grands coups d'ailes au visage. Elle m'a griffé les bras jusqu'au sang. Ma mère est comme un oiseau. Quand je la prenais dans mes bras, elle se raidissait, elle se défendait. Reste tranquille ! Va jouer dehors ! Tu me fais mal ! C'est assez ! C'était comme si je lui mettais des bâtons dans les roues, comme si elle avait quelque chose d'urgent à faire. Elle m'aime, mais d'une curieuse façon. J'avais l'impression qu'il n'y avait pas assez de place dans sa vie pour que j'y vive. Je voulais dormir avec elle. Je me glissais dans sa chambre au milieu de la nuit. Je me hissais sur son lit, un grand lit qui avait des roues de tombereau au lieu de pieds. Je me pelotonnais contre elle. Elle se réveillait, me souriait, me prenait sur ses épaules, me ramenait dans ma chambre. Sois sage ! Quand elle était assise dans les fleurs, j'allais m'asseoir sur elle et la prenais par le cou. Va jouer comme une bonne petite fille ! Laisse maman tranquille ! Maman est fatiguée ! Quand elle se promenait, je la suivais, je me pendais à sa robe. Elle me laissait la suivre sans s'occuper de moi. Puis elle se retournait et me disait qu'elle avait assez joué avec moi. Maintenant, c'est fini. Je ne l'aime plus. Je n'allais pas passer ma vie à me faire repousser comme si je puais. Je me débrouillerai toute seule. Je ne chercherai plus jamais à fixer ses yeux de faucon hagard. Je n'appelle plus son regard. En elle, toutes les portes et les fenêtres sont condamnées. En elle, c'est comme une maison où il ne vit plus personne. Au fond,

28

personne n'a de mère. Au fond, je suis ma propre enfant. Maintenant, quand elle me sourit je détourne la tête. Quand elle prend mon menton dans sa main, j'ôte sa main. Quand elle prend son fusil et qu'elle dit : « Viens ! allons faire un tour sur le continent ! », je lui dis de me laisser tranquille. Quand elle me parle, je ne réponds pas. Viens ! allons escalader les toits ! laisse-moi tranquille ! Souvent, elle monte sur l'abbaye. Elle aime marcher sur les toits, s'asseoir à califourchon sur les faîtes. Les toits sont abrupts, les tuiles se décrochent sous les pieds. Souvent, elle est soûle. C'est le soir qu'elle boit. Elle s'assoit dans le noir sur le canapé du petit salon, et elle boit, tranquillement. Elle a mis ses pieds nus sur la bergère à tapisserie, et elle caresse son chat du bout des orteils. On entend le chat ronronner. On entend l'alcool tomber dans le grand verre rond. On n'entend rien. « Je rêve tout le temps aux vaisseaux des vingt ans, depuis qu'ils ont sombré dans la mer des Étoiles » (Nelligan).

6

Ici, c'est une île. C'est un long champ entouré de joncs, de sagittaires et de petits peupliers tapageurs. C'est un long drakkar ancré à fleur d'eau sur le bord d'un grand fleuve. C'est un grand bateau dont les flancs chargés de fer et de charbon sont presque engloutis, dont le mât unique est un orme mort.

L'abbaye de pierres sèches que nous habitons est assez grande pour s'égarer. Ses quatre toits de tuiles rouges sont plus pointus que des fers de hache, plus escarpés que des falaises. Ils sont si hauts que, juché dessus, on peut voir la ville s'étendre comme un immense filet gris de l'autre côté des forêts, on peut voir le fleuve entrer dans l'océan. Mais le pont est encore plus haut. Les toits de l'abbaye ont l'air d'être quatre, mais ils ne sont que deux. Et ils s'entrecoupent de telle façon qu'à vol d'oiseau l'abbaye a l'air d'un crucifix. Chat Mort m'a expliqué pourquoi, mais je n'ai rien compris. En tout cas, Jésus-Christ est mort sur une croix. Au bas de chaque noue, une petite tour se dresse. Ce sont des échauguettes. Avant, les nonnes se mettaient dedans pour tirer sur les Indiens. Par-dessus les toits, passe le pont ferroviaire. J'ai toujours eu peur qu'il s'écroule sur l'abbaye et la brise en miettes. Le pont cache le soleil. Il fait toujours noir dans l'abbaye. Le pont est si vaste que, embrassée de ses noires et énormes colonnes de fer, l'abbaye a l'air d'un faon qui dort entre les pattes d'un éléphant. « Mademoiselle Bérénice ! » C'est le jardinier qui crie après moi. Le vieux treuil de carrier tourne encore. Plus grand que la grande roue d'un cirque, les nonnes l'avaient construit pour exploiter le charbon et le fer. Avec le charbon elles faisaient fondre le fer. Elles versaient le fer fondu dans des moules à canon. Avec les canons, elles tiraient sur les Indiens. Quand l'heure de dîner arrive, je cours me cacher dans une des bennes du treuil de carrier, et j'attends que le jardinier me trouve. « Mademoiselle Bérénice ! Mademoiselle Bérénice ! » Il sait que je suis cachée dans le treuil de carrier, mais il ne sait pas dans quelle benne. Il est trop vieux pour grimper. Pour savoir dans quelle benne je me cache, il faut qu'il fasse tourner la roue. Je fixe les yeux au ciel et, quand la roue se met à tourner, les nuages se mettent à courir.

Nous dînons dans l'aire basse du réfectoire, à bord de la table de poutres usées où les cinq cents nonnes dînaient il y a deux cents ans. La table est si longue que Chat Mort et Einberg, qui en occupent les bouts, ont l'air de se faire face d'une extrémité et de l'autre d'un chemin. La place de Christian et la mienne sont vis-à-vis, à mi-chemin. Chat Mort siège dans la stalle large et haute de l'évêque itinérant. Le dossier est plus sculpté qu'un bas-relief. A la place des bras, des lions damasquinés crachent la langue. Chat Mort n'aime pas la lumière. Quand une lance de soleil jaillit de la fente des rideaux et se plante sur le parquet, son visage se tend et s'assombrit. Malgré la nécessité de la haïr, je suis fascinée par ma mère comme par un oiseau. Je l'admire. A la voir être et à la voir faire, je suis portée à l'imiter, je sens que c'est ainsi qu'il faudrait que je sois et que j'agisse. Je trouve ses yeux beaux, ses mains belles, sa bouche belle, ses vêtements beaux, sa façon de se verser du thé belle. Je la regarde manger comme on regarde un pélican manger. Je la regarde être assise comme on regarde une hirondelle voler. J'ai peur d'elle comme on a peur d'une sorcière. Quand je me surprends à redresser la tête, à me caresser les lèvres ou à fixer les yeux comme ma mère, je me fâche contre moi. C'est une influence, un charme à rompre. C'est l'ennemi à abattre.

Ma mère est toujours dans la lune. A la voir passer le nez en l'air et les yeux surpris dans ma vie, on dirait qu'elle passe ailleurs, qu'elle se promène dans un autre siècle, qu'elle passe au son du cor entre deux rangées serrées d'archers à hoqueton de brocart, qu'elle déambule dans un conte. Elle me dépasse. Elle m'échappe. Elle me glisse entre les yeux comme l'eau glisse entre les doigts. Pour moi, c'est clair : elle est un danger, une menace terrible. C'est un soleil qui me flamberait l'âme si je ne le fuyais pas, ne m'en défendais pas. Elle occupe à la porte de ma vie une présence massive, lourde, presque suffocante. Elle y bat comme la mer aux flancs d'un navire. Si j'ouvre, si j'entrebâille, elle me pénètre, elle envahit, elle noie, je coule. Sans faire exprès, elle ensorcelle. Elle a ensorcelé Christian. Sans lever le petit doigt, elle est imposée à lui comme des mains à une argile. Pour lui, il n'y a qu'elle : elle est sa seule idée et sa seule force. Je trouve ça indigne. Chaque fois qu'il la voit, il la regarde comme si elle lui apparaissait. Il la mangerait. Quand elle est triste, il est désespéré, il pense que c'est parce qu'il a fait quelque chose de mal. Quand il pleure, c'est parce qu'il l'a vue pleurer. Ça m'enrage de les voir faire quand ils sont ensemble. Ça me donne la nausée. Ça me rappelle qu'avant j'étais comme Christian. J'essaie de lui mettre dans la tête de ne pas se laisser faire. Il ne veut rien comprendre. Il est irrécupérable. Elle l'a ensorcelé comme le joueur de flûte a ensorcelé le serpent. Comme je serais malheureuse si j'étais ensorcelée comme avant, comme je souffrirais. Ma mère est comme un oiseau. Mais ce n'est pas ainsi que je veux qu'elle soit. Je veux qu'elle soit comme un chat mort, comme un chat siamois noyé. J'exige qu'elle soit une chose hideuse, repoussante au possible. Ma mère est repoussante au possible. Ma mère est hideuse et repoussante comme un chat mort que des vers dévorent. Que ma mère ne soit pas vraiment comme un chat mort n'a pas grande importance. Il faut trouver les choses et les personnes différentes de ce qu'elles sont pour ne pas être avalé. Pour ne pas souffrir, il ne faut voir dans ce qu'on regarde que ce qui pourrait nous en affranchir. Il n'y a de vrai que ce qu'il faut que je croie vrai, que ce qu'il m'est utile de croire vrai, que ce que j'ai besoin de croire vrai pour ne pas souffrir. Mme Einberg n'est pas ma mère. C'est Chat Mort. Chat Mort ! Chat Mort ! Chat Mort !

Nous mangeons, tranquillement, sans dire un mot, comme des vaches. Les épais rideaux de velours ont été tirés sur les fenêtres creuses. Seuls les pâles lustres de diamants jaunes, qui pendent comme par subterfuge du fond des ténébreux entre-deux, jettent un peu de clarté. Des rinceaux gris courent et s'entrelacent sur les trumeaux noirs. La rare clarté luit sur le parquet verni. L'abbaye a quatre ailes. Nos chambres occupent l'aile orientée vers le plus large du fleuve. La chambre de Chat Mort est sous les toits, juste au-dessus de l'eau. Elle dort sur des peaux de lama entassées sur des dalles grises et noires. Les rayons de la lune s'irisent en passant au travers de la mosaïque qui tient lieu de mur, mosaïque où Chat Mort, sans se soucier de leur ordre, a soudé les unes aux autres les pièces des vitraux de la chapelle. La chapelle a été plafonnée et transformée en

33

vivoir. Mais pour nous, c'est encore « la chapelle ». Chat Mort est amoureuse des trains. Ce qui surtout lui plaît en eux, c'est la tempête qu'ils mènent dans la nuit. Il en passe beaucoup durant la nuit. Ils passent juste au-dessus de nos têtes, et c'est comme s'ils roulaient sur le toit. Ils font trembler les murs. Ils secouent nos lits. Quand ils s'annoncent, Chat Mort se réveille, se lève, court à son œil-de-bœuf, l'ouvre. Elle se dresse sur la pointe des pieds. Elle les écoute venir, passer et s'éloigner. Une chaussée empierrée attache l'île au continent. Chat Mort déplore cet isthme. Elle parle de le tuer, de le faire crucifier. Au printemps, quand la crue l'engloutit, elle fait le tour de l'île en canot, tous les jours, plusieurs fois par jour. Au printemps, le fleuve monte, grossit. Certaines années, il inonde toute l'île, passe par-dessus. Alors, il n'y a plus que l'orme, la tête des peupliers et le treuil de carrier qui dépassent de l'eau plate et blanche comme un miroir. L'abbaye est à Chat Mort. Je n'aime pas y vivre. Je n'y vis qu'en attendant, qu'en latence. Christian n'y est pas. Sa place à table, en face de moi, est vide, vide comme devrait l'être sa place dans ma tête. Septembre déjà... Christian est à la veille de revenir. Nous passerons une semaine ou deux ensemble. Ensuite... Einberg prétend que la place d'un garçon de son âge est au collège... Tout le monde se bat pour me l'enlever. Christian, c'est comme un trophée. Le plus fort l'emporte. Ils se trompent, Einberg et Chat Mort. Christian. Le plus fort, c'est moi. Celle qui finira par l'avoir, c'est moi. Je le leur ôterai, comme j'ôterai Constance Chlore à son horrible famille. Avoir quelqu'un dans la tête, c'est comme y avoir une épée. Je veux entrer, comme une épée, dans la tête de Christian. Et son épée, je la briserai sur mes genoux. Et l'épée de Constance Chlore, je la romps. L'épée du Dieu des Armées, je la casse. Mon cœur, je l'arrache, le jette dans le fleuve.

7

Christian arrive demain matin ! Vite au lit ! Que c'est dur, s'endormir... Que la nuit sera longue ! Avant que le sommeil me prenne, mon bateau fait cent fois le tour de la terre, mon oiseau va mille fois d'un horizon à l'autre. Je me réveille. Trop tôt ! Je referme les yeux. Je me réveille encore. Il fait encore noir. Je me réveille, une fois de plus. Il fait jour. Enfin ! Je suis tout affolée. Je saute hors de mon lit, plonge hors de ma chambre. Je crie dans les corridors, y ris, y galope. Je danse et tourbillonne comme une meute de papillons blancs autour d'un fanal. J'arrache d'un coup de bras la porte de la chambre de Christian. Je cours me jeter sur son lit comme on court se jeter dans le fleuve. Comme une balle, je bondis et rebondis dans la plaine où il dort. Christian ! Christian ! Je hurle et gesticule comme les Indiens sur le sentier de la guerre. Couvertures, draps et courtines volent dans la chambre comme des fantômes dans une maison hantée. Le duvet des oreillers neige, neige, neige, comme pour un blizzard.

Je lui chatouille la plante des pieds, et ses pieds se courbent. Je lui chatouille les aisselles, et ses bras se referment comme des pièges sur mes mains. Rentré depuis peu, les yeux chassieux, le visage bouffi, Christian grogne, gronde, menace, mais demeure flasque, refuse de sortir de ses gonds. Je m'acharne. Je me vautre sur lui. Je l'ébouriffe. Je lui secoue la tête par le nez, par les oreilles. Je l'abreuve d'injures. Peu à peu il se contracte, il se crispe, il se cabre. L'éruption va se déclencher. Ses voltes soudaines produisent de véritables secousses sismiques. Je l'attrape par un pied et tire. Désespérément, il se cramponne aux montants. J'exerce une traction irrésistible. Il lâche prise, et vlan ! il capote sur le parquet. Ça y est ! Il est en colère. Il se relève et me prend en chasse. S'il m'attrape il me tord le cou. Vive et souple comme une source, je lui glisse entre les pattes. Il court plus vite que moi. Je suis prise dans un coin. Je suis une chèvre aux abois. Je saisis un drap au vol et le lui lance à la figure. Il s'embarrasse dedans comme dans un filet, et je parviens à reprendre le large. Il me talonne de nouveau. Il va s'abattre sur mes épaules. Son pot de billes trône sur la commode. Au passage, je le saisis. Et, par poignées, du geste gracieux du semeur, je lance des billes sous ses pas. De douleur et de rage, il trépigne. Il oscille, il branle, ne suffit plus à reprendre son équilibre. Il chavire enfin. Je ris tellement que j'en suis soûle et en titube. Mon rire me vide le corps, m'épuise. J'ai les jambes molles. Je ne tiens plus debout. Je tombe, terrassée de rire. Il m'empoigne, me serre, me brutalise. Je suis trop ivre pour réagir. Je le laisse faire. Peu à peu, sa volée me dégrise. Je me sauve. Il me rattrape aussitôt. Nous nous enlaçons et nous tombons par terre. Prends ça, affreux ! Prends ça, affreuse ! Nous nous colletons, comme des oursons, comme des coqs de foire. Comme il est plus grand et plus fort, je n'ai pas de scrupule à recourir aux coups les plus déloyaux. Nous nous roulons, cognons les murs, rebondissons. Les commodes cossent. Les fauteuils se carambolent. Le lit tournoie. Crie chute ! Non ! Un genou sur ma gorge, il me tient rivée au parquet. Dis chute ! Non ! Jamais ! Je redresse la tête et le mords à pleine bouche, le perce à jour avec le reste de mes dents. Je m'agrippe à son pyjama. Les boutons de sa veste sautent comme des pétards. Mais il est deux fois plus grand et plus fort que moi et il viendra à bout de moi à la longue. Mes sueurs et mes ruses ne font que retarder l'inévitable issue : mon inconditionnelle reddition. Je suis à bout de souffle. J'ai la gorge en feu. Il me tord un bras. Je n'en peux plus. J'abandonne. Je laisse tomber mes drapeaux. Je crie chute. Je supplie. Il exige que je ramasse ses billes. Jamais ! Jamais ! Plutôt l'estrapade ! Plutôt les bombes atomiques ! Ramasse-les tout seul tes sales yeux de verre ! C'est dans la noire penderie ou il m'a traînée et verrouillée que je serais morte si, ayant entendu mes cris, le jardinier n'était venu me délivrer.

Nous nous mettons à table. Le jardinier sert le potage. Nous faisons semblant de rien. Il ne faut pas qu'il paraisse que nous nous sommes battus. C'est un secret. C'est un bon tour que nous avons joué à Einberg. Nous mettons le nez dans nos assiettes pour éviter que nos regards se rencontrent. Il suffit que je pense à lui pour avoir envie de rire. Christian se met la main en paravent.

— Regarde sous ton assiette! me lance-t-il d'une voix blanche.

Méfiante, je soulève mon assiette pleine de potage. C'est un billet. Je l'escamote et le déplie sur mes genoux. Quelque chose tombe par terre. A quatre pattes sous la table gigantesque, dans le noir, je cherche. Je mets la main sur un lacet noir où un petit objet chatoyant comme un œil-de-chat est enfilé. Il s'agit d'un soleil d'ivoire hérissé de rayons d'opale et de saphir. Opale et saphir! Que c'est beau! Comme ça brille. Je pousse un cri de joie. Je remonte à la surface. Je me sens rouge de joie. Spontanément, d'enthousiasme, je montre le bijou à Einberg. Regarde, Einberg, comme c'est beau! comme c'est lumineux! C'est Christian qui me l'a donné! Je lis le billet en reniflant d'émotion et d'amour. « J'espère que la raclée de ce matin t'a corrigée pour de bon. C'est un vrai gri-gri. Ce sont des vraies pierres précieuses. C'est un scout zoulou qui me l'a donné. Ton frère Christian. » Je noue le lacet à mon cou. Et d'une voix aigre, devant Yahveh, je jure à Christian qu'il ne me quittera jamais. Du fond de sa stalle, Chat Mort sourit. A l'autre bout de la table, Einberg serre les poings, grince des dents. Je vois Christian trembler dans ses bottes. Einberg fixe sur lui un regard assez méchant pour empoisonner.

— Qu'est-ce que c'est que ça? aboie-t-il. Réponds! Qu'est-ce que c'est que ça?

— C'est un gri-gri, répond Christian d'une voix

sifflante, les oreilles rouges de honte. C'est un soleil zoulou. Ça sert à leur culte.

— Enlève-moi ça, Bérénice Einberg ! Rends-le-lui, et vite ! Et demande pardon à Yahveh de ton serment ridicule. Quant à toi, Christian, laisse ma fille tranquille !

Il me fait écumer. J'en ai par-dessus la tête des inepties de cet hurluberlu. J'en ai plein les pieds de leur guerre de Trente Ans.

— Si tu penses que j'ai peur de toi, Mauritius Einberg ! J'ai dit que je garderais le gri-gri et je le garderai. Si tu me le voles, tu le regretteras. Je te tuerai !

Chat Mort se dresse, se porte à ma rescousse. Elle ne va pas rater une si belle occasion de tomber sur le dos d'Einberg.

— Vos hauts cris sont absolument ridicules, Mauritius Einberg ! Vous êtes malade ! Vous êtes fou de haine ! Tout juguler, n'est-ce pas ? Tout détruire ! Le moindre éclat de bonheur vous scandalise, vous met hors de vous ! Que ces enfants se fassent plaisir vous constipe ! Les voir s'aimer vous fait vomir et suppurer ! Comme je vous comprends ! Que je vous plains !

— Je me suis réservé le droit d'élever ma fille comme bon me semblerait ! Si tu veux faire un sans-allure de ton fils, libre à toi ! Mais ne touche pas à ma fille !

— Je me réserve le droit de protéger mes enfants de la haine morbide qui vous ronge !

Vlan et vlan ! Prends ça ! Attrape cette armoire !

Boum ! en pleine face ! Ça t'apprendra, affreuse !
Bang ! sur ton grand nez ! Ça t'apprendra, affreux !

8

Chat Mort parle de l'amour comme d'un village
fortifié, comme d'un refuge où n'atteint aucun mal,
comme d'un havre de béatitude, comme d'une enclave
luxuriante qu'abrite un toit mouvant de pinsons et de
bouvreuils. Ses mots, chaque fois qu'elle en parle,
trouvent en moi des montagnes et des gorges où ils se
répercutent. Mais un refuge, aussi sûr qu'il puisse être,
n'est-ce pas une cage, une prison, un souterrain
sombre et visqueux ? J'ai plus envie de la vie dans sa
dévastatrice immensité que des retranchements doux
et encombrés qu'on y a ménagés. Une baie ne me dit
rien. Il me faut tout le continent, tous les continents.
Je veux voguer sur des continents et des déserts. Je
veux venir à bout des abysses et des pics. Je veux
bondir d'abîme en sommet. Je veux être avalée par
tout, ne serait-ce que pour en sortir. Je veux être
attaquée par tout ce qui a des armes.

Je suis contre l'amour. Je me révolte contre l'amour,
comme ils se révoltent contre la solitude. Aimer veut
dire : éprouver du goût et de l'attachement pour une
personne ou pour une chose. Aimer veut dire : éprouver. Aimer veut dire : subir. Je ne veux pas éprouver,

mais provoquer. Je ne veux pas subir. Je veux frapper. Je ne veux pas souffrir.

Quand je serai grande, je n'aurai plus en place de cœur qu'une outre vide et sèche. Christian me laissera froide, tout à fait indifférente. Aucun lien ne nous unira que je n'aurai tissé de mes propres mains. Aucun élan ne me portera vers lui : je me porterai vers lui de mes seuls pieds. J'aime imaginer que nous sommes deux pierres que j'ai entrepris de greffer l'une à l'autre avec mon sang. Un dialogue sera établi entre deux pierres. Mon entreprise sera couronnée de succès. Je suis une alchimiste rendue folle par des vapeurs de mercure. J'aimerai sans amour, sans souffrir, comme si j'étais quartz. Je vivrai sans que mon cœur batte, sans avoir de cœur.

Les histoires d'amour me fatiguent. Je considère manquée, gâchée, médiocre, la vie de celui dont la vie est une belle histoire d'amour. C'est toujours pareil. Elle et lui. Ils viennent de bout et d'autre de nulle part et ils se tombent dans les bras. Ils ne se connaissent pas. Ils arrivent face à face, ils se regardent et ils sentent leurs cœurs s'enflammer, se mouiller et se gonfler. Ils s'aiment. Je te l'aime. Tu me l'aimes. Ils s'aiment et, surgies des noirceurs de la terre, des cloches par milliers sonnent. Il est pâmé et il n'a rien fait pour ça. Elle est aux anges et elle n'a rien fait pour ça. Quelque chose leur est arrivé qu'ils n'ont pas cherché. Ils subissent une pression, se laissent pousser. C'est lâche ! C'est indigne ! Ils sont tombés dans un piège et s'y trouvent bien. Ils se sont fait jouer un tour et, aveuglément, comme s'ils étaient bouchés à l'émeri, ils s'en réjouissent. Ils sont victimes d'un complot, dupes d'une machination. Je m'appelle Bérénice Einberg et je ne me laisserai pas induire en erreur. Il ne faut pas se laisser aller à aimer. C'est comme se laisser aller.

J'apprends à dédaigner ce qui d'abord me plaît. Je m'exerce à rechercher ce qui d'abord me porte à chercher ailleurs. Les choses et les personnes auxquelles on ne trouve pas de beauté ne font pas souffrir. C'est ridicule. Mais c'est moins ridicule que d'obéir sans se méfier à la voix de ses sentiments, sentiments qui ne viennent de nulle part. Ils sont sortis du néant, ils se sont éveillés, ils ont trouvé des sentiments dans leur âme, et ils disent : « Ce sont mes sentiments. » Ce qui importe, c'est vouloir, c'est avoir l'âme qu'on s'est faite, c'est avoir ce qu'on veut dans l'âme. Ils se demandent d'où ils viennent. Quand on vient de soi, on sait d'où l'on vient. Il faut tourner le dos au destin qui nous mène et nous en faire un autre. Pour ça, il faut contredire sans arrêt les forces inconnues, les impulsions déclenchées par autre chose que soi-même. Il faut se recréer, se remettre au monde. On naît comme naissent les statues. On vient au monde statue : quelque chose nous a faits et on n'a plus qu'à vivre comme on est fait. C'est facile. Je suis une statue qui travaille à se changer, qui se sculpte elle-même en quelque chose d'autre. Quand on s'est fait soi-même, on sait qui on est. L'orgueil exige qu'on soit ce qu'on veut être. Ce qui importe, c'est la satisfaction de l'orgueil, c'est ne pas perdre la face devant soi-même, c'est la majesté devant un miroir, c'est l'honneur et la dignité entretenus au détriment des puissances étrangères dont l'âme naissante est infestée. Ce qui compte, c'est se savoir responsable de chaque acte qu'on pose, c'est vivre contre ce qu'une nature trouvée en nous nous condamnait à vivre. Il faut, à l'exemple du géant noir gardien des génies malfaisants, se faire fouetter pour ne pas s'endormir. S'il le faut, pour garder mes paupières ouvertes, j'arracherai mes paupières. Je choisirai le sol de chacun de mes pas. A partir du peu d'orgueil que j'ai, je me réinventerai.

Il ne faut pas avoir vécu bien longtemps pour pouvoir tirer de justes conclusions à propos du bonheur. Je me moque, d'un rire égal et superbe, de la joie comme de la tristesse. Je sais que la joie est immanente, que, quoi que je fasse, je devrai toujours en repousser les assauts réguliers comme le tic-tac d'une horloge. Je veux dire : on ne peut s'empêcher de se sentir heureux aujourd'hui et malheureux demain. Un jour on est gai. L'autre jour on est écœuré. On ne peut rien ni pour ni contre ça. On fait l'effort de s'en ficher, quand on est sage, quand on vit sa vie. Les alternances de joie et de tristesse sont un phénomène incoercible, extérieur, comme la pluie et le beau temps, comme les ténèbres et la lumière. On hausse les épaules et on continue. Fouette, cocher !

Christian ! Constance Chlore… Que sont-ils ? Je suis le général et ils sont les forteresses à prendre. Je m'empare d'eux. Je les vole à ce qui les possède. Je les arrache à eux-mêmes, je les emmène en captivité. J'exerce sur eux mes pouvoirs. Je suis portée à les aimer, mais je ne les aime pas. Parce que je ne veux pas les aimer. J'ai à triompher de leur volonté et de ce qui me porte à les aimer. Ils sont mes batailles. Ils sont ma bataille. Chat Mort est ma bataille. Einberg est ma bataille. Tout est ma bataille. Boum ! un coup de canon sur le nez de l'Indien ! Vlan ! un coup de soulier sur les oreilles de l'Indien ! Quelque raison qui m'éclaire ce soir, quelque force qui m'émeuve maintenant, il reste que Christian et Constance Chlore me hantent, que je les cherche, que je les attends, qu'il faudrait que je les possède, qu'il faudrait que je ne souffre pas à cause d'eux. Il faudrait que je ne connaisse d'eux que leur visage. Il faudrait qu'ils ne soient pour moi que le fou et la reine qu'on déplace sur l'échiquier. Mais je m'ennuierais. Il ne faut pas souffrir. Mais il faut prendre le risque de souffrir beaucoup. Mais j'aime trop les victoires pour ne pas courir après toutes les batailles, pour ne pas risquer de tout perdre. Va te coucher. Vacherie de vacherie !

9

Cette semaine, être l'amie de Christian est facile, va tout seul, entraîne même. C'est si facile que ça n'en vaut presque pas la peine. Mais plus tard, ce sera dur, épuisant, presque impossible. J'ai des plans. Nous ne nous inspirerons rien, comme deux cailloux. Il faudra que nous nous construisions de l'amitié au fur et à mesure. Nous ne serons amis que par orgueil, que pour la beauté de construire quelque chose, de créer, de mener le bal. Je veux qu'à la longue Christian en vienne à me répugner et à me mépriser. Alors il sera mon ami envers et contre nous. Alors les efforts d'âme que nous déploierons pour rester amis nous feront suer à grosses gouttes, nous feront saigner les yeux, nous brûleront. La vie ne se passe pas sur la terre, mais dans ma tête. La vie est dans ma tête et ma tête est dans la vie. Je suis englobante et englobée. Je suis l'avalée de l'avalé.

Christian a une façon d'aimer qui désarme. Il aime les petites choses, les choses qui n'ont ni force, ni forme, ni poids, ni beauté. Il se penche sur elles et, sous mes yeux, je les vois bientôt rayonner du meilleur de l'homme. Il les fouille, les découvre. Il n'a qu'à les désigner du doigt ou les prendre dans sa main pour qu'aussitôt, sous l'effet de son amour, elles deviennent merveilleuses. Il rendrait un barreau de chaise irrésistible à un boa constrictor. Quand je suis seule et que je vois courir des araignées sur l'eau du marais, ça ne me fait rien. Quand je suis avec Christian, les araignées emplissent mes yeux comme autant de navires, elles s'allument pour que je les voie et j'ouvre mon regard pour les laisser entrer. Les bouts de jonc qu'il ramasse sont des maisons. Il les ouvre et on voit s'enfuir un insecte, un petit animal, une sorte de minuscule être humain, un rhinocéros pas plus gros qu'une tête d'épingle.

Nous allons au marais. Rendus au bord de l'eau nous nous déchaussons. Il roule les jambes de son pantalon et je fais un nœud dans ma jupe. Nous marchons sur la glaise froide et périlleuse en nous tenant par la main. Je porte sa gibecière sur mon épaule. Laisse-moi porter ta gibecière ! Elle est remplie de filets et de bocaux armés de savants traquenards. Il s'immobilise soudain, me serre la main, me désigne quelque chose du doigt.

— Regarde ! chuchote-t-il. Une livie ! Regarde-la comme il faut. Regarde comme ses ailes sont transparentes. On peut voir son corps au travers, comme si elle n'avait pas d'ailes du tout. Regarde son ventre ! Il est noir mais il scintille comme s'il était vert. Ses ailes sont comme tracées à l'équerre. Regarde sa tête ! Elle est carrée carrée, et on dirait qu'elle est sertie d'une goutte d'argent. On dirait qu'elle porte un casque. Regarde comme elle est immobile. Elle fait semblant de ne pas nous avoir vus.

J'ai cru d'abord que ce n'était qu'une grosse mouche. J'ai cru ensuite qu'elle sortait des mains d'un orfèvre et que l'orfèvre l'avait épinglée à ce pétale comme on se met un diamant au doigt. La livie n'est rien de tout ça. J'apprends qu'elle est une aventurière et une meurtrière. Christian me raconte les plus sanglantes histoires de livies qu'il connaisse. Christian sort une tapette de la gibecière. Mon cœur se contracte. Vif comme l'éclair, Christian frappe. Et la livie, qui tout à l'heure sur son pétale avait l'air d'une flèche sur le point d'être décochée, n'a plus l'air, gigotant faiblement dans l'eau épaisse, que d'une larve.

— Fou ! Fou ! Tu l'as brisée. Elle est toute brisée maintenant.

J'ouvre le bocal et il la laisse tomber au fond. Nous nous remettons en marche et en exploration. La livie reprend connaissance. Ses petites pattes se tendent comme des cordes de violon. Ses ailes se tendent comme des peaux de tambour. Elle est redevenue vibrante, toute raide, alerte et vigilante. Je la regarde se lancer en tous sens, se disperser en pure perte contre les parois de verre de sa prison.

Nous retenons notre souffle. Nous avons plongé la nappe de chanvre qui nous sert de filet sous la surface opaque et mystérieuse de l'eau. La serrant des quatre coins, d'un geste lent et continu, raclant le plus possible le fond accidenté, nous l'amenons vers des régions de plus en plus profondes, de plus en plus secrètes. Il faut faire bien attention, ne rien troubler, ne rien déplacer : les plus grandes merveilles sont les plus craintives. Christian me donne le signal. Du même geste lent et continu, dans un silence de plus en plus suffocant, nous levons notre pêche. C'est le moment d'une extase chaque fois plus vertigineuse. L'eau baisse sous nos yeux qui s'écarquillent et sous nos bouches qui s'ouvrent. Penchés de plus en plus au-dessus de notre petite nappe que le poids de son eau creuse, nous sommes sur des charbons plus ardents que si nous sassions des sables aurifères. L'eau puisée file entre nos jambes, puis, se raréfiant, se met à goutter. Il n'en reste plus qu'une soupe de plus en plus épaisse de limon et d'algues. L'eau boueuse se met à bouger. L'eau boueuse s'anime, se met à bouillir. J'imagine, qui se dégagent des secousses de cette gestation insupportable, je ne sais quels pendants d'oreilles frétillants, je ne sais quelles minuscules fées à nageoires, je ne sais quelles fleurs vivantes de marguerite et de dahlia. Le fourmillement se précise, se peuple. Des dos luisent. Des queues surgissent. Je vois déjà grouiller la foule des petits têtards noirs. J'en attends d'autres, les gros, les pâles et tièdes comme des œufs de moineaux, ceux dont la gorge est blanche et molle comme une joue, ceux qui poussent des pattes de bourdon à la racine de leur belle queue en fer de lance qui s'effrite. A côté des autres, ils ont l'air de géants, ils sont merveilleux, presque monstrueux. Ils emplissent le poing quand on les serre pour sentir la vie les travailler. Chaque fois, quand toute l'eau s'est vidée, une sorte de miracle s'est produit. Une sangsue grande comme un lacet a bondi, ondulant de toute sa longueur. Un vrai petit poisson d'aquarium, un petit poisson transparent luisant vert ou luisant bleu s'est dégagé de la masse des petits têtards noirs et des petits mollusques immobiles.

Nous ne rentrons qu'au crépuscule. Embrassant au passage les nymphes qui habitent les peupliers, je marche loin derrière Christian.

10

Il fait plutôt froid et il fait clair-obscur. Je regarde le ciel. Je cherche à m'expliquer la funèbre effervescence qu'il fait monter à ma tête, l'ébriété angoissée dont il embrase tout mon corps, les fiévreux vertiges qu'il me donne. Un banc de nuages épais comme un quai et noir comme jais dresse haut au-dessus de l'horizon les sommets portés à incandescence d'une muraille qui a endigué les éruptions violentes d'un crépuscule d'automne. Nous sommes assiégés. Le firmament va être envahi.

Il vente dans la bonne direction. Il va pleuvoir. C'est peut-être notre dernière chance. C'est ce soir qu'il faut brûler l'herbe. Nous allons trouver le jardinier. Nous le harcelons depuis le début du mois à ce sujet. Regarde, jardinier, il va pleuvoir, l'herbe va se mouiller ! Regarde, jardinier, il vente dans la bonne direction, le vent va porter les flammes vers le fleuve ! Accablé, à bout de résistance et d'arguments, le jardinier cède. Il se lève, met sa casquette et va à l'abbaye demander à Einberg la permission de brûler l'herbe.

Armés de brandons, nous semons le feu sur un front couvrant toute la largeur de l'île. Les genêts, les ajoncs, la fléole et le chiendent s'élèvent jusqu'à la taille, secs à craquer, fournis comme des sables. Aussitôt c'est un massacre, une hécatombe, une déflagration, un sinistre. A peine prises, l'espace d'un souffle de vent, les flammes se dressent, nous passent par-dessus la tête, nous débordent de tous côtés ; on se croirait pris dans une levée d'aigrettes. Bientôt, d'une plage à l'autre, ventre à terre, panache battant sous les nuages, semblables à des masses serrées de grands chevaux blancs, les flammes chargent, les flammes déferlent, les flammes crient. Enchevêtrées de fumées noires, rejaillissant d'un embrun d'étincelles, elles roulent et déroulent comme une immense vague.

Gigantesques, effrayantes, effrénées, courant et se déployant comme un raz de marée, elles emportent tout, dévorent tout, rasent tout. Il ne reste derrière elles qu'une fine guipure de cendre noire qui se pulvérise sous nos pas. Le noir firmament rougeoie. Toute la lande crépite. Nous n'arrêtons pas, Christian et moi. Nous sommes les maîtres du feu. Et ça, croyez-moi, c'est des chats à fouetter ! Il faut entretenir dans toute sa longueur la vague incendiaire, veiller que la moindre brindille, le moindre fétu ne lui échappe. Il faut l'aider à franchir les massifs rocheux, la redresser quand elle se brise contre une flaque, l'exciter et l'alimenter là où l'herbe manque, la ressusciter là où elle est morte. Il faut nouer et renouer sans arrêt ses innombrables corps. Il faut s'occuper de tout. Paresseux, insouciant, la tête ailleurs, le jardinier laisserait tout faire. Je prends mon visage dans mes mains. Il est brûlant. Je prends dans mes mains le visage de Christian. Nos yeux pleurent et nos lèvres rient. Nous n'arrêtons pas de tousser. Debout dans l'ombre avec son chat dans les bras, Chat Mort nous regarde faire. Autour de l'orme et du treuil, il faut cerner le feu, rabattre cette hydre, la repousser, nous battre avec elle. A tour de bras, nous assenons des coups de pelles sur ses têtes qui se relèvent. Le vent tombe. La pluie commence à tomber par petits grains glacés. Après nous avoir enivrés, les âcres parfums du feu nous lèvent un peu le cœur. Des frissons nous courent sur les bras. Nous rentrons. Les derniers festons de flamme baissent et s'évanouissent au bord de l'eau. Il ne brille plus dans toute la nuit que d'épars petits nids

de braise. Je suis Christian, exténuée, les jambes
molles, pliée en deux, riant par avalanches, accrochée
par une main au rebord de son chandail.

11

Quatre moineaux sautent de miette de pain en miette
de pain devant la porte du pavillon du jardinier. Un
coup de vent glacial remporte les quatre moineaux sous
leur corniche. L'an dernier, aux premiers froids, j'ai
mis la langue sur le corbeau de la grille et elle y est
restée collée, tellement collée que toute la peau s'est
arrachée quand j'ai tiré. J'enlève mes chaudes moufles.
Plantée devant la grille, je tends mes mains moites vers
le corbeau de fer que le froid hérisse d'une sorte de
duvet blanc. J'ai peur. Mais le corbeau de fer me fait
trop envie. Après maints reculs et maintes hésitations,
je me résous. Fermant les yeux, poussant un petit cri,
je le saisis à pleines mains. Aïe ! C'est pire qu'empoi-
gner une braise. Le métal est comme bouillant de
froid. Je sens mes paumes adhérer, ma peau fondre. Le
cœur me manque. Ma bouche s'ouvre. Ne crie pas.
Ravale ces cris infâmes, Bérénice Einberg ! Je tente de
retirer mes mains. L'épiderme s'arrache à la chair.
Souffre mais ne crie pas ! Pense au père Brébeuf. Le
père Brébeuf n'a pas crié quand les Indiens lui ont
passé au cou leur collier de fer chauffé à blanc.
Émerveillés du courage du frêle Visage Blanc, les rudes

guerriers se sont disputé son cœur. Ne perds pas la tête, Bérénice Einberg ! Souffrir n'est que contre ta chair. Pousser des cris comme une poule qu'on prend par les pattes est contre toute ton âme. Les Indiens savaient que le père Brébeuf souffrait, mais ça ne leur suffisait pas. Ils voulaient qu'il crie, qu'il gesticule, qu'il perde possession de lui-même, que son orgueil défaille. Ne te perds pas. Garde ton âme bien serrée dans tes bras, Bérénice Einberg. On peut toujours se gonfler le cœur d'assez de force pour ne pas crier comme une poule qu'on prend par les pattes. Après mon aventure de l'an dernier, j'ai appris que, dans un cas pareil, il n'y a qu'un moyen de s'en tirer sans s'écorcher vif. C'est de souffrir et d'attendre que le métal se soit réchauffé. Mes mains cuisent. Elles ne tarderont donc pas à réchauffer quelque chose. Je souffre davantage que le père Brébeuf. Et je n'ai pas crié. J'ai tiré vengeance du corbeau. J'ai vaincu. Je me souris. Je me trouve bonne. L'an dernier... Comme l'an dernier, hélas ! la grande-duchesse de Mingrélie est venue passer ici ses vacances d'hiver. Elle nous est arrivée hier, de Dniépropétrovsk, avec toute sa pompe.

Il n'a pas encore neigé. Il a fait très froid cette nuit. Quand je suis sortie de l'abbaye, de bonne heure ce matin, un épais frimas poudrait les terres et les sables métallisés, enrobait les peupliers nus et les roseaux immobiles, masquait le pavillon du jardinier, l'orme et le treuil de carrier.

Nous ne sondons d'abord que du bout du pied le fin dallage de jais dont le chenal s'est pavé, il y a quelques heures, dans le secret de la nuit. Comme il nous porte sans geindre ni plier, nous nous éloignons des bords en tremblant. Appuyés l'un contre l'autre, nous faisons prudemment glisser nos pieds. Les vieux habitants du continent disent que le chenal n'a pas de fond de ce côté de la chaussée. S'il en a un, il est loin. Une fois, il y a longtemps, des ingénieurs sont venus pour mesurer à quelle profondeur il se trouvait. Ils avaient apporté un fil à plomb si long que son poids mettait leur barque en péril. Tout le fil s'est déroulé et le plomb descendait encore. L'an dernier, comme nous étions ainsi qu'aujourd'hui en train d'essayer la glace, une sorte de tonnerre s'est mis à gronder sous nous. Comme la frayeur nous figeait sur place, une large fissure, vive comme l'éclair, nous a couru entre les pieds, a fui en avant en se ramifiant et est allée se perdre dans les roseaux de chaque berge en laissant sur la surface noire comme l'empreinte d'un grand arbre blanc. La glace ne craque pas, ne donne aucun signe de faiblesse. Nous avançons avec plus d'assurance. Nos pas qui s'allongent et s'alourdissent battent bientôt la mesure d'une folle course, d'une folle contredanse et d'un fou rire. Il subsiste des doutes. Il manque un témoignage plus convaincant. Nous nous laissons tomber sur le sombre miroir et l'éprouvons une dernière fois, le martelant de toutes nos forces de nos bottines ferrées. La glace s'émiette mais ne se fend pas. Victoire ! La glace est bonne ! Nous rentrons à l'abbaye en courant. Nous annonçons la nouvelle à Chat Mort. Chat Mort sourcille, demande son avis au jardinier.

— La glace est bonne, confirme le jardinier.

Je bats des mains, saute à pieds joints.

— Ne fais pas tant de bruit ! chuchote Chat Mort. Mingrélie dort encore.

Assis sur le paillasson du tambour pour ne pas abîmer le parquet à bâtons rompus, nous chaussons nos patins. Chat Mort aide Christian à serrer ses lacets. Il faut qu'elle appuie très fort sur le croisement du lacet pendant que Christian enfile les œillets suivants. Elle appuie avec le bout de son beau doigt, de son doigt effilé coiffé d'une pierre précieuse ogivale et rose. Christian rougit comme une jeune mariée. Et je n'ai jamais vu de jeunes mariées. Et il faut que la bottine serre le pied pour qu'on se sente solide sur ses patins. J'ai dû insister auprès de Chat Mort pour qu'elle ne m'aide pas à me lacer. Je me lace toute seule, comme ça vient. Tant pis ! Chat Mort enroule un foulard de laine autour de mon front et de mon cou. Sa belle grande main effleure mon visage, sa main souple, délicate et parfumée comme une fleur. Elle m'a enrubannée comme une momie. Je suffoque.

— Christian ! crie-t-elle en rouvrant la porte. Prends bien soin de ta petite sœur !

Il me prend par la main. Un jour, ce sera moi qui prendrai soin et qui prendrai par la main. Sous les patins de Christian, de l'égrisée jaillit, des étoiles volent en éclats. Le voilà parti ! Voilà que le courant l'a pris, l'emporte, et qu'il glisse comme un cotre. Voilà qu'il se balance de loin en loin comme au bout d'une valse. Je ne sais pas ce que j'ai aux pieds : je n'ai jamais pu apprendre à patiner. Je meurs de rejoindre Christian, d'être embarquée dans son jeu, d'être entraînée avec lui comme par une pente, d'être initiée à l'ensorcellement qui lui donne tant de grâce et de joie. Ce ne doit pas être si difficile après tout. Je regarde faire Christian, bien attentivement. On se laisse glisser sur un patin, puis sur l'autre, puis on est emporté. Essayons, encore une fois! J'avance le pied. Ça glisse, ça glisse, tellement que je perds contrôle, dérape, m'écrase. Je me relève. J'esquisse un autre coup de patin. Cette fois encore, la glissade m'emporte, et je me retrouve à plat ventre. Je me résigne à marcher, puis, d'impatience, m'enhardis et me mets à courir. Mes patins se retournent, mes jambes s'écartent brusquement, et je perds l'équilibre. Je me refracasse la tête. Je me reromps le coccyx. J'appelle Christian à l'aide. Il me prend par les épaules et je réussis à parcourir une dizaine de pieds sans tomber. Il dit que je patine comme une championne, me laisse tomber et s'en va. Je ne perds pas espoir. Ça vient avec le temps. Et, me faisant accroire que Christian continue de me soutenir, je m'y remets. Je m'y donne à fond. Personne n'a éprouvé son derrière à un tel rythme et avec un tel enthousiasme. Le minimum de temps que je m'accordais pour posséder mon art à fond s'est écoulé sans résultat. Je ne trouve plus ni le goût ni la force de me relever. Je me roule de désespoir. Tantôt sur le dos, tantôt sur le ventre, je tape des pieds et des poings, je maudis mon impuissance, mon sort, et le reste. Je rappelle Christian à mon aide. Fou de glace vive et de grand air, Christian s'amuse à m'éblouir de son habileté, à me narguer, à tourner le fer dans la plaie. Il tourne autour de moi à la vitesse d'un météore, tantôt une patte en l'air, tantôt à reculons. Il saute par-dessus moi. Il freine sous mon nez, râpant la glace, faisant voler la poudre. Pour comble de malheur, la grande-duchesse de Mingrélie vient se joindre à nous. Elle ne patine pas pour rire. Elle a revêtu tutu et haut-de-chausses. Faisant des entrechats ici, se portant plus loin pour y toupiner, changeant encore de place, elle a l'air d'une vraie ballerine et elle a l'air d'un papillon qui butine. Je rage de plus belle. Je donne de grands coups de tête et de grands coups de dents à la glace. Je marche sur mon orgueil et, à quatre pattes, me mets à la poursuite de Mingrélie. Le beau Christian ne veut pas me montrer à patiner ! Veux-tu, toi ?

12

Nous allons patiner. J'ai fait des progrès. Je progresse à pas de géant. Maintenant, quand Christian et Mingrélie m'ont empoignée par les bras et qu'ils m'entraînent dans leurs arabesques à s'étouffer de vent, je parviens tant bien que mal à rester debout sur mes patins. J'y ai d'autant plus de mérite que rien ne les fait plus rire que me voir choir les quatre fers en l'air, et que rire ensemble est pour eux comme s'embrasser. Il faut que j'anticipe leurs brusques virages et leurs brusques arrêts, leurs faux faux pas et leurs crocs-en-jambe déguisés. S'il fallait les croire, je ferais des progrès extraordinaires, je brûlerais les étapes, je ferais des pas de géant. Ils échangent le même regard, la même grimace d'intelligence, et ils affirment que je suis douée d'aptitudes naturelles inouïes pour le patinage de fantaisie. Ils me mettent en parallèle avec Barbara Ann Scott.

Christian et Mingrélie ont un secret. Ça se sent. Quand ils se sourient, on dirait que leurs dents sont les dents d'un trésor caché. Quand ils se regardent, un soleil inconnu, un autre soleil que le soleil fait briller leurs yeux. Ils patinent dans l'invisible. Mes patins sifflent en duo avec leurs patins, mais je suis seule à patiner dans le visible. Vive la solitude ! Vacherie de vacherie ! Je sens bien que je suis de trop, indésirée, que je les importune. Je m'en fiche. Il ne faut pas faire la timorée. Je prends un malin plaisir à leur imposer ma présence, à m'interposer, à rompre le charme, à troubler leur petite extase. Pour se débarrasser de moi, ils se mettent d'accord pour faire le tour de l'île. Quand leur vertigineuse envolée les a portés à l'extrémité de mon regard, il n'y a plus grand-chose que je puisse faire pour mettre des bâtons dans les roues de leur secret. Sans doute, à la rigueur, pourrais-je ramper à leur poursuite. Mais je ne rampe pas assez vite. Rien ne sert de ramper. Il faut partir à poings.

La grande-duchesse nous quitte. Vaya con Dios my dear Fräulein. Je serai enchantée de ne plus avoir à vous souffrir. Elle pose. Ça m'agace d'autant plus que c'est moi que, dans ses attaques d'affectation, elle semble favoriser. Elle doit se dire : « Elle n'a pas l'air bien brillante, celle-là. Elle a une tête à se laisser emplir. Allons-y ! » Avec moi, elle est si certaine de sa supériorité, si assurée de l'efficacité de ses attitudes hiératiques et de sa verve insignifiante, qu'elle m'ébranle dans mes plus solides convictions.

Je suis hideuse. Mes cheveux sont si raides et si enchevêtrés qu'un peigne bulldozer y tomberait en panne. Mingrélie est belle comme un jour sans fin. Des anglaises souples et lumineuses pendent en lourdes grappes au sommet de sa tête noire, roulent et dansent en profusion sur sa nuque fine comme un poignet. Je suis aussi brutale et maladroite en paroles qu'avec mes membres. Elle est gracieuse comme un papillon et polie comme une reine. Je ne suis guère sortie de l'île que pour aller à l'école. Elle a mangé dans les restaurants des plus grandes villes des cinq continents. Elle a été au théâtre à Hambourg, à l'opéra à Oslo. Je ne connais rien à la chimie, à la géométrie, au grec, à l'hébreu, à la musique, au ballet, à l'équitation et au sexe. Il n'y a pas un secret de ces sciences, de ces langues et de ces arts que Mingrélie n'ait appris au collège, deviné ou violé. J'implore en vain le sourire et l'attention d'un frère à l'amitié duquel je renouvelle à chaque instant le sacrifice de mon orgueil. Mingrélie a assujetti Christian à son visage. Elle le fait gesticuler au bout de ses yeux, de ses joues et de ses lèvres comme l'artiste fait gesticuler la marionnette au bout de ses doigts. Aussi, et pis encore, elle n'a pas de cœur, elle est méchante. Au lieu de me plaindre et de voler à ma rescousse, Mingrélie profite délibérément des insuffisances de ma naissance, de ma nature et de mon éducation pour me dédaigner, me dénigrer, me réduire à ma plus simple expression, tourner mes plus humbles démarches en ridicule. Cependant, je ne m'inquiète pas démesurément de ces choses. Quand je serai grande, ma gloire aura dissous l'ombre de Mingrélie dans l'éclat et l'abondance de sa puissante lumière.

Ils m'expédient Mingrélie tous les ans. Elle viendrait ici pour partager la tristesse de mon Noël de juive erronée. On a fardé la ville. On a tendu la ville de chapelets de feux multicolores. Chat Mort a fait dresser un mélèze dans la chapelle. Elle l'a enroulé de guirlandes. Elle a chargé de cristaux et de boules enluminées les rameaux éclatants d'aromates. Elle y a pendu des petits bonshommes de couleur. Or, ça ne me regarde pas. Je devrais être contente, étant donné que ça m'isole et que tout ce qui isole délivre. C'est le contraire. Je suis pleine de tristesse. C'est la nuit de la Saint-Sylvestre. Chat Mort reçoit en riant une foule émoustillée de parents et d'amis. Ils n'arrêtent pas de s'embrasser. Ils dansent des quadrilles polonais et ils suent. Ils dînent à minuit, dans un clair de candélabres. D'habitude, le jardinier relève le pont de la chaussée aussitôt qu'on a traversé. Cette nuit, le pont de la chaussée restera baissé toute la nuit. Il ne nous est permis, à Mingrélie et à moi, qu'une apparition de pure formalité, en pantoufles et en pyjama. Christian est comblé de présents. Comme prévu, Einberg a refusé les présents que Chat Mort nous destinait. Elle ne m'offre des cadeaux de Noël que pour lui forcer la main, que pour le forcer à suppurer, que pour le faire niaiser et enrager.

Je vais trouver Mingrélie dans sa chambre. Je lui demande de m'accueillir dans son lit. J'essaie de l'attendrir avec ma déchirante infortune. Elle ne m'écoute pas. Elle a une infortune bien plus déchirante que la mienne. Tous ces garçons qu'elle ne sait plus où mettre ! Elle sent infiniment bon. Je l'interromps pour le lui dire.

— Tu sens bon, Mingrélie.

— C'est facile. Tu sentirais bon toi aussi si tu te lavais plus souvent.

— Est-ce que je sens le diable ?

Mingrélie se met le nez dans mon cou pour voir ce que je sens.

— Non. Tu ne sens rien. Ne raconte pas à Christian ce que je t'ai dit à propos de Serge.

Elle s'est fermé les yeux. Je la regarde. J'imagine que Christian l'embrasse, puis que je l'embrasse. Elle est d'un règne supérieur, du règne des papillons, des arbres et des étoiles, du règne du beau. Elle est comme Chat Mort. Elle n'a qu'à être pour être glorieuse. Il faut que je me batte sans arrêt pour me trouver digne. Il lui suffit de se porter pour que je la trouve resplendissante. Qu'importe si elle n'a pas d'âme ? Un papillon a-t-il une âme ? Je changerais mon âme contre les pétales de n'importe quelle fleur, contre les plumes de n'importe quel perroquet. Je suis triste. J'ai horreur de ça. La tristesse me fait me mépriser. La tristesse rend l'âme molle. La tristesse est un cloaque. Quand on veut resplendir, on ne laisse pas traîner son âme dans un cloaque. Ramasse-toi ! La gaieté fait briller l'âme, comme le soleil ! Gai, Bérénice, gai !

Même si Christian m'a trahie par basse complaisance, je lui reste fidèle ! Même si Christian n'a pas hésité à rire de moi pour flatter la médiocre, la vide

Mingrélie, je lui reste fidèle et gaie ! Même s'il a clairement laissé paraître qu'il a aussi peu de cœur et d'âme que cette sotte, je continue de l'aimer ! Même s'il a résolument fermé les yeux pour ne pas la voir venir avec ses gros sabots, je continue de l'aimer ! Même si dans son âme sans orgueil le moindre regard favorable de ce déchet d'humanité a plus d'importance que ma plus amère déception, je continue de l'aimer ! Gai, luron, gai ! Je suis bouleversée.

13

Chat Mort m'apprend que ma vieille nounou vient de mourir. Voici l'histoire que j'ai fait raconter mille fois à ma vieille nounou.

Cette année-là, l'arrivée du printemps avait été soudaine et fulgurante. Et, en plus de résister aux assauts des fièvres saisonnières, les nonnes avaient dû survivre à la perte brutale d'une abbesse vénérée, puis assister impuissantes à la violation de ses lieux par une jeune étrangère au verbe sec et au regard distant dont on répéta qu'elle ne devait son éminente fonction ni à sa piété ni à sa charité, mais à sa haute naissance. Mais, quand le drame éclata, tout cela semblait rentré dans l'ordre, tout cela faisait partie d'un nouvel ordre auquel on paraissait s'être habitué.

Plus hautaine et capricieuse que jamais depuis une semaine, la nouvelle abbesse n'avait pris part à aucun des offices cette nuit-là ; et rien ne semblait justifier ces graves omissions. Les nonnes ne s'inquiétèrent pas. Elles se scandalisèrent. Excitées par l'influence jalouse des plus vieilles d'entre elles, elles trouvèrent à se réjouir d'avoir pris l'arrogante en défaut. On se garda de chercher à approfondir. Le mot d'ordre était de ne troubler sous aucun prétexte le repos de Mère Saint-Denial.

La sacristine aime courir. Les faisant crépiter du cri aigre de sa crécelle, elle enfile à toutes jambes couloir sombre et sinistre après couloir sombre et sinistre. C'est l'heure de la messe basse qu'elle annonce. Sans s'en apercevoir, elle a dépassé la cellule de Mère Saint-Denial. Elle ralentit. Elle s'arrête. Elle se retourne et, dans l'espoir que Mère Saint-Denial va enfin donner signe de vie, elle regarde fixement sa porte, attend. Rien. La porte ne fait que s'étendre en silence et s'intensifier en mystère. La sacristine hésite. Elle se décide. La pauvre Mère Saint-Denial est peut-être malade pour mourir. Elle revient sur ses pas et, se plantant devant la porte de sa supérieure, fait tourner sa crécelle avec une sorte de frénésie. Elle s'arrête pour reprendre son souffle. Elle tend l'oreille. Elle n'a obtenu aucun résultat. Elle change son instrument de main, recommence. Elle a frappé plusieurs fois, avec toujours plus de force. Elle n'a pas reçu de réponse. En vain aussi a-t-elle appelé, appelé. « Mère Saint-Denial ! Mère ! Mère ! » Elle se demande que résoudre. Soudain, il lui semble qu'on bouge dans le silence qui fait comme bloc derrière la porte. Quelque chose émane de toute la cloison, quelque chose comme la rumeur lointaine d'une grande tempête. Elle a pressé son oreille contre la grille. En se précisant, les bruits lui parviennent sous une forme de moins en moins familière, de plus en plus alarmante. Ce sont des plaintes par milliers, des plaintes faibles, brèves, singulièrement soutenues. Cela ressemble aux pépiements d'une volière surpeuplée. La sacristine essaie le loquet. A sa grande surprise, la clenche joue librement dans le mentonnet. Elle frappe une dernière fois. Elle appelle une dernière fois. Il ne reste plus qu'à tirer sur la porte. La porte bat, toute grande, comme sous un coup violent.

Alors, comme par commotion, explosant avec les sifflements exacerbés de milliers et de milliers de fifres, des rats, de gros rats, des milliers et des milliers de grands rats noirs aux yeux de diamant ont envahi l'embrasure. Alors, des flots, de véritables chutes de rats se bataillant et se chevauchant jusqu'au linteau ont éclaté des murs de la mystérieuse cellule, en ont débordé, dégringolé et déboulé, s'en sont déversés et écoulés pour devenir une sorte de raz de marée vivant. L'espace d'un instant, tous les dédales des quatre ailes de l'abbaye en grouillaient et en bondissaient, l'entière surface de l'île en était couverte.

Il régnait une odeur âcre entre les murs noircis de la cellule de la nouvelle abbesse, une puissante odeur de cheveux brûlés. Depuis le jésus de marbre jusqu'au petit lit de fer, tout s'y trouvait rongé, craquelé, comme mangé par le feu. Le plancher était jonché de cendres. Assez étrangement, c'était au pied du lit que les cendres s'étaient le plus accumulées. Elles formaient là une longue éminence. Dans l'étrangeté de ce qui arrivait, personne ne s'intéressait outre mesure à l'étrangeté de l'éminence. Mais soudain, quand un courant d'air en dispersa les cendres du dessus, les cris percèrent. Sous les yeux grandis, s'était dévoilé un manteau rouge dont le velours était intact, immaculé. Retournant le riche vêtement, l'exorciseur découvrit, recroquevillés, se tournant le dos, deux squelettes carbonisés. Le lendemain, investie par les rats, la communauté se résignait à quitter l'île. Par la suite, il s'est écoulé un siècle avant que quiconque ose y aborder.

— La nouvelle abbesse était-elle belle ou était-elle laide ? demandais-je à ma vieille nounou.

Ma vieille nounou haussait les épaules. Elle ne savait pas.

— Elle était jeune... Elle devait être belle.

Alors je voyais la nouvelle abbesse. Je la sentais vivre en moi. Et il me semblait que si la nouvelle abbesse avait été laide comme moi, il ne se serait rien passé, que si elle n'avait pas été belle tout cela se serait passé pour rien.

14

L'hiver est passé. Le printemps est commencé. Il pousse des cheveux verts au travers de la paillasse où la neige a dormi. Il pousse des cheveux doux tout le long de mes pas. Je marche sur la terre et dans l'air, derrière Christian. Gréés d'un cahier, d'une plume et d'un encrier, nous dressons un inventaire en règle de notre faune. Nous sommes des Christophe Colomb. Pied carré par pied carré, nous découvrons l'île. Quarante-deux criquets. Vingt-trois fourmis. Trois bousiers. Un chat. Tout est compté, même Mauriac, le chat que Chat Mort adore. Christian inscrit tout, de sa plus belle encre. Presque à chaque pas, nous écrasons la queue d'un rat. Christian en a inscrit deux mille pour faire un compte rond. La plus grande richesse de la République d'Afrique du Sud est les diamants. La nôtre est les rats. Nous avons repéré deux nœuds de couleuvres derrière la corde de bois accotée contre le dos du pavillon du jardinier. Un renard erre dans les roseaux, maigre et triste, qui cherche pour rien son sentier emporté par les glaces. Six marmottes montent la garde sur le bord de la carrière de charbon. Elles ne restent à la surface de la terre qu'aussi longtemps qu'elles s'y croient les seuls vivants. Elles s'en effacent aussitôt qu'elles voient remuer quelque chose. Leur cou se tordant et se détordant à une vitesse inouïe, elles guettent. Elles passent leur vie à regarder pour s'assurer qu'elles sont seules. Christian frappe une roche de son bâton. Il en jaillit deux éclairs : deux belettes. Nous avons deux écureuils, et leur queue est plus grosse qu'eux. Quand ils courent, leur queue flotte comme la plume d'autruche au casque d'un lancier chargeant, comme une plume d'autruche à la queue d'une torpille. Les deux écureuils se poursuivent dans le tunnel, et leurs griffes en battent le métal comme

65

d'une grêle. Largué une nuit par un avion, le tunnel, grand cylindre côtelé, est demeuré comme il est tombé : allongé de travers dans le sable de la poupe de l'île. Christian dit que, parmi les animaux qui nous manquent, il y en a que nous ne connaissons même pas. Par contre, il y en a, comme le chien et le cheval, dont l'absence nous fait excessivement honte. Demain nous aurons notre chien. Nous nous attacherons le premier chien sans médaille que nous rencontrerons sur la route en revenant de l'école. Demain, en revenant de l'école, nous aurons un sac et nous y fourrerons tout ce que nous rencontrerons de criquets, de sauterelles, de blattes, d'escargots, de rhinocéros et d'éléphants. Plus il y aura d'animaux sur l'île, plus nous serons riches. Nous avons écrit une lettre à Chat Mort. Nous la mettrons sous son assiette quand Einberg n'y sera pas. C'est une requête où sont énumérés avec la plus grande précision tous les animaux qui nous manquent. « Chère maman, une chèvre, une vache, un cochon, un cheval, un boa, un panda, un aptéryx... *Signé :* Christian — Bérénice. » Christian pense qu'elle va rire.

Les rats éclosent en même temps et en aussi grande quantité que les pissenlits. Pendant un mois, les rats foisonnent ; toute l'île en grouille. Einberg, chaque printemps, jure l'extermination de leur race. Cependant, se heurtant à l'effroi des paysans, il n'a jamais pu organiser la battue orgiaque dont il rêve. Il en a été réduit, confondant les genres, à inviter les braconniers qui ne rêvent que peaux de visons et peaux d'ondatras à venir en plus grand nombre tendre leurs pièges vénaux. Chat Mort nourrit une grande vénération pour la vie animale, et les circonstances, dont sa guerre de Trente Ans avec Einberg n'est pas la moindre, l'ont amenée à jouer un rôle de premier ordre dans notre campagne de préservation des rats. Comme moi, mais pour d'autres raisons, elle a fini par s'enticher des affreux rongeurs. Elle est devenue bornée et passionnée à leur sujet. Quand on en parle en mal, son cœur et ses yeux prennent feu. Personnellement, je n'avais rien contre les rats, et rien contre la rage, la peste, la diphtérie, la malaria et toutes les maladies terribles qu'ils seraient susceptibles de transmettre. En attendant que les événements façonnent mon jugement et mes sentiments, je me fiais aveuglément au jugement et au sentiment de Christian. En plus d'être le général des rats, Christian est leur mère, leur frère et leur docteur. Ils l'ont mordu une couple de fois, mais il a été tellement bon pour eux qu'avec le temps ils ont appris à reconnaître sa présence et son amitié. Quand il voit un rat traîner la patte ou souffler comme un bœuf, il l'apporte à la clinique aménagée dans les caves de l'abbaye, et il le soigne. Il lui fait chauffer du lait, désinfecte ses plaies, répare ses os fracturés. Depuis le début de la saison, en grand secret, de mèche avec Chat Mort, nous sommes partis en croisade contre les menées cruelles d'Einberg et des braconniers. Nous chassons le piège. Chaussés de bottes et armés de bâtons, nous passons nos belles journées à fouiller le chiendent et les roseaux. Tous les pièges dénichés sont impitoyablement désarmés, brisés puis lancés dans l'eau sans fond du chenal. Sous le pont ferroviaire, au pied d'une pile, nous sommes témoins d'un drame qui me fulgure, si tragique et si grandiose que son idée me trouble encore l'âme. Éclaboussant les joncs de boue, un ondatra pris au piège se débat, siffle comme s'il pleurait. Les mâchoires de fer l'ont saisi par une patte et, inexorablement, elles serrent. Sachant sa liberté à jamais compromise, le grand rat n'a pas hésité, n'a pas attendu de miracle. Jeune et vigoureux, la dent puissante et incisive, il a résolu de trancher où il se boucle le nœud gordien. Il se mange la patte! se démenant pour étourdir le mal, il la mord et la ronge. Le sang coule. L'os craque. Il pratique la vivisection avec une détermination presque haineuse. Perçant à coups de gueule, arrachant à coups de tête, tordant le membre lacéré et brisé en miettes en se tordant de tous ses muscles, il est comme fou, comme dépassé par lui-même : il éclate, il éclaire, il tonne.

— Tu vois…, dit Christian en passant à l'ondatra possédé le capuchon qui lui permettra d'opérer sans risquer de se faire couper les doigts.

Oui, j'ai vu. Et maintenant, je vois dans ses yeux embués qu'il a vu la même chose que moi. Nous sommes en train de désinfecter la patte et d'y fixer des éclisses. Nous sommes tellement amoureux de la petite bête meurtrie que nous ne voyons et n'entendons qu'elle.

— Laisse ça! crie-t-on derrière nous, tout à coup.

Christian a juste le temps de tourner la tête. Le poing brandi du jeune braconnier s'abat sur son visage, le terrasse. J'ai à peine le temps de réaliser ce qui arrive. Christian s'est vite ramassé, a vite pris ses jambes à son cou. Il fuit sans se retourner, me laissant seule à disputer au braconnier bâti en armoire le pauvre ondatra, l'ondatra à demi mort de liberté. Un rat a de l'âme plein le ventre. Un Christian n'en a pas assez pour emplir son petit orteil. Avoir un ami lâche, ce n'est rien, c'est bien mieux que d'attraper la scarlatine, que d'avaler de la mort-aux-rats, que de sucer de la naphtaline.

15

Nous sommes surpris par un orage. La pluie tombe si fort qu'elle éclate comme par petites bombes dans le sable et dans le fleuve. Nous courons nous réfugier dans le tunnel. Quand je suis seule, j'aime bien me laisser frapper et imbiber par une grosse pluie. Quand je suis avec Christian, j'aime mieux m'isoler avec lui dans cet abri exigu et me persuader qu'un danger commun nous menace. Nous parlons avenir et carrière. C'est la première fois que ça arrive. Je lui dis que je ne resterai pas ici à tailler des pierres à l'ennui et à rouler des pierres à l'ennui. Je ne suis pas de ceux qui bâtissent des cathédrales. Je suis de ceux qui brûlent de se répandre sur toute l'étendue du ciel, comme l'azur. Lorsque je serai grande, je battrai les campagnes de tous les pays et j'en rabattrai tous les lions de l'ennui. J'aurai un grand canon et je chasserai l'ennui jusqu'à ce que je tombe morte. Christian dit qu'il voit ce que je veux dire. Je doute de la sincérité de ses paroles. Comment peut-il voir ce qui est tellement caché au fond de moi que ça fait mal ? Il ne voit pas les loups qui crient au fond de ma prison.

— Tu as hâte de partir d'ici ?

— Non, Christian. Ce n'est pas ça. Mon âme me tient dans sa main comme si elle y tenait une lance et elle va me lancer très très loin, très très haut. Je me tiens dans ma main en attendant d'être assez forte pour me lancer au travers du firmament. J'ai hâte, hâte, hâte !

Sous le sceau du secret, il me confie que lui aussi il a hâte de lancer quelque chose, que lui aussi il ne fait qu'attendre d'être assez fort. Lui aussi, ce qu'il a hâte de lancer, c'est une lance. Cependant, ce n'est pas une lance humaine. C'est une lance de bois. Ses confidences me surprennent tellement que je ne comprends pas, qu'il faut qu'il me répète tout. Il veut être lanceur de javelot. Il rêve de battre tous les records, de représenter le Canada aux Jeux Olympiques.

— Quelle idée ! Lanceur de javelot ! Tu n'es pas sérieux... Tu es fou ! Voyons !

Mes hauts cris ne l'impressionnent guère. Il hausse les épaules. Il faut être blindé pour avoir des idées pareilles.

— Tu ne veux pas que je sois lanceur de javelot ? Que voudrais-tu que je sois ?

— Mon frère, mon ami...

— Qu'est-ce que ça fait, un frère, un ami ? Si je passe mon temps à être ton frère et ton ami, je ne ferai pas grand-chose de mon corps.

70

La grise jungle de pluie s'éclaircit, baisse la voix. Nous rentrons à l'abbaye sous une bordée de coups de tonnerre. Christian m'emmène dans sa chambre. Nous nous asseyons sur son lit.

— Où est-il, ton javelot ?

— Ne parle pas si fort ! Il ne faut pas que maman sache. N'oublie pas : c'est un secret !

— Pourquoi ne veux-tu pas que maman sache ?

— Je ne lui dirai que lorsque je serai sûr de mon coup, sûr de pouvoir lui faire honneur.

— Un lanceur de javelot ne peut pas faire honneur à sa mère.

— Maman n'est pas une mère comme les autres. Je suis sûr qu'elle comprendra.

— Elle est belle, notre mère, hein ?

Il me parle du scout zoulou. Il me dit que c'est son plus grand copain, qu'ils s'écrivent. Il paraît que, sans effort, le scout zoulou pourrait lancer son javelot par-dessus toute l'abbaye. C'est un monsieur ! Il a été choisi pour prendre part aux Jeux Olympiques de Brisbane, dans deux ans. Il n'aura pas encore ses seize ans. Christian monte sur un tabouret et tire un grand cahier de la tablette de sa penderie. Rougissant, balbutiant et s'éclaircissant la voix, il me présente, m'ouvre et me tend ce cahier. C'est un album où il a collé des coupures de journaux racontant et illustrant les exploits de lanceurs de javelot. Christian prononce les noms américains de ces héros obscurs, des nègres pour la plupart, des presque singes, avec autant d'amitié et d'orgueil qu'il prononce les noms latins des diverses sortes de rats. Cesar Lincoln Cash. Shakespeare Washington Blake. Je les lui fais répéter pour les apprendre par cœur, pour lui faire plaisir.

— Si c'est ça que tu veux, Christian, je le veux avec toi. Je t'aiderai à t'entraîner.

— Surtout, ne dis rien à maman. La pauvre ! Elle qui croit que je veux devenir biologiste. Je vais essayer de lancer le javelot. Si je manque mon coup, elle n'en saura rien : je continuerai mes études de biologie comme si de rien n'était. Elle est si fière de moi. Elle parle de moi comme si j'étais elle. « Comme Christian est intelligent ! Comme il est sérieux pour son âge ! Comme il a de l'idéal ! » Elle tomberait de haut si je lui apprenais que je suis peut-être en train de devenir un lanceur de javelot raté. Mais si je réussis, elle comprendra... J'en suis sûr. Elle sera aussi contente que moi. Elle rira autant que moi.

— Laisse-la faire ! Pauvre Christian ! Tu ne vois donc pas qu'elle et Einberg se haïssent à se tuer, qu'ils n'en voient plus clair, qu'ils ne nous voient pas, qu'ils ne se servent de nous que pour se donner des coups, que pour se faire du mal.

— Papa ne comprendra pas. Ça ne me fait rien. Il va dire à maman : « Regarde ce que tu as fait de mon fils : un lanceur de javelot ! un ancêtre du lance-torpilles ! un sportif ! »

Le frère que j'avais hier était défenseur des rats. Le frère que j'ai aujourd'hui est lanceur de javelot. Je me demande ce que tous ces frères viennent faire ici. Je suis seule et je laisse s'écrouler sur mon âme les beffrois que j'ai élevés pour la fortifier. Comment puis-je honnêtement affirmer que j'aime Christian ! Pour continuer de l'aimer, il faut que j'en aime un autre. Il faut que je change de Christian à mesure que Christian change, et Christian n'est jamais le même. Tantôt il est bon. Tantôt il est lâche. Tantôt il est amoureux de Mingrélie. Tantôt il met un rat malade sous son chandail pour le réchauffer. Tantôt il est lanceur de javelot. Tout ça est stupide. J'aime croire que j'aime Christian, mais ce n'est pas lui que j'aime. Ce que j'aime, c'est l'idée que je me fais de lui, c'est ce que je porte dans l'âme et appelle Christian, c'est le Christian que je conçois et incarne comme il me convient de le concevoir et incarner. Je sais que Christian serait autre si je le voyais par les yeux d'une autre conscience. Je m'aperçois qu'il suffit que mes dispositions changent au sujet du Christian que je porte pour que le Christian dont je connais seulement le visage se modifie, s'adapte. Donc, Christian n'existe pas. Donc, je l'ai créé. Donc, gaiement, continuons de le créer ! Je me souviens d'avoir sacré Christian chevalier et d'être partie derrière lui, comme derrière Gautier Sans-Avoir, en croisade contre Les Niams-Niams, de l'avoir vu tomber glorieusement sous les murs de Nicée, de l'avoir enseveli dans mes vêtements, de l'avoir enterré dans un désert de neige, d'être morte de froid en étreignant sa tombe ! Je me souviens aussi d'avoir souvent désiré, afin que je puisse l'aimer avec plus de force, que Christian soit laid, lâche, sans rien d'agréable, comme une pierre. Christian vit seul dans le pays appelé Christian, et il me voit autrement que je me vois. J'étouffe au centre de mes os, je m'y terre et m'y méprise. Je vois Christian au travers de ce qui se passe en moi de hideux et de puant. J'imagine Christian comme on imagine des étoiles au fond d'un égout. Ce qui se passe en moi de si écœurant est ce qui se passe dans tout cercueil chauffé par du sang. Rouvrez un cercueil, après dix ans, mon âge ! Vacherie de vacherie ! Il n'y a pas de Christian. De même que, pour la satisfaction de nos faims respectives, Christian trouve une maman et moi Chat Mort dans la même personne, il y a de multiples Christian, autant de Christian qu'il y en a qui l'inventent. Et ça me laisse seule. S'il n'y a ni Chat Mort, ni Christian, il n'y a personne d'autre que moi sous le soleil. S'il n'y a personne d'autre que moi sous le soleil, c'est à moi le soleil, c'est moi le créateur et le possesseur du soleil.

Une autre fois l'été. L'été, encore une fois. Constance Chlore me quitte, encore une fois. Je ne l'ai presque pas vue cette année. Elle s'en va avec la chorale. J'aime Constance Chlore. Ce soir, Constance Chlore, tu es le seul visage que j'aime. La loutre a un visage de loutre. Constance Chlore a un visage de Constance Chlore. Comme les loutres, les êtres humains n'ont que leur visage. Quand je regarde une loutre, un rat, Christian, Constance Chlore, Chat Mort, il n'y a rien d'autre que leur visage que je puisse prendre. Si je ne suis pas partie avec Constance Chlore et le reste de la chorale, c'est en l'honneur des cousins. De Pologne, de Russie et des États-Unis, mes nombreux cousins s'élancent à ma rencontre. Ouvre grands les bras ! C'est une idée de Chat Mort, un autre de ses coups de canon sur le grand nez crochu d'Einberg. Sans même savoir de quoi ont l'air la plupart de mes

cousins, je hais passionnément chacun d'entre eux.
Cela correspond-il à quelque réalité? J'ai besoin de
haïr. Je hais. That's all. Cela ne fait que rafraîchir la
certitude que j'ai toujours eue que Bérénice Einberg,
toute hideuse qu'elle soit, commande à toute la créa-
tion. N'a-t-il pas suffi que mes faims veuillent que les
cousins soient haïssables pour qu'ils le deviennent?
Ténèbres, devenez vertes. Croyez-le ou non, les ténèbres que je vois sont vertes, bleues, roses, rouges,
blanches. Qu'est-ce qu'un U vert à côté d'une nuit
verte? Qu'est-ce qu'une poutre en I? Vacherie de
vacherie!

16

Je les ai comptés, question de satisfaire ma curiosité,
question de voir si j'étais bonne en calcul. J'ai plus de
cousins que de doigts. J'en ai dénombré pas moins de
quinze. Inouï! Et qui sait ce que nous réserve encore
l'avenir? Il manque encore à l'appel la délégation
américaine, qui établira l'équilibre entre les Guelfes et
les Gibelins. En ce moment, les rangs catholiques
jouissent d'un avantage numérique scandaleux, un
avantage numérique pornographique. Einberg me
prend à part et, jouant comme toujours le rôle le plus
ingrat, m'incite à ne prêter qu'une oreille circonspecte
aux avances des blonds d'entre mes cousins. Il me dit
que, parce que je suis juive, les Polonais m'en veulent.

Ils ne seraient pas bien méchants mais, comme tous les Gentils, l'histoire, la propagande et la jalousie les porteraient d'une façon irrésistible à vouloir du mal à ma race et à ma personne. Bérénice, ma fille, méfie-toi, garde tes distances. S'ils veulent te faire penser qu'il est honteux d'être juif, ne te laisse pas faire. Bien, papa, je ne les entendrai pas, je ne les verrai pas. J'enverrai ces brutes incirconcises se faire écouter et regarder ailleurs ! Chat Mort aussi me fait un petit sermon. Elle me dit que mon cœur est à tous, qu'il faut que je le divise en parties égales et en donne un morceau à chacun. Elle parle de mon cœur comme d'une tarte qui mettrait l'eau à la bouche de tous mes cousins. J'ai des cousins bizarres : ils aiment la tarte au pus et au vinaigre. Elle me dit que certains d'entre eux ne parlent pas un mot de français et qu'il faudrait que j'en profite pour apprendre leur langue. La connaissance de plusieurs langues contribue à l'enrichissement de la personnalité. Bien, maman, j'apprendrai le russe, l'anglais et le polonais. Et quand je serai grande, j'aurai appris tellement de langues, j'aurai une si belle personnalité, que ceux qui me verront passer me prendront pour la Vénus de Milo. J'aurai des jambes ! des yeux ! une taille !

Chat Mort prend très à cœur cette invasion par des cousins. Multipliant querelles et embrassades, jouant du marteau et de l'échelle comme de la bouche et de la plume, elle s'y dépense sans compter depuis le début de l'année. Aidée du seul jardinier, travaillant souvent par des froids polaires, elle a restauré l'aile ouest de l'abbaye, et elle y a aménagé, meublé et décoré assez de chambres pour y recevoir dignement et confortablement tout le monde. Il n'y a rien qu'elle ne ferait pour mettre sur le nez d'Einberg combien elle aime son prochain, pour lui faire éprouver tout ce qu'il y a en son cœur de bon et de beau. Je ne me nomme pas Christian. Ce n'est pas moi qu'elle va tromper avec ses allures de ne pas être capable de mauvaises intentions.

Nous passons deux semaines à rapiécer, calfater et gréer le vieux cotre que nous avons été chercher au cimetière des bateaux. Bien secondée par le jardinier, pêcheur à la retraite et ouvrier adroit bien qu'homme bizarre, Chat Mort dirige le chantier de main de maître. Les cousins travaillent comme des forçats, à pierre fendre, à manger du foin, comme des loirs. Émerveillés, d'avoir tant et si beau à faire, ils se sont mis à l'œuvre avec allégresse et force, s'y sont donnés. Filles et garçons, petits et grands, blancs et noirs, rouges et verts, Guelfes et Gibelins, tous suent à plein visage, tous rient à plein visage, tous vont sans chercher à se heurter, comme les nuages. J'ai cru souhaitable de faire exception. Je traîne la savate. Je laisse exprès tomber des poutres sur les pieds. Ce soir, comme prévu, le cotre est lancé. Il penche un peu, mais il flotte. On attend en silence pour voir s'il va prendre l'eau. Cette nuit, tard, le navire mouille dans la rade, dresse sa flèche haut dans le noir, tend l'azur évanescent de sa voile aux lueurs de la flamme déployée sur la grève. Il est prêt à partir, il frémit d'impatience, il tend son ventre pour que nous nous embarquions. Nous sommes écrasés autour du bûcher de joie, exténués. Nous sommes tombés là comme balayés par une rafale de mitrailleuse. On garde le silence. On admire, à s'en faire venir l'eau aux yeux. Mes joues se tendent pour prendre le feu, pour brûler. Mon nez se tend pour prendre la fumée, la fumée qui sent l'écorce, la fumée qui sent les branches, la fumée qui sent la forêt. Je dors presque. Soudain, il y a une Russe qui, d'une voix claire comme l'air, se met à chanter. Mingrélie sans doute. Qu'importe ?

Je me suis fait tirer l'oreille, mais sans y croire. J'ai essayé de les haïr, mais la haine a manqué. Dans la lumière blanche de l'aube, dans sa lumière épaisse comme du lait, nous appareillons. Les uns sont coiffés d'un pétase, les autres d'un morion. Nous sommes tous armés jusqu'aux dents. Il n'y a pas deux boucliers pareils, mais nous en portons tous un. Ceux qui n'ont pas de rapière de bois ont un cimeterre de bois ou un yatagan de bois. Mingrélie elle-même s'est prêtée avec grâce à ces sottes exigences d'uniformité : Christian a sablé son sabre, pour ne pas qu'elle s'y pique en s'y frottant. Le manche de ma hache est pire qu'un porc-épic, mais Christian s'en fiche pas mal. Ils attendent Chat Mort, le capitaine de la flotte, les uns en s'escrimant, les autres en battant la coque de leurs fers. Ils se sont levés tôt : il y en a qui n'ont même pas pris le temps de se décrotter les yeux. Je demeure à l'écart, sur la défensive, presque indifférente. Je ne suis ni assez triste pour haïr, ni assez gaie pour aimer. Mais, ne serait-ce que pour profiter du nombre des voyageurs pour me sentir davantage seule, je ferai ce voyage. Enfin, visiblement fatiguée mais résolument souriante, Chat Mort paraît. Elle porte un casque gaulois, à deux cornes, du genre écrou à oreilles. Comme par hasard, elle est armée, l'ayant cavalièrement fiché sous une large ceinture d'orfèvrerie, du.grand pistolet à rouet de cuivre ciselé qui constitue la plus belle pièce de la panoplie dont Einberg est si jaloux. Le pauvre Einberg n'a jamais décroché cette œuvre d'art de la hotte de la cheminée que pour la polir.

Ce n'est qu'un jeu, mais tout se déroule selon les meilleures traditions navales. Chat Mort distribue les fonctions en désignant avec le canon de son pistolet les personnes qu'elle choisit.

— Tu seras mon lieutenant !... Tu tiendras la barre !... Je te fais gabier !... Toi, amarreur !... Vous autres, matelots !... Je te confie la voile !... Vous trois, aux focs !...

Nous hissons notre pavillon, « tranché de pourpre et de sable à un squelette d'argent dépourvu de tête ». Nous voguons en haute mer. Ici, le fleuve s'ouvre si grand que les rivages ne soulignent plus que d'une barre estompée les confins de l'azur et des eaux. Nous sommes enlevés par le vent. Notre nef descend le courant comme si elle dégringolait d'une falaise. La voiture bat dans les airs, comme si notre nef voulait s'envoler. Le gabier a déployé son télescope. Un vaisseau assez étrange, se dirigeant à notre rencontre, est monté peu à peu du fond de l'horizon. Il grossit à vue d'œil. On dirait qu'il se gonfle à mesure qu'il se rapproche. On cherche à l'identifier.

— Ohé ! du gaillard !

— C'est un pétrolier, un pétrolier noir.

— Quel pavillon bat-il ?

— Il défend les couleurs les pires, les couleurs hollandaises.

— Barre à droite ! Raidissez la voile ! Tenez-vous bien !

Nous y sommes déterminés : nous l'aborderons et nous le coulerons. Nous chargeons. Nous ne manquons pas d'audace. Nous serrons le gigantesque pétrolier de si près que, prenant ses vagues de côté, nous manquons de chavirer à chacune. Hélas ! nous ne sommes pas de taille. Après avoir encaissé, à bout portant, quatre bordées de quatre-vingt-dix-sept canons de plus d'un pied de diamètre, nous devons rappeler nos fantassins, décrocher nos échelles et battre en retraite. Chat Mort rayonne. Elle est grande, belle, blonde, semblable à la « Vierge » de Baldovinetti. Comme si elle était en or, les cousins l'ont déifiée puis se sont jetés à ses pieds pour l'adorer. Ils se massent autour d'elle, bourdonnent autour d'elle. Ils renversent leur tête dans le soleil, pour mieux voir son visage et pour qu'elle voie mieux le leur. Elle flatte leurs cheveux de sa belle grande main. Elle les presse deux à deux contre ses flancs, amoureusement. Il y en a pour tous. Il suffit d'attendre son tour. Pas de préférence ! Faites la queue sagement. Ne poussez pas. Assise sur le gui, le dos dans la voile, je me laisse ronger par la lumière, me laisse battre par les rideaux du vent. Je m'en fiche pas mal. Debout dans les haubans, Christian la regarde faire, se mordillant les lèvres, fixant des yeux tristes, des yeux abominables. On a l'air d'être jaloux. On n'a pas l'air d'aimer voir sa mère se livrer à la prostitution. Christian s'en fait pour rien. Chat Mort se moque bien de cette mauvaise fiction romantique. Tout ce qui compte pour elle, c'est de prouver ce qu'elle a à prouver à qui elle a à le prouver. Tout ce qui importe pour elle, c'est de gagner la guerre qu'elle livre à Einberg. Le reste ne compte absolument pas et n'importe absolument pas. Elle n'a que faire de Christian, de moi et de ces morveux. Ça doit l'attendrir de se regarder être si maternelle avec les morveux des autres. Elle doit se trouver bonne, s'aimer.

17

La rivière Ellice glisse des Barren Grounds et se répand dans le golfe de la Reine-Maud, au sud, très au sud de la terre du Prince-Patrick. Déroule à perte de vue devant mes pas tes sables rouges, désert du Kyzil-Koum ! Pleurez, doux alcyons, pleurez !

Christian m'échappe. Christian est dans l'amour jusque par-dessus la tête. Il est tellement amoureux de la grande-duchesse qu'il ne touche plus terre. Il est si gonflé d'amour qu'il plane au-dessus de la terre et des eaux, comme Yahveh. Ils traversent le chenal en barque. Ils vont soi-disant chasser le papillon géomètre dans les buissons du continent. Je traverse le chenal à la nage et décide de suivre leur trac. A quatre pattes dans une spaigne épaisse, humide et pourrie d'insectes, je suis leur trac. A quatre pattes sous des berceaux d'épines qui labourent mes vêtements, labourent ma peau et boivent mon sang, je suis leur trac. Offensée et humiliée, je suis leur trac. Ils se sont arrêtés. Ils occupent une petite clairière où trône une souche énorme, centenaire, noircie et évidée. La main dans la poche de son pantalon, que quelque chose comme une boîte de pastilles gonfle, Christian laisse attendre Mingrélie, la laisse s'impatienter, rit dans sa barbe.

— Les as-tu ou ne les as-tu pas ? Tu es si bébé ! Donne donc !

Mingrélie en vient aux mains. Elle réussit à plonger la main dans la poche de Christian et en retire ce qui s'y cache. Elle ouvre le petit écrin : il est rempli de mégots de cigarettes. Elle se plante le plus grand mégot au coin des lèvres et attend que Christian l'allume. Christian l'allume, puis allume le sien. Ils éternuent tous les deux. A chaque bouffée, ils crachent, ils toussent, ils s'étranglent, ils changent de couleur. J'en ai assez ! Je leur lance des morceaux de bois mort. Ils s'alarment. Je ris, à tue-tête. Christian m'attrape par le cou. Mingrélie me tire par les cheveux, me traite de laide, de saligaude.

— Va-t'en ! Va-t'en ! siffle Christian, me poussant, laissant Mingrélie cracher sur moi.

Christian ne me regarde plus, ne me connaît plus, ne se souvient de rien. Il passe à côté de moi sans me voir, le nez droit devant lui, une moue de franc-juge fixant ses traits. Quand le matin, comme avant, je vais le réveiller, le surprendre, il devient bleu de colère, il me chasse, me botterait le derrière. Au début du printemps, lui et moi, dans la crypte, dans le plus grand secret, nous avons mis sur pied un laboratoire biologique, une sorte de clinique où nous pouvions soigner les rats et étudier certains spécimens de la vie marécageuse. Depuis l'arrivée de Mingrélie, la porte de la crypte m'est condamnée. C'est avec elle maintenant que, comme autrefois avec moi, il s'y enferme pour de grandes journées.

Je reviens des buissons du continent, tête basse, cœur en capilotade. Je me cache dans un recoin sombre et frais de l'appentis où le jardinier fend et range son bois. Je m'y installe, confortablement. Je m'y appuie bien. J'appuie surtout ma tête, si lourde, si lasse ; ma tête débordée par tout ce qui ne cesse de lui entrer par les yeux, les oreilles, la bouche et le nez. Puis je me mets à pleurer. Je pleure à chaudes et grosses larmes, doucement. Je gémis doucement. Gémir entraîne les larmes comme la musique entraîne les danseurs. On se détend, on laisse ce cœur grossir, on gémit un peu, et ça tombe, ça roule à pleines joues.

— Qu'y a-t-il, mon petit ?

Sournoisement, à pas feutrés, Chat Mort s'est avancée. Son apparition au-dessus de moi est si soudaine que j'en perds le souffle. Elle fait la triste, la découragée. Elle laisse pendre ses bras. Il faut avoir l'air triste avec ceux qui pleurent. Ce n'est pas difficile d'avoir l'air triste : il suffit de ne pas rire. C'est avec rage que je me remets à pleurer. Elle se trompe si elle croit m'attendrir avec ses poses hiératiques exagérées.

— Toi, Chat Mort, fiche-moi la paix ! Si tu me touches, je te mords !

— Tu as du chagrin ?... Doux, petit hibou, doux...
Laisse maman te consoler.

Plus elle parle et caresse, plus je me sens misérable,
plus je me sens perdue, trahie. Elle sourit, tristement,
joliment comme tout. Elle me prend sur ses cuisses.
Elle me berce et me donne des baisers. Je suis toute
crispée. Si elle ne s'arrête pas de baver sur moi, je la
tue. Je me débats comme une possédée. Je la frappe, à
grands coups de pied, à grands coups de poing. Je lui
griffe les bras, le visage. Je la mords même. Je l'avais
avertie. Elle n'avait qu'à se tenir tranquille. Le sang va
ruisseler ! Enfin, elle lâche prise. Des deux bras, de
toutes mes forces, je la pousse hors de mon abri. Va-t-
en, chipie ! Laisse les honnêtes gens pleurer en paix ! Je
vois son visage : elle pleure, vraiment ; son bel air est
tout désorganisé, tout démantibulé. Elle se sauve, au
grand galop, le visage dans les mains. Sa disparition ne
m'émeut pas davantage que son apparition. Je la
déteste ! Chat Mort ! Chameau Mort ! Chamomor !
Chamomor ! Un vieux dessein regerme dans mon
cerveau ébloui de haine, un dessein dont l'exécution
me tarde, me démange les doigts, me soulagera,
m'arrachera quelques épées du cœur. J'ai vidé le
contenu d'une fiole de teinture d'iode dans la sébile
d'étain de Mauriac, le chat que Chamomor adore, et je
l'ai étendu de lait.

— Minet minet minet minet ! Viens, mon beau petit
minou !

Il nourrit certains soupçons à mon égard. Mais il est
gourmand comme un ogre et il a reniflé le nectar. Il
miaule, en inclinant la tête. Est-ce que je lui promets

de ne pas lui faire de mal ? Il s'approche en hésitant. Il sort la langue, rentre la langue, sort la langue, rentre la langue. Il a tout léché. Il s'éloigne en louvoyant. Il donne de la bande comme un possédé. Vlan ! Il est tombé. Il se raidit, palpite, vomit, dresse les pattes, expire. Victoire facile ! Vacherie de vacherie !

18

Ce matin, c'est la ruée vers les cerises. Tout le monde émigre sur le continent. Portant les paniers d'osier, le jardinier est le dernier à émigrer. Dans la cuisine, avant de partir, à l'emporte-pièce, s'arrachant le beurrier, se lançant les couteaux, on s'est fait autant de sandwiches aux bananes qu'on sera capable d'en engloutir. On ne sera pas de retour avant l'heure du souper.

— Tenez-vous bien, les enfants ! Nous nous en allons aux cerises ! Il y a vingt grands paniers d'osier à remplir, un pour chacun. Nous allons faire du vin. Plus vous cueillerez de cerises, plus il y aura de vin lorsque vous reviendrez, dans quelques années, et que vous aurez l'âge de vous soûler.

De chaque côté du champ d'avoine, masquant les clôtures de barbelés, les cerisiers mènent leurs files indiennes jusqu'à perte de vue. Pleines à craquer, noires de saphirs rouges, leurs branches grêles ploient. Jamais hôtes n'ont été aussi hospitaliers, jamais rois n'ont fait brûler tant de parfums, n'ont fait briller tant de bracelets et de colliers, n'ont dressé de telles tables, n'ont accueilli avec pareille munificence. Il semble qu'il suffirait de tendre son panier pour qu'il se remplisse, pour qu'il déborde. On casse une grappe et on sent sa main s'enivrer, se fertiliser, croître démesurément, se couvrir de lacs, de forêts et de châteaux. Ceux qui s'aiment trop récoltent ensemble. Mais la plupart se sont dispersés, chacun allant, loin, se trouver un beau grand cerisier avec lequel il pourra être seul. Où sont passés Christian et Mingrélie ? Comme à travers les os d'un squelette, on peut tout voir entre les planches usées jusqu'au charbon de la grange abandonnée. Tapie dans l'ombre, assise sur l'embasement en saillie de la grange desséchée, je me rince méchamment l'œil. Assis dans le foin pourri, ils ont du plaisir. Ce qu'ils boivent en riant à même l'outre de Mingrélie, ce n'est pas de l'eau, c'est du nectar chèrement volé, c'est le cognac de Chamomor. Ils allument un mégot, le grillent en se le passant, en se lançant la fumée dans les yeux. Mingrélie essaie de dévisager Christian avec autant de gravité qu'il la dévisage. Elle a des difficultés : l'envie de rire lui mord la bouche. Elle se ferme les yeux. Il se met à lui flatter le visage. Ils se flattent, tour à tour. Ils ont l'air habitués. Tu te fermes les yeux et je te flatte le visage. Je m'arrête de te flatter le visage, je me ferme les yeux et tu me flattes le visage. Mingrélie a le meilleur. Il flatte son visage bien plus longtemps qu'elle flatte le sien. Elle fait le tour de ses yeux et de sa bouche avec son doigt et resserre aussitôt les paupières. Mingrélie est fatiguée de se faire flatter le visage. Son visage se sauve de la main de Christian. Elle se roule dans le foin en riant, en répétant qu'elle est soûle, qu'elle est folle, qu'elle est bien. Soudain, elle pousse un cri de mort. Elle s'est fait mal. Elle éclate en sanglots. Il y avait une fourche d'enfouie dans le foin, fer en l'air. Les longues dents ont perforé son corsage, ont atteint sa chair. Vite, voyant que le sang affleure, elle se passe la robe par-dessus la tête. Gêné, Christian tourne la tête. Elle porte un soutien-gorge, comme une vraie femme. Elle l'enlève. Elle frotte avec de la salive les taches de sang qu'il y a dessus, elle les suce. Les taches ne veulent pas partir. Elle a l'air fâchée, très déçue. Les trous dans sa poitrine ne saignent pas beaucoup. Elle regarde Christian. Elle l'appelle. Il répond par oui, sans oser se retourner. Elle appelle encore, plus doucement. Elle veut qu'il la regarde.

— Tu peux regarder, si tu veux. Ce n'est pas si grave ! Et puis tu es mon amant. Je ne suis pas toute nue toute nue... Enfin ! Je ne suis pas une Gorgone. Ça ne te changera pas en statue de pierre. Ce n'est pas si grave ! Un Russe regarderait. Je ne comprends rien aux Canadiens. Regarde, Christian. Du sang, du beau sang, des gouttes de sang...

J'en ai assez de leurs amours. J'en ai plein le dos. Ça me brûle depuis trop longtemps. Il est grand temps que ça éclate. Laissant là mon panier, je prends mes jambes à mon cou. Fauchant les marguerites à grandes enjambées, je choisis mes mots. L'idée de me venger me trouble excessivement, me donne envie de rire. Ils ont été méchants avec moi. Ils l'ont cherché ! Je ne me laisserai pas faire ! Je ne suis pas de ces timorés qui pleurent dans la bière !

— Viens vite, maman ! Le beau Christian et la belle Mingrélie ! Ils sont tout nus dans la grange, là-bas ! Tout nus !

— Mon Dieu mon Dieu ! Ce n'est pas possible. Tu as mal vu...

J'accroche Chamomor par une main et je tire. Il faut faire vite. Si Mingrélie se rhabille aussi vite qu'elle se déshabille, nous n'avons pas beaucoup de temps à perdre. J'arrive dans la grange la première. Debout dans un des pans de soleil qui cloisonnent la pénombre, toujours nue, Mingrélie rajuste sous l'arceau de ses cheveux l'anse de boutons d'or qui lui ceignait le front. Elle est si belle, même avec rien sur le dos, que tout à coup ma vengeance m'apparaît ridicule. Je me retourne pour voir ce qui arrive à ma vengeance. Chamomor en est restée figée. La bouche entrouverte, une main en l'air, une jambe en avant, elle a l'air d'un automate à bout de ressort. Encore une fois, son bel air s'est désorganisé, est tout démantibulé. Peu à peu, dans la pénombre, son visage devient d'une blancheur radieuse, d'une pâleur rayonnante. Ses grands yeux bleus se noircissent, comme quand elle se bat avec Einberg. Je sens qu'elle va exploser. Je m'enlève de son chemin.

— Vacherie de vacherie ! s'écrie-t-elle soudain, secouant lourdement la tête.

La colère, d'un seul souffle, s'est emparée de tout son être. Elle ne se possède plus. Elle s'élance sur eux

88

et, l'un après l'autre, les frappe à tour de bras, les abreuve d'injures à seaux.

— Sale petite vicieuse ! Moi qui te faisais confiance, comme à ma propre sœur ! Moi qui te croyais grande fille ! Hypocrite ! Hypocrite ! Christian ! Christian, tu me plantes un poignard dans le dos ! Moi qui te croyais droit et fier ! Tu me fais horreur ! Tu m'en donnes des frissons ! J'aimerais mieux te voir mort ! Où as-tu pris tant de bassesse ? Je me sens si seule, mon enfant, si seule ! Cette cochonnerie n'était pas nécessaire !

Elle les gifle de plus en plus fort, comme si elle voulait leur faire aussi mal qu'ils lui ont fait mal. Christian pleure, implore, bredouille. Mingrélie se conduit en grande criminelle, en grande évadée. Elle serre les dents sous la volée de coups. Elle était préparée à ce qui arriverait si elle se faisait pincer. Elle sera plus prudente la prochaine fois. Épuisée, les larmes lui volant des yeux, Chamomor s'effondre, tombe assise sur la herse se trouvant sous elle, prend son visage dans ses mains, se serre les tempes. Elle s'excuse. Elle prie humblement les deux coupables d'oublier sa violence. Quant à elle, elle a déjà oublié leur petit écart de conduite. Elle ne sait plus ce qui lui est arrivé. Elle a sans doute les nerfs à bout. Se retrouver avec vingt enfants du jour au lendemain, explique-t-elle, ce n'est pas sans ébranler sa bourgeoisie. Elle se lève et va, en reniflant, aider Mingrélie à agrafer son soutien-gorge et boutonner sa robe. Elle l'aide aussi à se moucher. Elle essuie ses larmes avec ses mains, comme on essuie les siennes. Elle l'appelle « grosse bête ». Mingrélie refuse le pardon, boude obstinément, croise les bras pour cacher les taches de sang. Chamomor les prend tous les deux par le cou et les conduit hors de la grange en les invitant à revenir participer avec elle et avec les autres à des jeux plus amusants, davantage de leur âge.

— Aussitôt que nous serons de retour sur l'île avec toutes nos cerises, nous préparerons les adaubages. Le temps presse ! Nous manquons de mains ! Quinze jours en mer !... Toute une corvée d'appareillage ! Avez-vous donc oublié, vilains garnements, que nous levons l'ancre demain matin, dans quelques heures, le temps que le soleil se couche et se lève ?

Ils n'ont pas l'air de se souvenir de grand-chose. Chamomor leur parle d'une voix vive, sereine, sans interruption, pendant que des traînées de larmes oubliées sèchent sur ses joues. Chamomor pleure souvent. Les larmes de Chamomor sont le plus grand supplice de Christian. Les larmes de Chamomor ne me donnent aucun mal. Christian dit que si elle pleure souvent, c'est parce qu'elle en a trop lourd à porter. Je dis qu'elle ne pleure souvent que parce qu'elle aime pleurer souvent, que parce que ça lui convient, parce qu'elle aime se voir et s'entendre pleurer, parce qu'elle trouve ses larmes belles, que parce qu'elle le veut. Quelqu'un qui ne veut pas pleurer ne pleure pas.

Demain, nous devrions partir pour une croisière de deux semaines sur les Grands Lacs. Je connais la fertilité à toute épreuve de l'imagination de Chamomor. J'ai peur que ce tour du monde n'aboutisse en quelque sot pique-nique de l'autre côté du fleuve.

Cependant Einberg part en voyage et, en cette circons-
tance, on peut s'attendre à tout.

19

Sous un tertre effondré où s'élève un mât de craie,
où se tord une flamme noire, les os d'Iseut se
pulvérisent et se confondent avec la terre à faire
pousser des fleurs. Dans la salle de bal du palais, des
baronnes grosses dansent avec des baronnes roses.
Soudain, un lustre de cristal grand comme un arbre se
détache des lambris, s'écrase sur les baronnes qui
dansent avec des baronnes, et, glissant, se démembrant
et se dispersant à toute vitesse sur le dallage de jais, va
faire carillonner les plinthes d'acier de ses mille pierres
bondissantes. Je vois un navire couvrir plus de cent
acres d'océan. Je suis assise dessus, les jambes ballantes, comme sur le bout d'un promontoire. C'est un
quai rapide, un quai de verre massif, un quai monu-
mental taillé dans une bille transparente et multicolore.
Ce qui m'emporte dans sa folle dérive, c'est un vitrail
épais comme une falaise. Assise entre ciel et terre,
assise entre le jour et la nuit, assise dans une benne de
treuil de carrier, je songe à des choses impossibles. Je
suis le nombril du monde et, pendant que tout autour
les ténèbres se rassemblent pour faire encore une fois
une nuit, je songe à des choses qui n'existeront jamais.
Il y a un saule pleureur de l'autre côté du chenal, juste

en face du banc de pierre où, la tête basse, Chamomor est assise. Je regarde comme il faut le saule pleureur pleurer, laisser traîner ses rameaux mous comme des cheveux dans le courant. Je regarde le saule : je me jette dans le saule. Quand un nombril du monde se jette dans un saule, le saule devient nombril du monde. Le saule me regarde : il se jette sur moi, m'avale, et le nombril du monde devient saule. Une mer est un grand verre d'eau. Une tempête en mer n'est qu'une tempête dans un verre d'eau. Tous flambeaux éteints, les cousins sont cachés dans le fourré, attendant qu'il fasse tout à fait noir.

C'est l'anniversaire de Chamomor. C'est ça qui l'a fait aller s'asseoir sur le banc de pierre, les souliers dans l'eau, la tête sur l'épaule. Elle n'a pas encore trente ans et elle n'a plus rien à faire. Reste là et attends. Elle ne peut pas partir d'ici : elle est mariée. Quand on est mariée, il faut rester avec son mari et ses enfants, attendre là que le reste de soi-même se soit tout évaporé. Elle ne peut plus bouger : elle est une proie facile pour la mort. La tête sur la poitrine, la nuque découverte, assise dans l'ombre qui commence à la dissoudre, elle a l'air de s'offrir au glaive d'un bourreau. Pauvre petit hibou toi-même ! Plus il fait noir, plus l'eau est propre et tranquille. Une nappe d'eau blanche avance et recule le long de ses pieds, va et vient comme une main. Sa main va et vient sur le dos gris de Mauriac II, le chat qui remplace le chat qu'elle adorait. La nuit, tous les chats sont gris. Et le dos d'un chat gris est gris. Tout à l'heure je pouvais voir le saule pleureur. Maintenant, je ne peux plus le voir : il fait tout à fait nuit. Ça change. Tout change.

Au fond du fourré, comme par bouffées, des lueurs éclosent. Et soudain, jaillissant comme de l'intérieur du sol, brandissant leurs torches fraîches allumées et poussant des cris de mort, les cousins foncent sur Chamomor. Ils l'ont encerclée et ils lui chantent : *Bon Anniversaire,* en polonais. Ils se prennent par la main et par le chandail pour faire une ronde. Ils tournent. Les torches décrivent un cercle rouge et le cercle rouge tourne. Ils se détachent les uns des autres et se prennent pour des chevaux. Se battant le flanc, ils cessent de courir et se mettent à galoper, ils cessent de chanter pour se mettre à rire et à lancer des pétards. Alors la ronde tourne au tourbillon de folie et de comètes, tourne à la fantasia.

Les cousins ont comploté toute la semaine. Ils ont fait apprendre à Anna Fiodorovna, leur bébé, le poème de Banville intitulé *La Mère.* Ils se sont immobilisés et se sont tus. Deux fois dans le silence, comme deux derniers pétards, la voix claironnante d'Anna Fiodorovna éclate.

— Niet ! Niet !

Minuscule, Anna Fiodorovna est comme enfouie dans le véritable buisson d'églantines dont on l'a chargée. Elle a fait deux pas de travers, s'est rattrapée, a reculé. Poussée par ceux-ci, pincée par ceux-là, souhaitant en avoir vite fini, elle se reporte résolument vers l'avant. Ne voyant pas où elle court, elle manque d'entrer en collision avec le banc de pierre. Stoppée net par les cris, elle lâche un gros soupir, puis débite d'un trait, dans une sorte de sanglot et dans un français aux yeux en amande, le « boème de Panville intitulé : Ma Lère ». Chamomor a tendu les bras pour recevoir les nombreuses églantines. Comme désespérée, Anna Fiodorovna laisse tomber les églantines sur le sable, s'élance et se jette dans les bras tendus. Chamomor rit, l'embrasse. Tout le monde rit et applaudit. La volée que Mingrélie a reçue dans la grange abandonnée ne lui a rien redressé que la tête. Maintenant, elle ne se gêne plus pour mépriser ; c'est ouvertement qu'elle se révolte. Elle mène le bal, et, le rouge aux joues, de peur de la perdre, tant bien que mal, Christian valse. Elle arrive à table la cigarette au bec et l'outre pleine de cognac à la main. Si Chamomor la regarde avec trop d'insistance, elle force Christian à tirer une bouffée de sa cigarette et à avaler une gorgée de son cognac. Elle dit à qui veut l'entendre que Christian est comme son esclave, qu'elle peut lui faire voler toutes les cigarettes et tout le cognac qu'elle veut. Elle dit qu'elle l'aime bien, mais pas plus, que c'est Serge son seul amour, que Christian n'est qu'une de ses petites aventures de bateau et d'escale.

— Plus il m'aimera, dit-elle, plus ça le déniaisera. C'est un vrai bébé. Il est encore pris dans les jupes de sa mère. Quand il m'embrasse, il pense à elle, il me parle d'elle. Ne riez pas : c'est vrai. Il dit qu'elle aurait de la peine si elle nous voyait faire.

Mingrélie a juré la destruction de Chamomor, sa totale destruction dans le cœur de Christian comme dans le cœur des cousins. Elle a fort à faire. Tout ce que Mingrélie lui a fait faire pendant le jour, Christian

94

le défait la nuit venue. Il va trouver Chamomor dans sa chambre, pleure, s'agenouille, avoue, se fait pardonner. Christian est miné de besoin. Il est mou, inconsistant. C'est un parasite-né. Comme du chardon, il s'attache à tout ce qui le touche. Comme une plante, ses efforts sont tous de fixation ; ses bras ne peuvent ni le défendre ni attaquer. Comme une plante, on peut l'arracher et le planter ailleurs. Il essaie de se fixer où il tombe, où on le fait tomber. Il ne peut pas marcher, aller se fixer où il serait mieux. Christian fleurit et s'étiole dans le jardin du plus fort. Je ne suis pas jalouse... J'attends que mes forces soient faites, d'être assez forte pour l'arracher aux autres jardiniers.

20

Depuis qu'Einberg est parti en voyage, l'ordre qu'il faisait observer à table est tout désorganisé, tout démantibulé. Bons et Méchants (Guelfes et Gibelins) dînent maintenant coude à coude, l'amour et la haine présidant à l'élection des commensaux latéraux. Car maintenant, enhardi par l'exemple du Mingrélie, tout le monde aime et hait à cœur joie. Anna Fiodorovna réserve la place à sa droite pour le grand et beau Nicolas. Et je crie grâce d'avance pour celle qui essaiera de lui voler son favori ou celui qui essaiera de s'asseoir à sa place. Anna Fiodorovna n'a ni de grandes griffes ni de grandes dents, mais les couteaux et les fourchettes n'attendent pas le nombre des années, mais les couteaux et les fourchettes sont aussi grands dans ses petites mains que dans les mains de l'hercule de Crotone. Qui est-ce qui a abandonné la chaise monumentale de l'évêque errant et qui, où que je m'assoie, vient s'asseoir à côté de moi ? C'est Chamomor. Elle me regarde dans le blanc des yeux et me demande pourquoi je la hais tant depuis quelque temps. Je sais ce qu'elle me veut. Elle veut que je l'aime comme avant. Elle se fourre le doigt dans l'œil. Elle ferait aussi bien de continuer de s'asseoir sur la chaise monumentale de l'évêque errant, de l'évêque erroné, de l'évêque péroné, de l'évêque tibia. Entre les beaux sentiments et moi, ma belle, c'est fini. Ni plus ni moins ! Plus d'attendage aux portes des visages ! L'attitude de Christian à table est des plus équivoques, des plus difficiles. Il faut que d'un œil il rie avec Mingrélie qui singe les poses accablées et hiératiques de Chamomor, et de l'autre il faut qu'il rie avec Chamomor qui lui fait des clins d'œil de miséricorde. Il ne peut que rire jaune, d'un œil comme de l'autre. Je n'ai jamais vu mon beau grand frère si laid. Il y en a qui ont des palmiers, d'autres des pommiers, d'autres des chiens, d'autres des singes qui savent manger avec un couteau et une fourchette. Moi, j'aurai plus que tout ça, j'aurai un être humain : mon frère Christian. Il n'est pas difficile de parler avec un être humain, d'embrasser un être humain, de se marier avec un être humain, de mettre au monde un être humain. Ce qui est difficile et seul intéressant, c'est d'avoir un être humain. L'idéal serait d'avoir un être humain beau, sauvage et méchant comme Mingrélie. Mais je perdrais mon temps à essayer de l'avoir : un tel être humain ne se laisse pas avoir. Je me contenterai des Christian et des Constance Chlore. Ils ne sont guère de qualité, mais ils sont plus de qualité que singes, chiens, palmiers, pommiers, diamants et œuvres d'art. Il n'y a pas plus chien savant qu'un être humain. Nul ne sait se servir d'un couteau et d'une fourchette avec plus de brio qu'un être humain.

Mingrélie se met debout sur le banc. Christian se débat pour qu'elle se rassoie. Christian a beau faire : elle ne se rassoira pas, elle parlera. Elle réclame le silence, et, se tournant vers Chamomor, elle parle.

— Ma tante, j'ai une grande nouvelle à vous apprendre et une petite faveur à vous demander. Christian est lanceur de javelot, et pas pour rire. Il ne vous en a rien dit parce qu'il croyait que ça vous vexerait. Je crois au contraire que vous serez très contente d'apprendre qu'il lance si bien le javelot qu'il a été remarqué, et qu'il a été choisi pour représenter son collège dans un grand tournoi d'athlétisme. Ma tante, ce tournoi a lieu ce soir même. Je vous demande d'accorder à Christian la permission d'y participer et je vous demande de tous nous y emmener.

— Non, maman ! s'écrie Christian, pendant que tout le monde l'acclame. Je ne veux pas y aller ! Je ne veux pas y aller ! Je ne suis pas prêt. Je n'ai pas touché à un javelot de tout l'été.

Et voilà que ce que je gardais secret comme un signe cabalistique se promène d'un bout à l'autre de la table et que tout le monde en fait son affaire.

Dans la caisse de la jeep, nous sommes plus serrés que sardines à l'huile, qu'œufs en panier. Dans le soir, dans l'air et les insectes devenus tranquilles, nous formons un tas d'êtres humains devenu bolide et volant en rase-mottes au-dessus de la route, entre deux vagues de broussailles. Il n'y a que les roues de la jeep qui portent à terre. Nous et le reste de la jeep, nous sommes en l'air, entre ciel et terre. Par d'étroits méandres encaissés entre des files de maisons, nous pénétrons jusqu'au cœur de la ville. Je me sens froide, défaite. Excités par Mingrélie, ils crient, ils rient. Christian tient son javelot tristement, comme si on le menait à l'abattoir. Il n'est pas prêt ! Il va faire rire de lui. Nous entrons dans le stade. C'est une enceinte de grands mâts de fer au bout desquels, dans le firmament, brille une ruche de projecteurs. Les gradins sont pleins, débordent. Christian est pris de panique. Les autres lanceurs de javelot ont l'air fringants, rétifs. Ils sautillent. A les voir sautiller, on dirait des kangourous en bal, emballés. A l'écart, immobile, les bras tombés du corps, Christian a l'air d'un automate qui n'a pas eu sa ration de tomates. Il échappe son javelot. Il ramasse son javelot. Les cousins scandent les syllabes de son nom en tapant des pieds. Il ne les entend même pas. Il est perdu. D'avance, il a perdu. Au signal du chronométreur, il se range avec les autres le long de la ligne blanche. Il porte le dossard numéro quatorze. L'homme qui tient un pistolet au bout de son bras fait feu. S'élançant vers le firmament, les cinq cents javelots ont l'air d'un orage tombant de la terre. Le javelot de Christian se détache du gros de la nuée, loin derrière. Les cousins se tendent, s'arc-boutent, comme s'ils poussaient sur le javelot. Peine perdue. Pendant que les autres volent, toujours plus haut, toujours plus vite, le javelot de Christian tombe dans l'herbe, sans bruit. Nous rentrons au bercail, en silence.

— Pourquoi ne m'as-tu pas dit que tu étais lanceur de javelot ? demande Chamomor.

— j'ai omis de le faire ! crie Christian, couvert de honte, pleurant sur sa défaite à chaudes larmes, brisant son javelot sur ses genoux.

— Je n'ai jamais considéré la chose sportive comme dégradante. Au contraire ! J'étais une adepte forcenée de plusieurs sports, avant la guerre. J'ai même participé aux courses de jumping de Dublin.

— Vous étiez amazone ! s'exclame une admiratrice fervente de Chamomor. Oh ! Racontez !

— C'est vrai que les amazones se brûlent le sein droit ? demande un fieffé ignorant.

— C'est vrai, lui répond Mingrélie, riant de tout son cœur. Sais-tu pourquoi ? Pour pouvoir lancer le javelot avec plus de force !

Mingrélie est fière de son coup ! Elle a bien joué ! Elle nous a menés de faux pas en faux pas avec l'air de nous faire danser une polka. Christian est battu à plate couture, Chamomor est humiliée de s'être fait montrer comment on joue à la mère. Tout le monde est déçu d'avoir cru de tout son cœur à la victoire d'un lanceur de javelot qui s'est avéré le plus mauvais lanceur de javelot du monde. Mingrélie nous a fait tourner, tourner, tourner, jusqu'à temps que ça tourne mal. Bravo ! Tu as de belles façons ! Ça m'apprendra !

Christian est triste comme un cormoran qui n'a pas lu
sa portion de Coran. J'aime voir Christian triste. Plus
la vie le rendra triste, plus il aura besoin de quelqu'un
pour le plaindre. Et, quand vient l'heure de plaindre, il
ne reste plus que moi.

21

Les cousins sont partis, tous, tout d'un coup,
comme un coup de fusil. Ça fait faire ouf à sa
bourgeoise. J'arpente les corridors de l'aile ouest. J'ai
plaisir à le faire. Ils sont redevenus sonores : capables
de silence et d'écho. C'est comme si, durant la nuit, les
hommes et les animaux s'étaient en allés de la terre.
C'est comme si, durant la nuit, les hommes et les bêtes
s'étaient embarqués dans l'arche de Noé. Je marche
sur la grève. J'y trouve plaisir. La grève est comme
avant : sans cousins. Il vente fort, si fort que le vent
arrache des étincelles aux nuages : des gouttes de
pluie. Le fleuve bat sa houle d'automne, sa houle grise
et crispée, sa houle fatiguée d'avoir porté tant de
bateaux.

Les cousins sont partis drôlement, sans presque s'en
apercevoir. Chamomor leur a caché le jour et l'heure de
leur départ jusqu'à la dernière minute. On sentait qu'il
allait se produire quelque chose. Il était trois heures du
matin et tout le monde était encore debout. Nous
faisions du théâtre grec dans la chapelle. Livret en

main, on se lançait à la figure les répliques centenaires et centenaires d'une comédie de je ne sais plus qui, quelque Aristophane, quelque Térence. Ce qui, après le souper, avait commencé par une lecture assise avait vite dégénéré. Les greniers avaient été envahis, vieux bahuts et vieilles commodes avaient été violés. Masques, cothurnes, lances, trabées, péplos, pourpres, tout le nécessaire avait été trouvé et on était monté sur les planches. Plus l'heure avançait, plus ça tournait rond. Engourdis de fatigue, soûls de sommeil, on trouvait tout drôle, on devenait géniaux, on soutenait des algarades jusques-à-quand-Catilina d'un quart d'heure sans regarder dans son livret.

— Mes enfants, dit soudain Chamomor, retirant son masque, je crois qu'un peu d'air pur nous fera du bien. Laissons tomber masques, cothurnes et armes blanches, et allons faire un petit tour en jeep.

L'air vif de la nuit a assommé tout le monde. Quand Chamomor nous a réveillés, nous étions à Dorval, sur une piste de décollage, sous le ventre d'un aérobus. Le départ frappait les cousins. Chamomor donnait son billet à chacun. Ceux qui étaient en mesure de réaliser ce qui se passait n'y croyaient pas : ils ouvraient grands les yeux, ouvraient grande la bouche. La plupart avaient peine à tenir les paupières écartées. Ils ont escaladé l'escalier de l'avion en branlant, en trébuchant, en se tenant les uns aux autres pour ne pas débouler, vêtus en rétiaires, en hétaïres et en Héautontimoroumenos.

A midi, Einberg rentre de voyage. Claquant la porte, mâchonnant le trabucos qui coïncide avec les plus mauvaises températures de son âme, il crie, il crache, il maudit. Trouvant le parquet de la chapelle jonché de masques, de cothurnes et de lances, il part à la recherche de Chamomor, lui tombe sur le dos. Tout traîne dans cette maison! C'est une vraie porcherie! Mais il se trouve qu'elle aussi est d'humeur massacrante.

— Qu'est-ce que c'est, Mauritius Einberg? Votre maîtresse n'a pas aimé l'Égypte que vous lui avez faite? Rue-t-elle inconsidérément dans vos brancards d'or et de diamants?

Désignant mon indiscrète présence, Einberg lui fait fébrilement signe de rabattre son caquet.

— Ne craignez rien, Mauritius Einberg. Vous avez bien élevé votre fille. Elle n'entend rien de ce que raconte sa mère, rien du tout. C'est à peine si elle la voit.

Ça va chauffer! Il y a des nerfs qui vont péter. J'aime ça quand ça hait. Ils s'engouffrent dans l'abside, dite petit salon. La porte claque, manque de faire s'écrouler le mur. Je connais bien cette porte. De toutes les portes de l'abbaye, c'est celle qui est douée du plus grand et du plus confortable trou de serrure.

— Eh bien, oui! Là! J'ai pris une maîtresse. Tu n'es pas jalouse, au moins? Il ne faut pas que le bon ami rende la bonne amie jalouse. Bons amis! C'est bien ainsi que nous sommes, n'est-ce pas? C'est bien ainsi que nous restons... n'est-ce pas?

— Poursuivez! Poursuivez... Je sens que vous en avez long à me dire...

Chamomor s'assoit sur son canapé, étend les jambes sur sa bergère. Quand on s'attend à se faire emplir, on se branche. Einberg tire comme pour l'arracher sur la languette de la fermeture à glissière de sa serviette. Il sort une grande photographie encadrée qu'il lance dans le giron de Chamomor.

— Tu es jalouse à vide, ma bonne amie. Elle n'a rien pour justifier la jalousie. Comme tu peux le voir, elle n'est même pas jolie, elle ne sait même pas s'habiller et elle n'a même pas l'air intelligente. Elle ne porte pas bien sa tête, mais qu'importe à un homme qui n'a pas besoin de tête ? Elle a un sexe entre les jambes, elle le porte haut et droit, et un sexe, ma bonne amie, un sexe de femme, un sexe comme tu as la douleur et la honte de devoir en avoir un, c'est tout ce dont un homme a besoin quand il prend une maîtresse. Elle copule, et ça ne lui met pas le cœur à l'envers. Elle se regarde quand elle est toute nue, et ça ne la dégoûte pas. J'ai entendu dire qu'elle lave aussi souvent son sexe qu'elle se lave les oreilles. Elle trouverait même tout naturel d'être assise sur son derrière quand elle est assise. Pis, elle m'a avoué qu'elle traite son sexe comme elle traite son estomac. Quand l'un ou l'autre crie famine, elle lui donne à manger. Quand on rencontre un ami, il vous tend la main. Elle, elle tend aussi son sexe. C'est un curieux spécimen d'une race à laquelle on ne veut plus guère appartenir : la race humaine. De plus, elle me trouve agréable. Elle trouve mes cravates de bon goût. Elle m'aime.

— Votre maîtresse peut vous trouver joli tant qu'elle voudra. Ça ne m'impressionne pas. Personnellement, je vous trouve de plus en plus écœurant. Pas un jour ne se passe sans que vous trouviez quelque chose pour ajouter à mon écœurement. Comment pouvez-vous oublier que vous n'êtes pas seul, qu'il y a Bérénice et Christian, qu'ils ne vous ont rien fait, qu'ils étaient neufs, qu'ils étaient beaux ? Vous n'êtes pas seul dans votre vacherie, vous y êtes avec Bérénice et Christian. Bérénice et Christian sont dans la vacherie jusque par-dessus la tête avec vous. Il est grand temps que vous preniez sur vous. Pensez : ils dorment, ils n'ont encore rien vu ! Pensez : leurs yeux s'ouvrent, ils s'aperçoivent qu'ils sont dans la vacherie, dans votre vacherie ! Quel réveil, mon Dieu ! Épagnez-les ! Vieux maniaque !

— Tu n'étais pas si dédaigneuse quand je t'ai trouvée, à Varsovie, dans l'égout. Tes frères, MM. les colonels, collaboraient. Tes frères, MM. les Polonais, venaient de te violer... Je t'ai donné du chocolat. Tu avais si faim que tu l'as mangé dans ma main.

— Oui, mes frères collaboraient ! Et j'aurais dû collaborer avec eux ! A quatre, nous aurions tué plus de juifs ! Il en resterait moins aujourd'hui. Vous ne seriez peut-être pas de ceux qui restent.

— Je t'ai offert une cigarette. Tu étais si affamée que tu l'as mangée.

— J'étais folle, Mauritius Einberg ! Le désespoir m'avait rendue folle. J'avais treize ans. J'étais venue dans cet égout pour résister. J'avais dû rompre avec des frères que j'adorais. Et ces bêtes m'ont reconnue, se sont jetées sur moi. Ils croyaient que je venais espionner. Quand vous m'avez trouvée, j'avais perdu la raison. Vous l'avez vu. Et vous en avez profité ! Quand vous m'avez épousée, un mois plus tard, j'étais encore folle ; et vous le saviez ! Vous avez abusé d'une petite fille de treize ans qui, en plus, avait perdu la raison ! A votre place, je ne remuerais pas cette hideuse cendre.

Ça les reprend. Ils se repenchent sur leur passé.

Je fais un cauchemar. Tout est blanc ici, d'une blancheur éblouissante. Les colonnes sont blanches. Il y a une chaise. C'est une chaise blanche, d'une blancheur éblouissante. Et tout est à moi, tout m'appartient. Il y a des filles debout devant les fenêtres blanches, des filles qui n'ont presque rien sur le dos, comme Mingrélie dans la grange abandonnée. Je reçois comme un coup au cœur : elles sont à moi elles aussi ! Je frappe dans mes mains. Les filles se retournent. Elles ont toutes le même visage : le visage de Mingrélie. Comme elles sont belles ! Comme mes êtres humains sont beaux ! Tout m'appartient ici. Tout est à moi ici. Comme on est bien ici. Comme c'est blanc ! On se croirait à l'intérieur du soleil, de la neige.

22

Einberg m'expédie en Californie. J'y rejoins la chorale. J'y retrouve Constance Chlore. Les voyages forment la jeunesse. Les voyages laissent la vieillesse telle quelle. Depuis qu'il est revenu de voyage, Einberg n'a rien changé à ses tactiques : il n'a jamais été plus pareil à lui-même. Je ne veux pas partir pour la

Californie. J'ai dans la tête d'employer les derniers jours de l'été à m'occuper activement de Christian. Terrassé par le départ soudain de Mingrélie, il ne reste plus qu'à l'achever et le prendre. Un être humain mort est à celui qui l'a abattu. Je ne veux pas partir du tout. J'isole Einberg, lui parle.

— Je sais que c'est pour me mettre à l'abri de l'influence néfaste de ta femme que tu m'envoies en Californie. Ce n'est pas nécessaire. Elle n'a plus aucune influence sur moi. Je la déteste : elle te le dira elle-même. Tout ce qu'elle dit m'entre par une oreille et me sort par l'autre. C'est vrai. Je te jure. Elle peut tout essayer. Elle ne m'aura pas.

Einberg n'a pas voulu comprendre, n'a même pas cherché à me croire.

Ici, je suis avec Constance Chlore. Dans les autobus, nous nous asseyons sur le même siège. Dans les hôtels, nous dormons dans la même chambre. Elle m'aide à oublier que cet exil me fait rater Christian. Il était blessé, il baignait dans son sang. Je n'aurais eu qu'à lui donner le coup de grâce. Tout ce qui est blessé se laisse avoir. Une fois, dans un fossé, j'ai trouvé une corneille, une belle grande corneille, une corneille dont les ailes étaient aussi longues que mes bras. Elle agonisait. Je l'ai prise dans mes bras. Elle ne s'est pas débattue. On est bien avec un si grand oiseau dans ses bras. Pour ne pas tout perdre, j'ai écrit. « Bien cher Christian, notre amitié me manque beaucoup. Notre amitié me fait m'ennuyer des sauterelles et des rats de l'île. Je te pardonne les égarements de cet été. Je les ai rayés de ma mémoire. Je sais qu'au fond ils t'ont fait bien plus souffrir que moi et que tu souhaiterais pouvoir les oublier aussi rapidement que moi. J'espère que, lorsque tu auras mis de l'ordre dans ton cœur, je pourrai y retrouver ma place. Si tu te souviens, je ne suis pas bien grosse, je ne prenais pas grand-place. C'est à cause d'Einberg que nous sommes séparés, que je suis ici, loin de toi, que tu es là, loin de moi. Tu lui diras que je le déteste, que je le méprise. Tu lui diras qu'il perd son temps, ses grincements de dents et ses bombes. Sa haine et ses coups ne prévaudront pas contre les liens qui nous unissent. J'embrasse ton beau soleil zoulou ; je le conserve religieusement. Je t'embrasse également, de tout mon cœur, pour que tu te portes mieux. Bérénice, ta sœur qui t'aime et qui t'aimera toujours. »

Je prends goût à lire. Je me mets dans tous les livres qui me tombent sous la main et ne m'en retire que lorsque le rideau tombe. Un livre est un monde, un monde fait, un monde avec un commencement et une fin. Chaque page d'un livre est une ville. Chaque ligne est une rue. Chaque mot est une demeure. Mes yeux parcourent la rue, ouvrant chaque porte, pénétrant dans chaque demeure. Dans la maison dont la forme est : chameau, il y a un chameau. Dans la cabane : oie, une oie m'attend. Derrière les multiples fenêtres des manoirs : indissolubilité et incorruptibilité, se devinent l'indissolubilité du mariage et l'incorruptibilité de Robespierre. Je raffole des récits de voyage. J'ai passé la nuit dans *Le Livre de Marco Polo*. J'y ai vécu les plus belles aventures, mais je ne sais plus lesquelles. Je ne cherche pas à me souvenir de ce qui se passe dans un livre. Ce matin, en sortant de mon livre, j'éprouvais une délicieuse sensation d'ébriété et d'espace, une grande impatience, un magnifique désir. Tout ce que je demande à un livre, c'est de m'inspirer ainsi de l'énergie et du courage, de me dire ainsi qu'il y a plus de vie que je ne peux en prendre, de me rappeler ainsi l'urgence d'agir. Si presque tous les mots de cette nuit ont passé sur mes yeux comme l'eau de la mer sur les flancs d'un navire, les rares mots que j'ai retenus ont gravé dans mon esprit une marque indélébile. Je me rappelle très vivement, par exemple, l'épisode où l'empereur de Chine remet un sauf-conduit à Marco Polo « afin qu'ils fussent francs par toute la terre ».

Il vient d'éclater une guerre entre Israël et les Arabes. Le rabbi Schneider en parle avec des sanglots dans la voix. Yahveh fait sonner des clairons et battre des tambours dans tous les cœurs : Sa terre et Son peuple sont menacés. Yahveh est en colère, réveille tout le monde. Aux quatre coins de la terre, il crie : « Judith ! David ! »

— Judith et David, mes enfants, c'est vous et moi. J'irai. Vous irez. Plusieurs d'entre vous y sont déjà.

En effet, plusieurs des oncles, des cousins, des frères et des pères des membres de la chorale ont déjà pris le bateau. Je ne peux pas dire que ça ne me fait rien. Quand je prête l'oreille, il me semble, à moi aussi, qu'on m'appelle : « Judith ! David ! »

23

L'écriture de Christian galope, ventre à terre. Soudain elle se redresse, marche bien droit. Là, elle penche, penche, manque de tomber sur le dos. Les jambages oscillent comme des pendules, passant d'une extrémité à l'autre. Plusieurs syllabes, certains mots, des phrases entières ont été raturés, cruellement hachurés. La marge est tressée de petits polygones copieusement noircis. La lettre de christian a l'air d'une tempête. On sent qu'il a bûché, qu'il a fallu qu'il se torde le cerveau jusqu'à la dernière goutte pour emplir la page. C'est la première fois qu'il m'écrit. Je lui ai adressé je ne sais plus combien de lettres durant les trois dernières années. Il n'a répondu à aucune. Quand j'étais de retour d'exil et que je le lui reprochais, il répondait qu'il n'avait rien reçu, qu'Einberg avait sans doute intercepté le courrier. Je tends la lettre par les coins, puis par les bords. Je mets la lettre sur ma paume, comme un plat. Je laisse tomber la lettre sur le parquet, la ramasse. Je fixe la lettre au mur avec des clous de cercueil imaginaires. C'est toute une victoire ! Je devrai regarder longtemps cette première lettre de Christian, mon redoutable ami, avant d'en avoir usé toute la saveur, avant d'en avoir pris toute la joie. Je devrai la palper pendant longtemps encore avant d'en avoir épuisé la configuration, d'en avoir débusqué tous les visages. Elle est divisée en quatre paragraphes, et, comme pour une symphonie, un mouvement a été indiqué pour chacun. Enfin, ce qui n'a rien d'étonnant, il a oublié de la signer.

« Andante. J'ai reçu ta lettre à deux heures. Il est deux heures trente. Je m'empresse de te rassurer. Je sais que ma conduite de cet été t'a déçue, t'a causé beaucoup de peine. Mais tu me pardonnes et, pour toi comme pour moi, le mauvais quart d'heure est passé. Les folies sont finies. L'ordre revenu, je vois que Maman Brückner, Papa Einberg et toi occupez toujours la totalité de la place qu'il y a dans ma vie, que vous y occupez même plus de place qu'il n'y en a vraiment. Allegro non troppo. Mauriac II, après vingt vains assauts, a enfin pu se hisser jusqu'au sommet du piédestal en forme de pupitre de chef d'orchestre. Là, lui donnant des coups de pattes, des coups de tête, puis lui appliquant de solides coups d'épaule, il a réussi à faire tomber par terre l'aquarium des gouramis, aquarium ayant, comme tu le sais, la forme du célèbre buste de Louis XIV par Puget. S'abattant, Mauriac II n'a fait qu'une bouchée du couple de gouramis. Tout glorieux de sa chasse acrobatique, se léchant les babines, il est venu frôler maman pour qu'elle le flatte. La vive et menaçante harangue que Maman, secouée de sanglots, a servie à l'assassin, qui, queue en l'air, continuait de la frôler était d'une si désopilante prosopopée, d'une si intempestive drôlerie que les invités n'ont pas pu s'empêcher de rire. Furioso. Ton attitude envers Maman est incompréhensible. Autant que Maman elle-même, je m'en inquiète et j'en souffre. Quand je lui ai dit que j'avais reçu une lettre de toi, elle m'a demandé si tu me parlais d'elle. Ton attitude envers Papa n'est guère plus réjouissante. S'il t'isole, c'est parce qu'il craint pour toi. S'il craint pour toi, c'est parce qu'il t'aime. S'il t'aime, ses intentions sont pures et tu n'as pas le droit d'en juger. Il te prépare à entrer en possession d'un héritage merveilleux. Papa ne t'indique d'étroits sentiers que pour te conduire plus sûrement à un palais dont les fondements sont les racines mêmes de la terre. Bientôt, tout à l'heure, tu en connaîtras, si tu te laisses guider bien sagement, les corridors d'or et d'argent. Crois-moi quand je te dis que je t'envie de pouvoir prendre dans ta main un flambeau que Noé et Lamech avaient reçu de Mathusalem et Hénoch qui l'avaient tenu de Malaléel et Jared qui l'avaient eu de Caïnan et Enos à qui l'avaient confié Seth et Adam. Maestoso. Notre mère et notre père s'aiment plus que tu le crois. Leurs querelles passagères ne sont faites que pour permettre à la grandeur et à la puissance de leur amitié de s'affirmer. Je suis ton ami comme avant, comme toujours, à jamais. »

24

Christian entre au collège. L'année passée, il ne venait à l'abbaye qu'une fois par mois. Cette année, il fera le voyage chaque semaine. Je l'aurai tous les samedis et tous les dimanches. Il faut qu'un enfant ait au moins un aperçu de vie familiale, a dit Chamomor à

Einberg, qui était d'avis que le jeune satyre passe toute l'année enfermé. Quant à moi, je vais chercher mon éducation à pied, au village. L'année dernière, je passais l'avant-midi chez dame Ruby et l'après-midi chez le rabbi Schneider. Rébecca Ruby, vieillarde maigre et accariâtre ayant donné toutes ses forces en arrhes au Savoir afin qu'il la venge de la Beauté, m'apprenait méchamment à lire et à écrire, me faisant apprendre des poèmes de Nelligan par cœur quand elle jugeait que je ne l'écoutais pas assez fort. Thélonius Schneider, gras comme un voleur, riant tout le temps, m'enseignait doucement l'arithmétique, la botanique et la gymnastique. Cette année, les choses changent. Loin de s'améliorer, comme on serait en droit de prétendre, elles tombent dans le pire, elles vont du mauvais au pire que pire. Déterminé à prendre une part active dans cette fête des grands frissons de tête qu'Einberg et lui appellent leur guerre sainte, le rabbi Schneider annonce qu'il résigne ses fonctions d'instituteur. On téléphone à Ruby et on lui demande si elle veut remplir la vacance. Elle veut bien, la... sale poule cochinchinoise. Ce qu'elle passait l'avant-midi à me faire endurer, il faudra que je l'endure maintenant toute la journée. La guerre que j'avais à faire tout l'avant-midi, j'aurai maintenant à la faire toute la journée. Avec octobre revient l'heure d'aiguiser ses crayons et de remettre ses gants de boxe. Comme cette année j'aurai dame Ruby deux fois plus dans les jambes que l'année passée, il faut que je me tricote des gants de boxe deux fois plus gros que ceux de l'année passée. Il y en a qui s'arment de patience. D'autres, comme moi, se mettent des gants de boxe. Il ne faut pas avoir de patience, même de celle dont on s'arme. Patience n'est qu'un habit de lenteur. Les compagnies d'assurances disent que la vitesse tue. La vitesse finit par tuer son homme. La lenteur commence par tuer son homme. Je prie pour que dame Ruby s'en tire sans dommages fatals. Elle et son cou où les fanons pullulent, où les pilules qu'elle avale à grandes poignées fondent! elle et son visage en forme de pomme pourrie, et sa tête en forme de tête passée par les mains d'une bande de rétrécisseurs de têtes! Dans son grand salon vert et net, il y aura Anna, Paula, Louisa, Albert, Bill, Sam. Gloria et Jack n'y seront pas. Bon débarras! Assis respectueusement sur ses beaux « sofas de Niphon » (Nelligan), il y en aura deux-trois que je n'ai pas encore l'horreur de connaître, deux-tois qui, comme ceux que j'ai déjà l'horreur de connaître, auront le don de m'exaspérer, sauront d'instinct comment s'y prendre pour que je haïsse jusqu'au sang. Il y aura aussi, puisqu'il faut que partout dans la nature l'équilibre règne, Constance Chlore, le plus pâle et le plus décoloré d'entre les plus beaux êtres humains, la plus douce, l'exquise, la divine, la véritable gazelle. J'oubliais Éliézer, l'éteint Éliézer, l'éteint mari de l'incendiée Rébecca; celui à qui elle fait brosser l'ardoise, celui par qui elle fait aiguiser nos crayons, celui sur qui elle se fie pour que les pages de la partition tournent à temps quand elle s'installe au piano, au piano blond, châtain, roux et noir. Dans la Bible, Éliézer est le valet de Rébecca. Chez dame Ruby, les choses se passent comme dans la Bible. Il suffit de se fermer les yeux pour se sentir porté vers le mont Ararat par le hors-bord de Noé. Il pleut tellement fort qu'on n'entend plus dame Ruby parler. On reçoit une taloche. Tu n'écoutes pas, Bérénice Einberg ! Ah ! Ah ! Ah ! Ah ! Apprends-moi la *Romance du vin* par cœur ! Ça t'apprendra ! Je n'ai jamais vu un mot s'envoler de la bouche d'Éliézer. Il brosse l'ardoise en silence. Il aiguise nos crayons en silence. A l'appel de dame Ruby, il paraît, faisant glisser à petits coups pressés ses pantoufles éculées, en silence. Il laisse en silence son échine s'arquer davantage chaque jour. Il laisse en silence l'arthrite, le lumbago et le reste manger sa vie sous son nez. Tout ce qu'il ose, c'est se contracter la face tant qu'il peut pour avoir l'air méchant. Mais il ne fait peur à personne. On sait que dame Ruby le remettra à sa place s'il lui prend la fantaisie de faire le Frankenstein. Éliézer ne me fait pas pitié ; il me fait horreur. En le considérant, je vois ce que je hais en dame Ruby. C'est sa force, une force que j'admirerais si sa vieillesse ne la rendait si laide, si ridicule, si inutile. J'ai peur des vieillards et des vieillardes. Ce sont des sorciers et des sorcières. Ils connaissent le présent et l'avenir. Ils voient dans la mort. Ils me jettent des mauvais sorts. Ils me montrent des images vraies à m'en couper le souffle de ce que je suis en train de devenir. Ils me gâchent toutes mes mauvaises surprises. Je fais souvent ce cauchemar dans lequel je suis clouée à un mur au fond d'un grand couloir où je suis seule avec une vieillarde aveugle. Elle marche à ma rencontre en riant. Elle est sur le point de mourir. Plus elle s'approche, plus le cœur me bat. Je vois la peau de ses mains et de son visage se dessécher. Elle est à deux pas. Elle est pourrie : elle pue. Sous son corsage, je vois grouiller une immonde fressure, des immondices semblables à celles que j'ai vues dans le rat que Mauriac II était en train de manger. La vieillarde me coince, me presse. Le cœur me manque. Je ne peux plus respirer. Je me réveille en sueur.

25

Je parle à Christian, dans la nuit. Je suis agenouillée sur le premier plancher froid de la saison, les mains jointes sur son lit.

— J'en ai assez. Partons.

— Pour où ? répond-il en bâillant.

— Peu importe.

— Quelle idée !

— J'en ai assez. Rien n'arrive ici. Partons. Allons déchaîner les grands drames. Partons. Je ne sens même plus mon cœur battre.

— Qu'est-ce qu'il y a ?

— Rien. Rien. Ne vois-tu pas : rien ! Ma matière presse ma forme de partout. Je me croyais tombée dans un monde. Je suis tombée dans un sarcophage qui avait déployé ses ailes pour avoir l'air d'une surface plate, d'une grande surface faite pour courir et prendre ses aises. Les dix paires d'ailes de plomb se lèvent sans bruit, se dressent sans même jeter d'ombre, se referment comme des bras, me serrent comme dans un seul poing... Je suffoque. Je suis étranglée. Allons-nous-en. Je me décompose. Je me liquéfie. La vie me déserte, s'écoule de moi comme d'un tamis. Je durcis. Je me fossilise. Je suis pétrifiée. Partons. Dépêchons-nous. A toutes griffes, avant qu'il ne soit trop tard, déchirons la préfoliation amplective qu'a tissée l'inaction et dont les fils se contractent, se rétrécissent, pénètrent nos chairs. Crevons ce firmament devenu plus petit qu'un dôme. Faisons-le éclater et fuyons-le en toute hâte. Assez d'attentisme. De la hâte, de l'envie. Partons. Plus nous courrons vite, plus nous aurons de désir, de besoin, d'impatience.

— Qu'importe tout ça? On est heureux ici, ainsi. N'es-tu pas heureuse, ici, ainsi?

Loin dans la nuit, je ne dors pas. Je presse mes oreilles avec mon oreiller pour ne pas entendre les coups, les battements, les tambours. Je suis seule, immobile, et j'ai peur de mourir. Des tambours s'infiltrent dans les ténèbres, des tambours glacés. Ils sont déclenchés par la harde de cavales jaunes que monte, debout, un pied sur le dos de chacune, le maigre cuirassier noir, le prêtre de la mort, le maître invincible des montagnes de cercueils. Murmure répété d'abord, effleurement renouvelé à mon tympan, cadence de points à peine visibles à l'horizon du silence, le bruit sourd de la course effrénée a grandi peu à peu, s'est ouvert, a envahi, s'est développé démesurément en force et en quantité. Les sabots ont concentré leurs roulades en des chocs secs, puissants, rapides. Ils retentissent dans mes oreilles comme si les murs de ma chambre étaient battus, comme si un cœur affolé, essouflé, s'était emparé de toute l'abbaye, comme si le ciel donnait des coups de cymbales à la terre. Transie de froid, tordue de peur, j'attends que le cavalier osseux me saisisse, m'arrache à mon lit, m'emporte, me rende au néant, me délivre. Soudain il entre, il déferle, il s'abat sur moi, il me dévaste. Je hurle. Je m'entends hurler, comme du fond d'un abîme. Mes cris me rendent conscience.

Je pousse de tels cris que j'ai peur d'être devenue folle. Je me lève, marche. Je me secoue. Il faut faire quelque chose. Je mets ma robe d'apparat, ma belle robe de damas au corsage lacé, ma robe blanche et comme sculptée, ma robe qui traîne à terre et noie mes mains, ma robe d'intronisation. Je me parle à haute voix pour m'empêcher d'avoir peur de ce que je suis en train de faire. Je dis n'importe quoi. Ma robe ! Ma brobe ! Ma crobe ! Ma frobe ! Ma trobe ! Ma vrobe ! Je mets des bas chauds. Je m'enveloppe la tête d'un châle. Et, les souliers à la main, je cours réveiller mon ami Christian. Je lui parle, lui parle. Il ne veut rien comprendre. Il ne voit pas ce que je veux dire. Je m'entête, continue.

— Pourquoi gémir sur un tréteau ? Nous pouvons entasser montagnes sur montagnes, les escalader, aller jouer dans les étoiles avec nos mains. Tout prendre, nous saisir de tout. Tout nous appartient : il suffit de le croire. Pourquoi veiller, jour après nuit ? Il suffit de se porter sur les lieux et posséder. Pourquoi attendre ? Il suffit de partir. Tous les rois de ce monde, ces usurpateurs, ce sont nos trônes qu'ils ont usurpés. Il suffit d'un glaive. Tous ces fleuves, toutes ces mers, il suffit d'en décimer les pirates. Nos temples et nos basiliques, quand en chasserons-nous les prêtres et les enfants de chœur? Toutes ces belles femmes, ce sont tes femmes, Christian. Jusqu'à quand souffriras-tu qu'on se les partage comme si tu n'existais pas? Partons. Nous volerons et tuerons, comme deux livies. Mettre le feu à cette vermine dont les terriers portent le nom de maisons. Éventrer mines d'or, mines de pierres précieuses, mines de bagues et d'horloges, mines de citrouilles et de citrons, mines de marguerites et de violettes, mines de neige, mines de clous et de planches, mines de morues et d'anguilles, mines d'éléphants et de panthères. Régner à nouveau. Partir. Aller tout reprendre. Rappeler nos canons. Réveiller nos citadelles. Faire rejaillir nos flottes et nos armées.

A bout de souffle, Christian éteint la lampe et me tourne le dos. Je prends une de ses mains dans les miennes, une main molle et froide, incapable de ferveur. L'inutilité de mes discours m'émeut tellement que je pleure.

— Cette main! Cette main! quand lui rendras-tu son sceptre?

Je caresse la tête de Christian, sa belle tête de lâche.

— Tous ces morceaux de couronne qu'ils portent, ces fantoches, ces soi-disant rois, nous les fondrons sur ce front.

Christian ne répond rien. Il n'a pas de voix. Même s'il voulait, il ne pourrait pas répondre. Après un long silence, je me remets à la tâche.

— Nous sommes les plus forts, certes. Mais il faut

que nous allions leur prouver. C'est absolument nécessaire. Comment, autrement, voudrais-tu qu'ils nous croient. Partir. Il faut partir et aller défendre les domaines, les domaines que nous tenions de nos pères qui les tenaient de leurs pères.

Je n'ai pas dit toute cette dernière phrase tout haut. J'en ai dit la moitié tout bas. Je me suis rendu compte que Christian dort à poings serrés, comme une pierre. Je monte sur le lit. Je secoue vainement le dormeur. Je me glisse sous l'édredon. Je me cale contre le dos du dormeur. Je suis seule dans la vie et je pleure. Je ne veux pas dormir, n'être qu'un dormeur de plus. Je finis par m'endormir, dans ma robe de damas blanc, mes souliers de cuir patiné dans les bras.

26

Me jeter sur une épée. Tomber dans une embuscade. Prendre le quai. Prendre la gare. Prendre la route. Partir. N'avoir jamais mis les pieds sur cette terre. Les jours passent, sans surprises, dans leur plus insolente nudité, tous leurs secrets à découvert, sens dessus dessous et sens dessous dessous, bien à l'endroit et bien connus, assimilables sans effort. L'habitude a tout réduit en deux gestes et deux mouvements dont elle ne cesse d'accélérer le rythme d'exécution. La répétition marque le pas, l'habitude orchestre, l'ennui mène. Je peux maintenant y aller les yeux fermés, les oreilles bouchées à l'émeri, pieds et poings liés. Je peux me laisser porter, tranquillement, sans même prendre la peine de m'apercevoir que je suis portée par quelque chose. Ta vie n'a pas besoin de toi pour se vivre. Les jours n'ont besoin de personne pour se compter et compter un jour à tout le monde au fur et à mesure. Point n'est besoin de t'en faire, Bérénice. A la fin de chaque jour, bon gré mal gré, manœuvrée sans douleur par les bascules automatisées et les tourniquets mécanisés, tu auras fait tes trois petits tours, tu auras marché, mangé et dormi, tu auras appris de la grammaire, de l'histoire et de la géographie, tu seras plus grande, plus instruite et plus profondément engagée dans la vacherie. La grosse machine du temps, après quelques émois et quelques hésitations, a senti se limer et s'huiler joints et engrenages, s'est vue se concerter. Peu à peu, ses cames, ses pignons et ses arbres se sont combinés, au micron, et elle s'est mise à produire massivement, à acheminer sûrement, efficacement et rapidement à partir d'un espoir, à travers les grecques exactes et les méandres précis de ses fonctions horaires, les phénomènes à suivre au prochain épisode qu'elle doit produire et faire regarder à l'âme chaque fois que c'est un jour. L'arbre que j'aimais m'ennuie maintenant. Ce qu'il me disait d'affolant, il le répète maintenant, il le répète stupidement, inlassablement, sans y changer un mot, de plus en plus vite. J'ai vu tellement de fois, à la même place et à la même heure, se produire la même lâcheté qu'elle n'offense plus mon regard, qu'elle me lasse à peine, qu'elle m'endort presque. J'ai eu tellement de fois mal à la même artère qu'elle s'est sclérosée, que je ne sens plus la douleur. Si on m'avait coupé les jambes il y a deux ans, je serais habituée, maintenant, à ne pas avoir de jambes, j'aurais ma part de petites joies et de petites peines comme si de rien n'était, comme si j'avais mes jambes. Les jambes ne servent à rien. La vie n'a pas besoin des jambes des hommes pour se vivre, pour que roule son train moitié bleu moitié noir, moitié jour moitié nuit. C'est de la pure vacherie. La vacherie est faite pour les vaches. Mais, comme il n'y a rien d'autre, les hommes doivent s'en contenter, risquant ainsi de se retrouver bientôt à quatre pattes. J'appelle le désordre. Mais personne ne vient. J'appelle, appelle. Rien ne vient. Les quelques poules qui m'entendent prennent mes paroles pour des choses comminatoires et se dispersent avec frayeur. J'appelle la guerre de l'homme contre ce qu'il a fait. Désordre ! Guerre ! Confusion ! Lutte ! Dérangement total ! Prise de possession ! J'appelle, appelle. Rien. Faudra-t-il que ce soit moi qui tire la première balle, qui mette le feu aux poudres et qu'on pende jusqu'à ce que mort s'ensuive à cause de cela, moi qui appelle justement parce que je trouve que je ne vis pas assez… ?

Taïaut ! Taïaut ! A coups de gosier les veneurs sonnent la charge. Assis dans leurs chevaux de métal, ils se ruent sur moi.

— Nous aurons ta peau ! me crient-ils. Nous aurons ta peau !

Ils courent après moi comme après un assassin et je n'ai pas assassiné. Mais ils ne sont pas fous. Ce n'est pas pour rien qu'ils veulent m'abattre. Ils savent que je les hais, que je hais ce qu'ils ont fait, que je hais ce qu'ils ont fait de la vie qu'ils m'ont donnée avant de me la donner. J'ai de l'assassin ce que le feu a de l'incendie. Et ils le savent. Il ne faut pas laisser traîner du feu. Il faut que je fuie comme un voleur et je n'ai rien pris d'autre que ma vie. Mais ce n'est pas pour rien que je fuis. Je sais qu'on n'a pas le droit de prendre sa vie, qu'en prenant sa vie on prend toute la vie, que quelqu'un qui fuit avec sa vie fuit en même temps avec la vie de tous les autres. La haine ne s'est pas encore cristallisée en crime. Je n'ai pas encore posé de gestes. Mais ce n'est pas pour rien que je sens qu'ils me persécutent.

Je m'appelle Neurasthénique. Le docteur dit que de tous les enfants de mon âge qu'il connaît, je suis la seule à être appelée Neurasthénique. Les Neurasthéniques de trente ans ne sont pas rares. Mais il n'y a pas de Neurasthéniques de onze ans. Neurasthénique est un nom que ne portent bien que les adultes. Je ne suis pas malade. Je suis morte. Je ne suis plus qu'un reflet de mon âme. Je flotte, légère comme un souvenir. Je plane dans l'éther des espaces sidéraux, souverainement et définitivement indifférente. Je ne mange plus. Mon organisme se soulève contre tout ce que les vivants appellent nourriture, aliment, repas. Ce qu'on me force à avaler, je le vomis, dare-dare. Est-ce que je ne veux plus vivre, ou est-ce que je ne pense plus ? Je maigris à vue d'œil. Ma peau colle aux grilles de ma cage. Comme tout bon cadavre, pour mettre l'eau à la bouche des vers, je laisse transparaître la forme de mes os. Ils me font garder le lit. Chamomor prétend que c'est d'amour que je souffre. Quand je me suis endormie, elle se glisse dans ma chambre, vient me veiller. Quand je me réveille, je la chasse. Einberg a diagnostiqué une insuffisance de coups de pied au derrière. Il entre dans une violente discussion avec le docteur qui, pour sa part, a diagnostiqué une insuffisance thyroïdienne. Christian me promet que nous partirons aussitôt que je serai guérie, que nous irons n'importe où. N'importe où, c'est là où l'on trouve n'importe quoi, c'est-à-dire tout. Constance Chlore m'a apporté une brassée de glaïeuls.

27

Je regarde dans la nuit au travers de mes cils rouges, de mes cils longs et raides comme des cils de poupée. Au travers des ténèbres, je vois quelqu'un, je les vois : elle et son chat. Elle est dans ma chambre. Elle me protège. Je suis malade, faible. Je ne suis pas en mesure de monter la garde. Elle monte la garde à ma place. Elle reste avec moi pour m'aider à repousser la mort si elle s'avisait de surgir, d'attaquer. Seule dans cette chambre, dans l'état où je suis, la mort aurait beau jeu. Elle n'aurait qu'à entrer et me prendre. Elle est dans ma chambre. Elle est dans ma vie. Mais il n'y a pas de quoi s'attendrir. Tantôt elle est dans ma vie, tantôt dans la vie de Christian, tantôt dans celle d'Einberg. Je ne suis qu'un visage, et la chambre de sa solitaire toute-puissance, comme celle de bien d'autres, est pleine de visages. Elle est bien trop occupée. Elle a beaucoup trop à faire. Je ne veux pas être un visage parmi mille. Dans ces chambres à mille visages je préfère n'être aucun visage. C'est bien trop dangereux. On risque d'être oublié, d'être égaré, d'être victime de toutes sortes d'erreurs. Dans une âme où il y a mille visages, le visage appelé Bérénice risque d'être confondu avec le visage appelé Antoinette. Je ne me sens en parfaite sécurité que dans une âme où il n'y a que moi ; dans la mienne par exemple. Si Chamomor avait voulu, nous serions amis à l'heure qu'il est. Nous serions ensemble jour et nuit, heure après heure. Nous serions en train de faire un voyage sans fin. Elle serait le seul habitant de ma vie et je serais le seul habitant de sa vie. Elle serait fière de m'avoir, elle qui aime les laids. Je serais fière de l'avoir, moi qui aime les beaux. Pour être le seul visage dans une âme, il faut en déloger tous les autres. Et, dans l'âme d'une adulte comme Chamomor, il s'est entassé tellement de visages, visages de morts comme visages de vivants, visages de choses comme visages d'animaux et d'hommes, qu'on ne s'y entend même pas parler. Va-t'en, Chamomor. Avec une âme telle que tu en portes une, tu ne sers à rien, tu es tout à fait inutile, tu es même nuisible, tu ne fais que me faire perdre mon temps.

Chamomor prend une gorgée de cognac. Chamomor flatte son chat à rebrousse-poil et il jette des étincelles. Il y a en elle quelque chose qui me fascine, m'attire, quelque chose comme un vide. J'ai si mal que les ténèbres me brûlent les yeux. J'ai besoin d'elle, d'être abritée, qu'elle me tienne et me flatte comme elle tient et flatte Mauriac II. C'est comme si par toute la neige elle était la seule maison. C'est ma mère après tout ! Si je me laissais aller, je me sentirais toute chose, toute moite en dedans. Si je me laissais aller, je choirais dans ses bras, l'y aimerais, m'y sentirais au chaud, y pleurerais comme avec plaisir. Tout ceci n'est qu'instinct, lâcheté, désespoir, aberration. Aimer ne doit pas être : se laisser passivement pousser dans les bras de quelqu'un. Aimer ne doit pas pousser dans l'âme comme l'ongle au bout du doigt. Ne te laisse pas faire. Hais plutôt.

28

A quoi bon m'inscrire en faux, crier, me révolter, détruire ? Je me cherche, comme dit le docteur. A quoi bon ? Plus je me creuse, plus je me détériore. Je cherche un nœud à moi-même, et je n'arriverai jamais à ce nœud. Je sais qu'il n'y en a pas. J'ambitionnais de refaire le chaos en moi-même, de tout reprendre à zéro. J'ai bien peur qu'en arrivant à zéro il n'y ait plus rien à reprendre. Je me cherche, comme dit le docteur. Ça ne veut pas dire grand-chose. Je suis vivante. Je ne sais pas ce qu'on doit faire quand on est vivant. J'ai la vie. Je ne sais pas du tout ce qu'il faut que j'en fasse. Je ne sais pas quoi faire. J'ai tâtonné, tâtonné. Je ne suis arrivée à rien. Je suis arrivée dans un pays où je m'ennuie à mourir. Se tuer, tâtonner ou se laisser aller. Quand on a à cœur d'être la loi de sa vie, ni se tuer, ni tâtonner, ni se laisser aller ne valent. J'avais le goût de me laisser mourir, pour rien, pour me désennuyer. Afin de me faire une âme j'ai détruit mon cœur, j'ai brûlé tout ce que j'avais de spontanéité. Je n'ai donné que quelques coups de hache à l'horloge et déjà elle ne marche plus, déjà je suis malade, déjà je regrette amèrement, déjà je voudrais pouvoir tout redresser, tout ressouder, tout réparer, déjà j'aimerais retrouver toutes les vis. Certes, je me rétablirai. Mais je ne pourrai pas revenir en arrière. Qu'on donne dix ou mille coups de hache, on ne peut revenir en arrière d'un seul coup de hache. Ça me glace de peur. En naissant, on fonctionne. Si on se laisse aller toute sa vie, on continue de fonctionner toute sa vie. Le moteur qui me fait fonctionner échappe à mon intelligence et à ma volonté. Et ça m'agace. Armée d'une hache, j'ouvre le moteur. Je me rince l'œil, étudie, comprends. L'étincelle fait exploser la gazoline. Sous la force de l'explosion, le piston s'enfonce. En s'enfonçant, le piston actionne le vilebrequin. Le vilebrequin fait tourner l'arbre, et le différentiel transmet le mouvement de l'arbre à la roue. C'est l'œuf de Colomb. Mais j'y pense : ce moteur ne m'obéit pas. Si je lui parle, il ne m'écoute pas. Il n'en fait qu'à sa tête. S'il ne m'obéit pas, à qui d'autre obéit-il ? Je ne laisserai pas de telles forces mener le bal dans ma vie. Coup de hache après coup de hache, je romps l'étincelle, la gazoline, le piston, le vilebrequin, l'arbre et le différentiel. Cette roue ne tournera que comme je le voudrai ! Je mets mon épaule à la roue et je pousse. Nous n'irons pas loin, Bérénice, mais nous irons à notre guise, par nos propres moyens. Je me fatigue, tombe malade. Ils font venir le docteur. Le docteur dit qu'il pourra remettre le moteur en marche mais qu'il ne fonctionnera jamais plus comme un moteur qu'on laisse tranquille. Je ne pourrai jamais plus croire. Les engrenages et les ressorts de mes sentiments sont finis. Je ne crois en personne. Je ne crois en rien. Je n'ai plus que la roue et la volonté.

Trêve de massacre ! Les forces étrangères qui me dirigent n'ont pas que leur haïssable toute-puissance, elles ont aussi des tendresses. Elles ne font pas que prendre à la gorge. Parfois, aussi, elles prennent par le cou. Laisse-les faire. Débraie. Laisse aller. Qui sait où on t'emmène ? N'as-tu pas le goût des surprises et des découvertes ? Rien n'est plus dénué de surprises, plus ennuyeux, que les pays qu'on crée soi-même. Laisse-les te faire, te surprendre, t'emmener en inconnu. Celui qui se cherche ne trouve rien. Celui qui se cherche cherche quelqu'un d'autre que lui-même en lui-même. S'il va jusqu'au bout, il trouve un protozoaire. Au-delà du protozoaire, c'est la matière. Au-delà de la matière, c'est le néant. L'homme s'est développé à partir d'un protozoaire. On ne peut sérieusement vouloir tout reprendre à zéro sans redevenir sans vie. Mais avant, il faut redevenir singe, saurien, trilobite, protozoaire. A me voir gésir sur ce lit, immobile, ne faisant que laisser mon cœur battre et mes poumons fixer l'air, on pourrait croire que j'ai atteint le dernier stade de l'évolution des espèces à l'envers, que je ne suis pas loin du nœud, des fameuses sources : la mort, l'inerte, le vide, le néant.

Mon docteur est aussi ferré en psychiatrie qu'en endocrinologie. Avec son tournevis à pilules, il joue dans ma tête, dans mon radiateur. Il nettoie les bougies de ma glande thyroïde. Il me dit que la pompe de mon radiateur n'aspire plus, qu'il faudra qu'il la démonte. Il se fiche de moi. Je me fiche de lui. Nous nous faisons rire. Depuis qu'il me rapièce, la vie ne me semble pas plus intéressante, mais elle me semble moins impossible. Nous parlons des moteurs à explosion. To be or not to be. Une fois encore, sans y croire, pour rien, pour les grands pieds de la chose, j'ai rechoisi de vivre. Je m'en promets.

29

Einberg a mis le docteur à la porte, et me voilà gros protozoaire comme devant. J'ai le front en sueur, et froid au dos. J'ai le dos froid comme du sucre froid et le visage chaud comme du sucre chaud. Les tempes m'élancent comme du sucre d'orge. Le docteur voulait se faire verser des honoraires exorbitants. Il a dit à Einberg qu'un médecin qui, en plus d'être médecin, est psychiatre et endocrinologiste a le devoir de se faire verser des honoraires exorbitants. Mais Einberg n'est pas homme à se laisser exorbiter par des honoraires. Il a envoyé le docteur se faire verser des honoraires

exorbitants ailleurs. Niaiser ou mourir ? Je suis fermement résolue à me laisser mourir. Celui qui veut me
redonner le goût de vivre a besoin d'être un sacré bon
menteur. Il a besoin d'avoir de l'éloquence en sapristi.
Je ne parle plus. Je me suis juré de ne plus rien dire. Je
ne parle même plus à Christian. Depuis la défenestra-
tion du docteur, un mois, je n'ai pas prononcé un seul
mot. On ne mange plus, on ne parle plus, on n'écoute
plus, on ne regarde plus. On s'habitue à être mort. On
a mal à la tête, on passe des nuits blanches. On endure.
On est dur à cuire. On a la mort dure. Le rabbi
Schneider part. Il s'en va-t-en guerre dondondondaine.
Il est venu me faire ses adieux. Je l'ai laissé parler tout
seul. Il s'est tapé sur le ventre et il a dit que ça allait le
faire maigrir. Je l'ai laissé se taper sur le ventre. Tu
peux toujours te taper sur le ventre, espèce de Lope de
Vega. Il y en a cinquante qui vont prendre l'avion avec
lui tout à l'heure. Ils sont tous entrés dans ma
chambre. Le nez crochu, les mains tatouées de numé-
ros de camps de concentration, jeunes, enthousiastes,
ils ont l'air de foudres de guerre, de la retraite des Dix
Mille. Ils sont tous prêts à donner leur sang. Que les
tiques, les sangsues et les vampires se le disent ! Parmi
les cinquante, j'ai reconnu Abel, le dernier frère de
Constance Chlore. Les trois autres sont morts la
semaine dernière. Le char d'assaut dans lequel ils se
trouvaient a explosé. Quand on ne veut pas se suicider,
on se promène à cheval, on ne se promène pas en char
d'assaut. Je suis contente qu'ils soient morts. Ils me
haïssaient. J'ai hâte qu'Abel se fasse tuer. Il est comme
ils étaient. Ils prennent l'avion tout à l'heure. C'est

129

Einberg qui finance l'expédition. Ils vont arriver à Tel-Aviv vers minuit, s'ils ne tombent pas dans la mer Morte en cours de route. Ceux qui, comme les trois haïssables frères de Constance Chlore, meurent sur les champs de bataille laissent leur râtelier sans emploi. Avis à ceux qui embauchent des râteliers ! Prenez tous l'avion ! Allez tous vous faire fusiller ! Fini le rationnement des fausses dents !

Chamomor se fait autant de souci pour les Arabes qu'Einberg s'en fait pour Israël. Elle reçoit autant d'ambassadeurs à fez dans le petit salon qu'Einberg reçoit de consuls à nez crochu dans son bureau.

— Tout le monde favorise Israël sur ce continent. J'en ai assez. C'est trop injuste ! Les pauvres Arabes vont nous prendre en horreur. Il y a assez de frontières de haine en ce monde sans que cette guerre, cette sale guerre, cette guerre qui n'est, comme toutes les autres, qu'une affaire entre grosses têtes et gros bonnets vienne en élever d'autres.

Chamomor, sur ce, a lancé une campagne destinée à venir en aide aux familles arabes éprouvées par la guerre. Une centaine de solliciteurs portant fez et panier vont recueillant conserves, cigarettes, dollars et coups de pied au derrière. La campagne aurait pu tout aussi bien être destinée à venir en aide aux familles éprouvées des deux camps. Mais, selon Chamomor, les campagnes destinées à venir en aide aux sinistrés israélites sont déjà suffisamment nombreuses. Les journaux lui font un mauvais parti. Ils l'accusent d'ignorance assassine et d'aveuglement criminel. Ils prétendent qu'il n'y a qu'un droit et que, lorsque deux partis s'affrontent, tous les bons sont d'un côté et tous les mauvais de l'autre. Ils prétendent que si elle connaissait le moindrement l'histoire et la politique elle défendrait une cause plus juste. Chamomor répond que la plupart des enfants et des vieillards arabes affectés par la guerre ne savent ni lire ni écrire, que par conséquent ils ne connaissent pas plus qu'elle l'histoire et la politique. Elle répond que, même s'il n'y avait en tout que la moitié d'un droit, elle prendrait tous les droits. Alors on ne manque pas de lui rappeler, sur un ton grivois, que ses frères, les colonels Brückner, ont collaboré avec les Nazis au début de la dernière guerre. Fièrement, elle répond qu'elle n'a pas plus de mémoire qu'un bébé arabe n'a de souvenirs, qu'un bébé arabe n'a d'histoire et de rancune. Elle répond qu'elle est sûre que, si elle avait des souvenirs, ils ne feraient que lui inspirer mépris et rancune. Einberg et Chamomor parlent si fort que je les entends comme si j'étais avec eux dans le petit salon.

— La guerre est aussi sainte pour les pauvres imbéciles d'un côté que pour les pauvres imbéciles de l'autre côté. Les belles grandes gueules leur ont toutes chanté la même chanson : « C'est de notre côté qu'est le droit ! » Mais les belles grandes gueules se gardent bien de dire aux pauvres imbéciles qu'il s'agit du droit du plus fort, du droit de ceux qui ont le plus de tueurs et de machines à tuer.

— Qu'est-ce que tes frères viennent encore faire ici ? Qui sont-ils ? Les pauvres imbéciles ou les belles grandes gueules ? Puisque c'est encore de tes frères qu'il est question, n'est-ce pas ? Puisqu'il n'est jamais question que de tes frères dans ta petite tête, n'est-ce pas ? Tu n'avais peut-être que treize ans quand je t'ai épousée, tu étais peut-être folle à lier, mais, je t'assure, tu avais de la suite dans les idées. Tu n'ouvrais la bouche que pour plaider la cause de ces bien chers frères, que pour prier ton petit mari d'user de son influence pour les sauver de la potence. Quand il s'agissait de lui faire écrire une lettre à un juge ou à un ministre, on ne se privait pas : on se déshabillait, on ouvrait grands ses petits bras. Quand tu as décidé de faire chambre à part, c'est encore de tes frères qu'il était question. Je venais de les faire sortir de prison. Tu n'avais donc plus rien à obtenir pour eux. Tu ne voyais donc plus très bien pourquoi tu continuerais à m'endurer dans ton lit. Les Arabes, ce sont un peu tes frères, n'est-ce pas ? Ils ressemblent à tes frères d'une façon si frappante... Comme ces chers colonels, ce sont des fanatiques, des sanguinaires, des antisémites... Il faut les protéger ! Il faut voler à leur secours !

— Ce que j'ai fait pour mes frères n'a rien à voir avec le sang. Je l'aurais fait pour un pur étranger. D'ailleurs, vous savez très bien que depuis dix ans mes frères sont pour moi de purs étrangers. Il existe un abîme entre nous, un immense abîme, un abîme de mille ans, un abîme aussi grand qu'entre moi et Récarède Ier, roi des Wisigoths d'Espagne.

— Récarède Ier ! Récarède Ier ! Que n'iras-tu pas chercher ! L'abîme qui existe entre toi et Récarède Ier n'est rien à côté de l'abîme qui existe entre Récarède Ier et moi. D'après ce que j'ai entendu dire, ce sauvage se serait converti au catholicisme. Or moi, Mauritius Einberg, je ne me convertirai jamais au catholicisme.

— Si jamais vous vous convertissez au catholicisme, Mauritius Einberg, je me suiciderai. J'en voudrai tellement à Dieu de vous avoir donné la grâce que je me suiciderai !

Que n'iront-ils pas chercher !

30

J'ai un squelette. A travers ma chair plus mince de jour en jour je peux le toucher, le palper, faire sa connaissance. Je peux mettre mes doigts dans les grands trous qu'il a à la place des yeux. A la place de la jambe, il a un tibia. A la place de la joue, il a un zygoma. Ma main n'est qu'un gant passé à sa main d'os. Mes cheveux ne sont qu'une perruque collée à son crâne d'os. Mes yeux ne sont que deux petites ampoules électriques de couleur enfoncées dans les trous qu'il a à la place des yeux. Je ne suis que l'habit d'un squelette. Je maigris. Je suis maigre comme un cure-dent. Le squelette qui m'a va prendre froid. Tant pis pour lui. C'était à lui de choisir une nigaude plus nigaude. Je me fais un devoir de ne pas manger. Il ne serait pas honnête pour moi de manger étant donné qu'il me suffit de voir de la nourriture pour que le cœur me lève. Si j'étais fleur, manger me ferait fleurir. Quand on est être humain, manger ne fait éclore que dégoûts, frayeurs et excréments. L'idée de tout ce qu'on peut s'éviter d'écœurement, de peur et d'immondices en repoussant chaque fois le bol de soupe, la pomme de terre et demie et la tranche de bœuf me redonne presque le goût de vivre. Ma fièvre monte, monte. Je la laisse monter. Je me laisse cuire à l'estouffade, comme un jambon. Il arrive souvent, après les élancements les plus vifs, les douleurs les plus aiguës, que ma fièvre se mette à me griser, qu'elle me donne le plus doux des plaisirs. Je ferme les yeux, je reste immobile, et j'ai l'impression de tomber, de tomber sans jamais achever de tomber, comme un grand clocher quand on le regarde du pied de l'église. Je suis stérile, vide. Je suis légère, plus légère qu'un oiseau. Je ne suis qu'une paire d'ailes d'hirondelle et je nage dans l'air.

Fidèlement, opiniâtrement, Chamomor passe ses nuits à mon chevet. J'entends ronronner le chat, et c'est comme si j'entendais de l'amour ruisseler d'une vasque. Ce qui est assis près de moi avec une bouteille de cognac entre les jambes, ce n'est pas Chamomor, c'est une bouteille pleine d'amour. Et cette bouteille, quelquefois, se lève, se penche au-dessus de moi, tend son goulot à mes lèvres. Je meurs de soif. Je ne boirai pas. Ma langue est rude comme de l'émeri. Je ne boirai pas de ton eau.

Un cri m'arrache à un cauchemar. Mes yeux s'ouvrent dans son beau visage. Mon regard entre dans le bleu limpide et frais de ses yeux. Je la sens vouloir, vouloir. Ce visage doux comme du velours qui se dresse à deux doigts de mon âme hideuse comme une

134

pieuvre, c'est de la peau qui veut. Ce souffle qui, doux comme le parfum d'une fleur, fait frémir la roche de mon âme, c'est du vent qui veut. Doucement, son nez dit : « Prends. » Doucement, ses sourcils disent : « Prends. » Doucement, les gondoles et les gondoliers dessinés sur sa chemise de nuit disent : « Sers-toi. » Aveuglément, je me ferme. Je ferme mes bras, ferme ma bouche. Aveuglément, je me répète de me méfier. Garde tes beaux couteaux de tes belles fourchettes, beau tiroir ! Je ne veux rien, coffre de pirate des mers du Sud ! J'aime mieux ma misère que ton abondance, jardin ! On n'a que ce qu'on est, aquarium plein de poissons multicolores ; et ce que tu es ne peut appartenir qu'à toi ! Pendant un long moment, elle reste penchée au-dessus de moi, à se tendre, à attendre, à m'attendre. Attendant que je prenne, sa main douce comme une aile d'oiseau flatte mon front brûlant et épineux. Attendant que je prenne, ses grandes mèches douces comme des ailes d'oiseau s'ouvrent comme des éventails sur ses joues, se ferment comme des vantaux sur son visage. Soudain, elle se redresse. Soudain, son regard est parti de l'intérieur du mien.

— Tu as soif ? demande-t-elle.

— Tu as soif ! affirme-t-elle. Je cours te chercher de l'eau.

Elle revient avec son eau. Je n'ai que faire de son eau. Elle n'insiste pas. Elle remplace mes draps imbibés de sueur. Je la regarde. Je ne me permets pas souvent de la regarder ainsi. Mais cette nuit, je suis trop faible pour me défendre. Elle me caresse encore un peu. Je laisse sa beauté jouer dans mes idées. Mais je ne me permets de la regarder que lorsqu'elle a les yeux ailleurs. Sa main donne des coups de peigne dans mes cheveux. Mes cheveux, pourris à la racine, semble-t-il, se détachent à la moindre pression. Plusieurs sont restés pris après ses doigts.

— Tu perds tes poils, petit singe, me dit-elle en riant.

Chamomor doit rire dans sa barbe. Dans l'état où je me suis mise, je suis devenue pour elle une arme plus puissante qu'une fusée intercontinentale à ogive nucléaire. Dans le procès de Trente Ans qu'elle livre à Einberg, je suis devenue la preuve à l'épreuve de tout, la pièce à conviction incassable. Quoi de plus facile que, des larmes de crocodile aux yeux, dire à Einberg : « Regardez ce que vous avez fait de ma fille ! » Christian dit que, depuis que je suis malade, elle ne cesse de chercher querelle à Einberg, de lui crier et de lui pleurer à la face. Elle l'accuse de m'avoir empoisonné la vie. Elle l'accuse d'être moins pince-maille lorsqu'il s'agit d'acheter des fusils à Israël que lorsqu'il s'agit de verser des honoraires au médecin de Bérénice. Elle lui tombe sur le dos en quatrième vitesse. Elle en profite. Je ne serai peut-être pas malade pendant longtemps.

— Elle est frustrée ! Vous l'avez frustrée dans ses plus innocents besoins ! Vous l'avez offensée, humiliée, traitée comme une bête !

Vas-y, Cicéron ! Ne te laisse pas faire, Verrès ! La dernière fois que j'ai parlé, dans une crise de rage, je lui ai dit qu'elle ne serait jamais qu'une panthère, qu'une bête égoïste et solitaire, qu'un être sourd et aveugle, qu'un être qui n'a que lui-même pour amour, raison et orgueil.

— Toi, m'a-t-elle répondu en souriant et me caressant, tu ne seras jamais qu'un petit singe, qu'une petite bête laide, grimaçante, railleuse et colère.

C'est en souvenir de cette scène qu'au lieu de m'appeler petit hibou, elle m'appelle maintenant petit singe. Ti-Hibou. Ti-Singe. Titanique.

31

Il vente par bourrasques. Il pleut des coups de fouet. Il tonne. Il éclaire. Chamomor se tient debout dans l'ébrasement profond de ma fenêtre, une main à l'espagnolette. Elle porte un pyjama blanc comme neige qui a l'air trop grand pour elle.

Chamomor est assise à l'équerre sur la grande Chippendale. Elle est assise à plat contre le dossier droit et rigide que ses deux colonnes renflées érigent en portail. Ses yeux d'une transparence hyaline et d'un bleu lunaire embrassent fixement la tempête. Ses yeux sont aquatiques. Ils luisent comme deux trous d'eau à la surface de son visage. Les yeux, quand ils sont ouverts, me fascinent. J'adhère de l'âme aux yeux ouverts, aux yeux ouverts des êtres humains comme aux yeux ouverts des animaux. Je regarde ses yeux. Je regarde des yeux que leur regard tourné vers l'intérieur rend aveugles. C'est parce qu'ils n'ont pas d'yeux que les arbres ne parlent pas et ne marchent pas. C'est par les yeux seuls qu'on peut choisir qui haïr, qui aimer. C'est par les yeux qu'on pleure quand on pleure. C'est par les yeux que deux êtres humains peuvent ne pas s'entendre, peuvent ne pas voir les choses du même œil. C'est par les yeux que l'homme a pu sortir de ses infinies profondeurs de ténèbres. Avec les yeux, l'homme a émergé à la surface de lui-même, a cru voir d'autres hommes, s'est imaginé que sa solitaire toute-puissance lui était contestée par d'autres hommes. C'est lorsque des yeux se sont ouverts que la vérité, que le mensonge, dis-je, a éclaté, que l'illusion a envahi l'homme, que les pires hallucinations se sont mises à grouiller dans sa profonde montagne de ténèbres, dans son chaud trou de dieu. C'est avec les yeux qu'il s'est mis à s'imaginer qu'il n'était plus seul, à souffrir de solitude et de peur, à pleurer. C'est par les yeux que l'oiselle comprend que l'oisillon est mort. C'est après les yeux que les jambes sont venues aux hommes. En voyant ce qu'ils ont vu quand ils se sont mis à voir, ils ont eu la frousse, ils se sont vite fait des jambes (pourquoi diable ne se sont-ils pas fait des ailes ?), et ils se sont mis à fuir, à courir après une autre montagne d'immobiles et sûres ténèbres, après un autre trou de dieu. C'est par les yeux que les hommes se sont aperçus que l'homme meurt. Quand l'homme vit l'homme mourir, il poussa un grand cri : c'est ainsi que lui vint la parole. Il cria si fort quand il cria que des oreilles lui sortirent de la tête. Fatigué de courir, l'homme s'asseyait (origine de la chaise). Tout en se reposant, il essayait de comprendre ce qui venait de se passer (origine de l'incompréhension). Quand un homme rencontrait un autre homme dans sa fuite, il n'avait qu'une alternative : éviter ou attaquer ce redoutable semblable soudain apparu pour lui disputer la tranquille jouissance de son sein de ténèbres. L'éviter fut appelé lâcheté. L'attaquer fut appelé amour quand l'un se soumettait à l'autre, haine quand l'un et l'autre refusaient de se soumettre. Les yeux se font payer cher les spectacles qu'ils donnent à l'homme, l'illusion qu'ils lui donnent de ne pas être seul. Les hommes qui s'achètent des lunettes pour mieux voir sont des imbéciles. Plus une illusion est clairement perçue, plus elle a l'air d'une réalité. Si les hommes perdaient la vue, on les verrait bientôt s'arrêter, se taire, se fixer dans le sol, pousser des racines et des feuilles, porter des fruits. Pendant que leurs racines pousseraient, que leurs montagnes fermeraient leur fausse porte à la fausse lumière du soleil, on verrait la marotte qu'ils serrent dans leurs mains se changer lentement en un sceptre et une couronne.

Pendant que je me fais toutes sortes de réflexions, Chamomor, que je regarde fixement, ne bouge pas. Ses cheveux blonds sont aussi fins que des fils d'araignée. Ils tombent perpendiculairement tout autour de sa tête, comme pris en pains. Sur sa nuque, ils se cambrent, comme pour former encorbellement. Quand sa tête penche, ils penchent, s'ouvrent, ils se déploient comme une vague sur une plage. Il n'y a que les cheveux, les yeux, les ongles et les dents qui ne soient pas enrobés de peau. Les cheveux blonds de Chamomor s'allument et s'éteignent dans les lueurs des éclairs. Soudain, elle bouge. Elle prend une gorgée de cognac. Ses lèvres sont mouillées de cognac, ses lèvres de Kabyle, ses lèvres unies comme le bord d'un verre, ses lèvres épaisses comme le bord d'un seau. J'imagine qu'avec un asseau j'enfonce des clous dans son front large et uni. J'imagine qu'ainsi clouée elle pend à un mur, entre plafond et plancher, comme une œuvre de Velasquez. Elle a un doigt planté dans une joue. Sa bouche entrouverte laisse voir ses dents, laisse voir « un troupeau de brebis qui remontent du lavoir ». La tête penchée, elle regarde dans son vidrecome. C'est comme s'il y avait du théâtre dans son vidrecome. Elle peut passer des heures à regarder dans son vidrecome, sans bouger, sans remuer un doigt, une paupière. Mauriac II s'allonge sur ses pieds nus et fait un somme.

On veille les malades. Chamomor me veille. Elle n'est pas vigilante vigilante. Elle est souvent dans la lune. Brusquement elle tourne la tête. Elle voit que je la regarde, que je laisse sa beauté jouer dans mes idées. Elle a l'air étonnée. Elle pensait que je dormais. Elle revient de son étonnement, me sourit, me met la main sur le front.

— Allô, petit singe !

Elle sourit, toute gênée. Elle a de quoi être gênée. Je m'étais promis d'ignorer sa présence. Pendant un mois, j'ai fait semblant de ne pas la voir. Et voilà que maintenant je la regarde, droit dans les yeux ; voilà que je n'ai pas détourné le regard.

— Que vois-je ! Que dois-je penser ? Me vois-tu, ou est-ce que tu fais seulement semblant de me voir ? Serait-ce que tu daignes remarquer ma présence ? Ou n'est-ce qu'une lueur dans tes yeux. Une braise couve-t-elle au fond de ta tête froide ? Vite, il faut souffler dessus !

Mes grimaces les plus haineuses ne venant pas à bout de sa mine réjouie, je lui tourne le dos. Elle se lève, se penche au-dessus de moi, prend mes coudes dans ses mains. Et, doucement, tièdement, par petits coups, elle souffle dans mon oreille. Tout à coup, ça y est ! C'en est fait de moi. Je perds la tête. Tout à coup, en moi, c'est la rupture des écluses, l'éclatement des digues et barrages. Je sais que cette femme est truquée ; je me le dis, me le répète. Mais c'est inutile. Prise d'un grand éblouissement, j'oublie tout, perds tout. Je dégringole de tous mes sommets, m'écrase. Je perds pied, déboule. Tout me glisse entre les doigts. Tout à coup, comme mue par une détente volcanique, je me retourne, me dresse, m'élance, me jette dans ses bras, me cramponne à son cou. Elle m'enlace avec force, sans rien dire. De longues minutes passent. Le silence est si plein, si dru, si riche que, comme au fond de l'eau, je n'arrive plus à respirer. J'ai chaud, délicieusement chaud, tellement chaud que j'ai l'impression de fondre, de m'évaporer.

— Ne bouge pas. Ne dis rien. Je t'aime. Demeure. Demeure ici. Demeure comme ça.

Je lui répète les mêmes mots, cent fois. Il faut que je parle. Il y a tellement de mots dans ma gorge que j'étouffe. D'un seul geste et d'un seul mouvement, elle m'arrache au lit et me lève jusqu'au plafond. Elle m'agite au bout de ses bras, comme un trophée. Elle rit. Elle me redescend et elle m'entraîne dans la plus bouffonne des danses, dans la plus étourdissante des rondes. Nous tournons comme mille toupies sur le parquet à bâtons rompus. Nous tournons si vite que nous avons des pieds plein le parquet, plein la surface du pays. Les quatre mille murs de la chambre toupinent à la vitesse des roues du char de Phaéton. Les meubles et les trumeaux se superposent, se mêlent, deviennent gazeux, se changent en horizons tournoyants, se fondent en un tourbillon de brouillard. Elle rit. Ah ! qu'elle rit ! Enfin, à bout de force, nous nous arrêtons. Ayant titubé, louvoyé, elle se laisse choir de tout son long au milieu du parquet. Je tombe près d'elle, m'étends de tout mon long. Étendues sur le dos, le ventre dans les bras, nous soufflons comme deux bœufs. Elle devient sérieuse. Elle prend un air compassé. Elle pleure.

— Qui que tu sois, ma chérie, je t'aime. Sache-le ! Qui que tu deviennes, ma chérie, tu demeureras mon enfant, tu auras toujours droit à moi. Où que doive t'entraîner ta course au bonheur, sache que je serai à chaque détour de la route, qu'au fond de chaque impasse je t'attendrai, les bras grands ouverts. Souviens-toi que je t'aime, je t'en supplie.

Elle se relève. Elle me tend les mains pour m'aider à me relever. Je trouve ridicule ce qu'elle vient de dire. Mais que ne pardonnerait-on pas à quelque chose de beau comme elle ?

— Dors maintenant…

Je veux qu'elle se couche avec moi. Je ne sais comment le lui dire.

— Tu dois être fatiguée… lui dis-je, hypocritement.

142

Il y a plus d'un mois que tu passes tes nuits debout à me veiller... Viens. Étends-toi un peu près de moi. Regarde : je t'ai fait une belle grande place.

D'abord, elle ne veut pas. J'insiste. Je prie. Enfin, elle condescend. La voir pleurer me donne envie de pleurer. J'ai le cœur gros. Le nez me démange. J'ai des larmes plein les yeux. Allongée là, tout près, dans mon lit, elle me donne l'impression de se laisser appartenir, de me laisser la posséder. Couchée à la place des poupées que j'ai eues, elle me donne l'impression d'être ma poupée, d'être toute à moi. D'où je suis, je ne la vois pas assez bien, je ne jouis pas assez de sa présence. Je me lève, vais me mettre à genoux près de son ventre. La vue est meilleure. Je la vois comme je voulais la voir, l'ai comme je voulais l'avoir. A la regarder être étendue au-dessous de moi dans mon lit, dans le bateau de ma peur et de mes cauchemars, j'ai, violemment, la sensation de la prendre, de la garder, de l'avoir dans l'âme. Je suis un pays. Et elle est dans ce pays que je suis comme l'île est dans l'eau. Je veux la toucher. Je veux saisir, prendre avec mes mains. Je veux la parcourir avec la main, de la tête aux pieds.

— Donne-moi ta main.

— Pour quoi faire ? demande-t-elle, sur un ton moqueur qui me fait rougir de ma gravité.

— Pour la regarder.

— Il fait noir comme tout. Tu ne verras pas grand-chose. Veux-tu que j'allume ?

— Non ! N'allume pas. Pas d'allumage !

J'écoute ce que je dis, comme si c'était quelqu'un d'autre qui parlait. Elle me tend une de ses mains, m'en présentant le dos, la partie foncée, la partie qui forme poing, la partie qu'on voit quand la main est fermée.

— Tu n'as pas de sentiment. Ceux qui ont du sentiment offrent le blanc de la main, la partie qu'on découvre quand on ouvre le poing, la partie la plus douce, la moins osseuse, la plus secrète. Tu m'offres la main qu'on a quand on veut donner une mornifle.

— J'ai des laides manières.

Je prends sa main, la belle grappe de doigts à tête de diamant rose. Je serre dans mon poing un des doigts fins et souples comme des herbes. Je me déplace, vais m'accroupir à côté de son visage. Avec mon doigt, avec une craie imaginaire, je trace la ligne du pont de ses yeux fermés, la ligne de la baie de son front, la ligne de l'anse de panier de sa mâchoire, la ligne de la crête de son nez.

— Tu es belle, tu sais. Il n'y a rien de plus beau que toi. Tu es plus belle qu'un arbre.

Elle a un petit sourire, émet par le nez un petit soupir désabusé. Je me couche sur sa poitrine et je lui demande de mettre ses mains sur mes yeux. Elle appose ses paumes froides sur mes yeux brûlants.

— Appuie plus fort. Tu vas voir : c'est drôle.

Elle serre un peu. Alors je remue les paupières et lui demande ce que ça lui rappelle.

— Que faut-il que ça me rappelle ?

— Quand on enferme une chenille dans son poing, elle se débat ; et ça chatouille comme ça.

— Quelle horreur ! s'écrie-t-elle, la poitrine toute frémissante.

144

Je fais glisser mon visage jusqu'à son ventre. C'est mou, comme de la neige. C'est de la neige chaude. Je pèse sur son ventre avec mon visage, très fort, à m'en rompre le nez.

Elle croise ses mains sur ma nuque.

— Tu n'es plus seule, ma chérie. Dors maintenant. Dors. Dors.

— Si tu crois. Pourquoi dormir ? Pour que le pâle de la vie revienne plus vite ?

— Le pâle de la vie ?... rit-elle.

Nous nous taisons. L'amour m'a fécondée. L'amour circule dans mes veines. Et c'est, jusqu'à l'aube, à chaque battement de mon cœur, comme si je manquais de mourir.

32

Je l'aime ! Je l'aime ! Qu'elle revienne ! Qu'elle revienne ! La nuit est tombée. Je l'attends ! Qu'attend-elle ? Voici ses pas ! J'ai comme peur. Voici que la porte s'ouvre, que Mauriac II pénètre, queue en l'air. Poings fermés, j'ai envie de crier. J'ai dans le ventre mille cris plus grands et plus vifs que des anguilles. Comme je l'aime ! Je suis folle. Toute la nuit, je me laisserai être folle, aussi folle que je le suis. Mais cette deuxième nuit sera la dernière. Quand on est folle il faut s'attacher.

Je laisse grandes ouvertes portes et fenêtres. Je n'ai

pas assez grand d'yeux pour la regarder, pas assez grand d'oreilles pour tout entendre, pas assez grand de voix pour tout lui dire. Tous pores dilatés, je suppure. S'il le faut, ça durera jusqu'à l'aurore, ça se prolongera jusqu'après le matin. J'ai toute la nuit. Je prendrai le temps qu'il faut pour épuiser la fascination, pour briser le charme. Je lui parle, la touche, aussi vite que je peux, aussi follement que je peux. Je ne m'arrête pas. Pas de flânage ! Elle verse un peu de cognac dans son vidrecome. Elle y plonge le regard, l'y fixe.

— Qu'est-ce que tu vois de si beau là-dedans ? Laisse-moi regarder !

Me faisant signe de baisser la voix, elle me jette un regard courroucé de pêcheur qui ne veut pas qu'on lance des cailloux dans l'eau. Elle serre le vidrecome très fort entre ses mains. Si elle bouge, si l'air se trouble, ce qu'il y a dans le vidrecome va s'enfuir, va s'envoler comme un oiseau-mouche qui entend remuer dans les branches. Elle me fait signe d'approcher doucement les yeux.

— Regarde, ma chérie : c'est une ville engloutie.

D'abord, je ne vois d'englouti que le cristal taillé en losanges du fond du vidrecome. Puis je comprends que pour voir une ville au fond d'un verre il faut se forcer.

— C'est une ville mycénienne ? C'est l'Atlantide ?

— Regarde les traces de lumière rouge, verte, bleue et jaune. C'est une grande ville dans la nuit. C'est une ville demeurée telle qu'elle était, tout à l'heure, avant de tomber au fond de la mer. Les enseignes rouges, vertes, bleues et jaunes brillent encore.

— Je vois maintenant. Je vois ! Ne dis rien. Laisse-moi raconter. C'est une ville portuaire. Je vois un grand phare. Je vois les lumières des quais trembler dans l'eau.

Il suffit que je me force un peu les yeux pour voir tout ce qui me passe par la tête. Je suis émerveillée. J'y suis. Je vois un grand phare. Je vois des quais éclairés, des entrepôts obscurs. La nuit s'en va. La nuit passe, aussi vite que ses trains. La nuit est finie. Mon amour rentre dans sa coquille. Quand je me réveillerai, l'idylle sera devenue douceur, doux secret. Elle ne pourra se continuer que de moi à moi, dans l'invisible, dans des souterrains creusés dans la lumière et les ténèbres.

Vacherie de vacherie! Je suis guérie maintenant, bien guérie, guérie jusque dans la moelle des os. Je suis de nouveau en santé. Je suis en santé à pierre fendre, les mâchoires serrées à m'en rompre les dents. Je suis si en santé que je me sens capable de tuer la terre d'un seul coup de poing. Je me rends chez dame Ruby, comme avant. Si j'avais une scie, je lui scierais les jambes. Si j'avais un entonnoir, je lui en donnerais des coups sur le nez. Si j'avais une bombe atomique, je la lui ferais manger. Si j'avais des ciseaux, je lui couperais les oreilles. Je suis en santé comme jamais! Tout est pour le mieux dans le meilleur des mondes! Samba samba! J'aime la vie. J'y vais d'une enjambée ample et ferme, comme tous ces imbéciles qui s'imaginent que ça ne tourne pas en rond, qui se bercent de l'illusion que plus on marche plus on va quelque part. J'y vais d'un cœur allègre, comme tous ces imbéciles qui ne voient pas qu'ils ne se relèvent que pour retomber dans le même miasme, dans les mêmes erreurs, qu'ils ne

rient que pour retomber dans le même ennui, le même
blême tiède, qu'ils ne se taisent que pour répéter les
mêmes insignifiances, les mêmes niaiseries ternes à
s'en sucer le sang. J'y vais tête haute, pour ne pas voir
que ça tourne en rond et que ça finit en queue de
poisson. Ce ne sont pas les êtres humains qui tournent
en rond. Ce n'est pas moi qui tourne en rond. Si on fait
bien attention, on s'aperçoit qu'on reste immobile,
qu'on est fixé dans un étau, que ce qui tourne en rond
c'est une meule grande comme la terre, une meule qui
ronge la chair un petit peu à chaque tour, qui émousse
l'âme un petit peu à chaque tour, qui tue un petit peu à
chaque tour. J'y vais d'une ample et ferme enjambée,
d'un cœur allègre, la tête haute. Et qu'on n'aille pas
s'imaginer qu'il suffit de marcher en zigzag pour que le
mouvement giratoire cesse ! Mon idylle avec la panthère blanche aux yeux d'azur ne dure plus, n'a plus
cours. Elle a vécu ce que vit toute douceur : l'espace
d'un malentendu. C'est sa faute ! C'est une imbécile.
Elle est bête à pierre fendre. Elle n'a rien compris. Je
l'aimais comme un garçon aime une fille. Quand j'étais
seule avec elle, je ne pouvais la regarder sans avoir
l'impression de faire du mal. Elle n'a rien compris. Je
l'embrassais avec ma plus noire passion et je pensais
qu'elle me le rendait avec sa plus grande fièvre. La
sotte n'y a vu que fantaisie, espièglerie, enfantillage.
La sotte n'y a vu que du feu. La sotte Chamomor a fait
mordre la poussière à la sotte Bérénice. Si elle avait
senti la force et la gravité que j'ai mises dans ce que
nous avons fait ensemble, elle en aurait honte. Elle
n'aurait touché à rien. Tout serait demeuré dans la

chambre. Tout se serait caché au fond de son âme. Pas un instant elle n'a soupçonné la vérité. Pas un instant elle n'a douté de sa vérité. Elle en parle à tout le monde. Elle s'en vante. Et, quand elle en parle, il ne passe pas une ombre de gêne dans son regard. Elle a tout saccagé. Elle a ouvert la chambre aux quatre vents. Les parfums s'en sont dispersés. Les tableaux que nous avons peints ensemble dans la chambre, elle est allée les pendre aux murs de la ville. Les matassins que nous avons dansés, ces deux nuits-là, elle en parle à tout le monde.

Depuis que je suis guérie, elle me montre. Je suis l'ours qu'elle montre. C'est ce qu'elle garde de moi et de la passion que j'aie eue pour elle. Je suis sa preuve. Je suis la preuve qu'elle avait raison. Je suis le drapeau qui témoigne de sa victoire sur Einberg. Je suis celle qu'Einberg avait tuée et qu'elle a ressuscitée avec de l'amour maternel. Einberg disait que j'avais besoin d'une bonne paire de claques et elle disait que j'avais besoin d'amour maternel. Elle avait bien raison. Elle m'a donné de l'amour maternel et je suis guérie. Je suis de nouveau vivante à cause de l'amour maternel de Chamomor, vivante, vivante, sonnante et trébuchante. Regardez comme elle est vivante depuis que je lui ai fait boire une infusion d'amour maternel ! Avant-hier, elle m'a montrée aux Glengarry. Elle leur a dit qu'Einberg m'avait tuée et qu'elle m'avait ressuscitée.

— N'est-ce pas ? m'a-t-elle demandé.

— En effet, ai-je dit.

Hier, nous étions chez les Jovitch. Elle leur a raconté l'histoire de la chenille emprisonnée dans la main et l'histoire de la ville nocturne tombée au fond de la mer. Cela les a fort amusés.

— N'est-ce pas ? disait-elle, toute souriante, se tournant vers moi.

— En effet, répondais-je, pleine de fiel à éclater.

— Elle me serrait tellement fort dans ses petits bras que j'en perdais le souffle.

— En effet, répondais-je, pleine de fiel à éclater.

Demain, nous retournons chez les Glengarry, pour un rappel. Je laisse faire Chamomor. Je joue son petit jeu. Je lui laisse croire tout ce qui lui plaît de croire. Je lui laisse croire qu'en vérité elle a fait un miracle, qu'en vérité j'étais morte et qu'en vérité elle m'a ressuscitée. C'est la fée qui m'a touchée de sa baguette. J'étais désespérée et malade. Je suis heureuse et débordante de santé. Quand je ne trouverai plus drôle de faire du théâtre, je lui dirai d'aller se faire voir ailleurs.

Je gronde Christian. Il m'a promis de m'emmener au bout du monde aussitôt que je serais guérie. Il n'a encore rien fait.

33

Christian m'arrive, tout pâle. Il m'annonce que ça y est. Il n'a qu'une parole. Ça y est. Un homme d'honneur n'a qu'une parole. Il m'a dit qu'il m'emmènerait au bout du monde. Il m'emmène au bout du monde. Nous partons.

Nous profiterons de la nuit. Nous partirons au plus épais de la nuit. Nous nous envolerons à la nage. Il y a une barque, mais nous ne nous en servirons pas. De quoi aurions-nous l'air si nous nous nous évadions en barque? Autant nous évader en autobus, en avion nolisé, en motocyclette! Nous ferons les choses en grand.

— Faisons-nous accroire que nous nous évadons d'un camp de prisonniers de guerre.

— C'est bon, dit-il.

Il me demande de fixer une heure. Fixe l'heure et la minute.

— N'importe quelle heure? N'importe quelle minute?

— Je verrai. Dis toujours. Nous sommes deux. Si ça ne me plaît pas, nous discuterons.

— Treize heures treize minutes.

Christian remonte sa montre d'un geste lent, théâtral, excessif. Nous montons dans ma chambre. Je monte mon coucou, d'un geste lent, théâtral, excessif. Je mets mon coucou à l'heure de sa montre. Sur le lit, nous étendons une carte de la région. Nous nous agenouillons, les coudes sur le lit, et il m'apprend le langage de la carte. Le chemin de fer qui emprunte le pont qui enjambe l'île est indiqué par une drôle de ligne noire entrecoupée de traits, drôle parce qu'elle a l'air d'un mille-pattes sans fin, d'un dix-millions-de-pattes maigre, d'un dix-millions-de-pattes qui n'a pas mangé depuis deux mille années. Voilà. Le chemin de fer qui passe par-dessus l'abbaye se ramifie en trois voies en pénétrant dans la ville. C'est celle de ces voies qui longe l'eau qui nous intéresse. Avec la pointe de son crayon, Christian suit la mince ligne à pattes qui l'indique. L'eau est bleue. La terre est jaune. A l'endroit du port, la terre se dentelle de petits rectangles : ce sont les quais. Dramatiquement, d'une grosse croix, Christian marque celui de ces quais qui s'appelle Victoria.

— C'est ici que nous nous arrêterons de marcher.

— Après ? Que ferons-nous ? Monterons-nous sur un bateau à l'improviste ? Oh ! Christian ! Oh !

Christian reste bouche cousue, mystérieux à mort. Et, comme un magicien sort un valet de carreau de sa manche, il sort de sa poche un gros tampon de papier imprimé. C'est une feuille de journal qu'avec soin il étire et défroisse. Gourmé à mort, il lit.

— « L'*Elga Dan*, paquebot danois amarré au quai Victoria, lève l'ancre demain, à la première lumière. Le départ de l'*Elga Dan* clôture l'une des saisons les plus mouvementées du plus grand port du pays. Le Conseil des Ports nationaux annonce que le port rouvrira deux semaines plus tôt que d'habitude la saison prochaine. Le fleuve devra être creusé et élargi... » Et le reste... La destination de l'*Elga Dan* n'est pas déterminée. Es-tu contente ?

— Destination inconnue !... Oh ! Christian ! Oh ! je t'embrasserais !

— Moi aussi, je veux m'en aller d'ici. J'en ai assez. Je suis écœuré. J'ai envie de mourir.

— Tu as envie de mourir... toi ? C'est vrai ? Qu'est-ce qu'il y a ?

— Peut-être je te le dirai. Peut-être je ne te le dirai

pas... En tout cas, c'est écœurant. Tu as dû tout deviner d'ailleurs. Tu es tellement fouineuse.

— Destination inconnue !... Couchons-nous, Christian, et dormons, pour que le temps passe plus vite. Il fait froid dehors. Il va falloir s'habiller chaudement.

Je m'y vois comme si j'y étais. Nous rampons sur le pont de fer, sous les hublots des cabines des officiers. Nous nous traînons dans l'ombre, comme des rats, retenant nos souffles. Je ne sais comment nous avons pu nous glisser à bord. Le matelot de quart s'était endormi, ou regardait une éclipse de lune se produire, ou était allé se chercher des allumettes dans la cale. Nous rampons, craignant le pire. De tous côtés, des dangers se dressent. Chaque ombre est ennemie. Chaque bruit est dangereux. Nous sommes blottis derrière l'embarcation de secours que nous avons choisie pour nous cacher. Mais les embarcations de secours sont enveloppées de bâches et ces bâches sont maintenues par des cordages si tendus qu'il est impossible de les soulever. Fébrilement, nous travaillons à lâcher les cordages qui verrouillent notre embarcation de secours. Ça y est ! Les nœuds cèdent. Tête première, nous allons nous ramasser au fond de l'embarcation de secours. Nous mourons de faim et de froid au fond de notre cachette. Pour ne pas crier de désespoir, nous nous étreignons. Au bout de ses bossoirs, notre cachette roule et tangue. Mais tout n'est pas perdu. De l'autre côté des ténèbres et du silence, les officiers ordonnent, les matelots jurent, les dauphins jouent à saute-mouton, les albatros se laissent glisser de haut en bas du vent, le soleil brille, la mer se déchire à l'étrave, l'*Elga Dan* marche. Et, bientôt, nous atteindrons le bout du monde. C'est une pentapole à vingt couleurs et vingt portes, une pentapole au rire plus grand que l'air, une pentapole à la danse plus grande que le vol des oiseaux, une pentapole groupée autour de l'abside.

— Attends-moi sur le ponton. Je serai là pour treize heures treize.

J'attends Christian, et cette occupation absorbe tout mon temps, toute mon attention. Les dernières minutes de ma vieille vie s'en vont. Fébrilement, j'écoute partir de moi les dernières minutes d'une vie désolée, plate comme un atlas, misérable, méchante. Une autre vie s'avance, toute neuve sur l'eau sale, toute blanche dans la nuit, toute chaude dans le froid. Mes nouveaux jours et mes nouvelles saisons ne sont pas de ceux qui se comptent comme des moutons et qui meurent comme des mouches. Mes nouveaux jours et mes nouvelles saisons s'étendent dans le néant comme une fresque sur un mur. Mes cinquante mille nouvelles saisons ne sont pas cinquante mille petits cadavres de soleil tombant l'un après l'autre à mes pieds ; ils sont un soleil, un souffle, une terre, une mer, un chemin seul et unique. Il fait une nuit sans lune. La bise est si froide, si aiguë, qu'elle passe à travers mes vêtements et ma chair, semble souffler directement dans mes cavités splanchniques. Je porte culotte, chandail, béret, espadrilles. Christian arrive brusquement, me fait sursauter. Nous n'emportons rien. Quand nous aurons faim, nous mangerons des ténèbres, nous broierons du noir. Nous claquons des dents. J'en ris. Christian ne semble pas d'humeur à rire. Nous faisons tomber des cailloux entre les planches du ponton, avec le bout du pied. L'amarre de la barque grince, de la barque pas assez noble pour notre évasion. Plus je regarde Christian, plus je le trouve triste. Je lui donne des coups de coude pour lui remonter le moral. Ça ne donne rien. Soudain, une immense peur me prend : tout va tomber à l'eau ! Je joins les mains, me prosterne et invoque avec ferveur les puissances chtoniennes. Je prends le poignet de Christian, repousse sa manche. Treize heures treize ! C'est l'heure.

— C'est l'heure, Christian. Je t'en supplie, Christian : déshabillons-nous et plongeons !

— Tu n'y songes pas sérieusement, Bérénice. Nous attraperons notre coup de mort.

— Ce n'est pas vrai. Il y en a qui se baignent en plein hiver. Ils se font même un trou dans la glace quand c'est nécessaire. Les castors passent l'hiver sous l'eau.

De deux coups de pied, j'enlève mes espadrilles. D'un coup de tête, je fais voler mon béret. En un tournemain, je m'arrache le chandail du corps. Brusquement, brutalement, Christian me saisit par les épaules, me serre.

— Écoute, Bérénice. Sois sage. Nous ne partons pas vraiment. Il n'y a pas de bout du monde. Tu es plus intelligente que ça. Voyons ! Ce n'était qu'un jeu. Nous avons joué à partir. Maintenant, c'est fini. Je ne te comprends plus. Je croyais que c'était entendu que ce n'était que pour rire. Il est assez tard. Rentrons. Tu viens d'être malade pour mourir et tu claques des dents. Rentrons. Allons nous coucher.

Il évite mon regard. Il me déçoit si cruellement ! Il m'inspire un si amer mépris !

— Tu n'as rien ! rien ! rien ! Christian Einberg. Tu m'écœures ! Tu n'es qu'un... qu'une... Ah ! tu n'es pas un homme ! Je ne suis qu'une fille et j'ai plus de cœur que toi !

Je le roue de coups de poing. Ma colère est si grande que je grince des dents, mon dépit si violent que je crache du feu.

— Lâcheur ! Flanc mou ! Ame molle ! Tu n'es qu'un sac plein de viande molle et de sang rance ! Tu dis avoir envie de mourir... Je ne te crois pas. Pour avoir envie de mourir il faut sentir qu'on vit. Et en toi, il n'y a pas assez de vie pour actionner les paupières d'un lombric ! Regarde-moi ! Aie pitié ! Faisons au moins semblant de partir, Christian. Faisons semblant au moins, je t'en supplie, t'en supplie. Fais un effort. Aime-moi assez pour ne pas me laisser tomber, rien que pour cette nuit, rien que pour cette fois.

— Très bien, Bérénice. Mais promets-moi de ne pas attraper quelque pneumonie.

— La seule illusion de partir me donnera tant de santé que j'en aurai pour mille ans à rêver.

Lentement, comme s'il marchait à la potence, Christian se déshabille, plie ses vêtements. Comme moi, pour qu'ils ne se mouillent pas durant la traversée, il enroule ses vêtements dans son chandail et, se le mettant comme un chapeau, il en noue les manches autour de son cou. Sans l'attendre, je m'enfonce presque nue dans l'eau merveilleusement glacée.

Nous marchons sur le chemin du village jusqu'au

croisement à niveau. Et nous prenons le chemin de fer, la mer de fer, le souterrain de fer. Nous marchons où seuls les trains marchent. C'est comme si nous marchions où les oiseaux volent, où les poissons nagent, où les astres tournent. Sur la voie ferrée, la voie des oiseaux, des poissons et des astres, nous marchons pendant de belles longues heures, de folles longues heures. Tantôt nous marchons chacun sur son rail, les bras en croix, comme des funambules. Nous perdons souvent l'équilibre. Nous essayons de nous prendre par la main, mais nos bras ne sont pas assez grands. Tantôt nous marchons entre les rails, accordant nos pas au rythme des traverses. Les traverses sont trop largement espacées pour que nous marchions sans effort et pas assez largement espacées pour que nous courions confortablement. Nous faisons souvent des faux pas, mettons souvent les pieds dans le ballast qu'il y a entre les traverses. Nous lançons la jambe de traverse en traverse comme de pierre en pierre sur une rivière. Mais il faut trop faire attention, trop se contraindre. Nous nous fatiguons vite. Alors, nous passons sur le remblai. Et, tête en l'air, pendant des miles, nous courons à toute vitesse dans le ballast qui grince, glisse et s'enfonce. Tout à coup, peu après une bifurcation, une haute barrière de fer à treillis se dresse devant nous. L'ascension et la descente s'avèrent dangereuses, douloureuses, sanglantes même. Les losanges du treillis sont si petits que nous ne pouvons nous y maintenir que par le bout du pied. Y grimpant par la seule force des doigts et des orteils, nous ne parvenons au sommet que pour nous y heurter à une véritable estacade de lancettes. Nous y perdons les forces, le sang-froid, l'équilibre. Nous nous y déchirons les jambes, les bras, les vêtements. L'espèce de cheval de frise ne nous permettant pas de mettre pied de l'autre côté, nous décidons de nous parachuter. Et, sautant, nous nous fêlons tous les os du corps. Nous sommes tombés sur le terrain d'une raffinerie de pétrole. Plus nous avançons, plus ça pue. Au fond, plein l'horizon, des tours, toutes sortes de hauts fours et de hauts échafaudages se profilent. Tout au-dessus, au bout d'une cheminée, une grosse flamme rose flotte. Peu à peu, les rails se peuplent de wagons-citernes. Nous leur donnons des coups de bâton. Ils crient avec des voix de gong. De chaque côté de nous, sur des tertres, se tiennent, comme assises, d'immenses cuves noires d'où se détachent en blanc de grands mots en anglais. Des tuyaux de toutes tailles filent en tous sens. Celui qui court le long de nos pas est gros comme quatre boas. Il y en a qui zigzaguent entre ciel et terre, d'autres qui jaillissent du sol, d'autres qui jaillissent des ténèbres. Fidèlement, nous suivons notre chemin de fer. Soudain, derrière un dernier wagon-citerne, les rails dressent deux formidables crocs et disparaissent. C'est fini.

— Tu as choisi la mauvaise voie exprès, Christian Einberg !

— Je t'en prie ! s'écrie Christian, léchant une paume déchiquetée. Si je ne t'avais pas écoutée, nous ne serions pas dans un tel pétrin.

Passant derrière la maison du garde-barrière, nous réussissons à gagner sans nous faire remarquer une

158

belle grande rue éclairée comme en plein jour. Éten-
dant les bras en tous sens, Christian cherche à s'orien-
ter. Il n'arrive à rien. Je ris de lui. Il n'y a ni lune ni
étoiles dans le ciel. Il n'y a que les soleils qui brillent au
bout de chaque lampadaire. Nous prenons une ruelle
de traverse et débouchons sur un boulevard à quatre
voies. Nous prenons à droite, puis à gauche, puis à
droite. Nous nous ramassons au fond d'un cul-de-sac.
Nous sommes égarés, très égarés, très très très égarés.
Je ris comme une folle. De quoi aurais-je peur ? Tout
ça n'est que faire semblant après tout. Tout ça est si
loin du bout du monde. Tout ça est si fou aussi. La
voiture noire qui nous suit très lentement a sur son toit
une lumière rouge roulante. C'est la police. Courons !
Courons, Christian ! Faisons semblant au moins.

— Où allez-vous ?

— On se découvre quand on adresse la parole à une
dame !

Les policiers nous disent qu'ils ne nous veulent pas
de mal. Ils veulent notre adresse.

— Notre adresse, messieurs, c'est : Monsieur et
Madame Homme, Planète Terre, Système solaire,
Infini. Otez donc vos chapeaux, goujats !

Il fait merveilleusement tiède dans l'automobile,
merveilleusement doux. Il y fait doux comme dans une
nuit d'août. Je suis fatiguée, livide, hagarde, usée. Il y
a quelque chose entre moi et la douceur de l'automobile : comme un manteau. Je porte un épais manteau
de froid, de nuit, de ballast, de pétrole. Mes mains
toutes raides, toutes rudes de ciel et de terre se sentent
dépaysées. Je me fais penser à un poisson qui, encore

tout humide de mer, se débat sur le sable. Je m'accote contre Christian, me blottis, lui demande de mettre son bras autour de moi. Je ferme les yeux. L'épaule de Christian est une poutre au fond d'une cale. D'énormes vagues s'écrasent sur la carène de la caravelle. Nous voguons vers une destination indéterminée.

— Tu m'as rendue très heureuse cette nuit, mon frère. Ça a été merveilleux.

Reniflant d'émotion, pleine de la nostalgie de ce qui aurait pu être, je jure à Christian une éternelle loyauté. Dehors, tout est devenu blanc de silence, lourd de silence. C'est l'aurore, ou l'aube. A l'abbaye, le maquereau nous reçoit avec une brique et un fanal, la maquerelle nous reçoit avec des larmes de caïman et du lait de vache chaud.

Christian a quelque chose. Il était très sérieux quand il m'a dit qu'il souhaitait mourir. Je le ferai parler. Je lui tirerai les vers du nez. Quand il n'a rien de fertile à faire, on joue avec des vers.

34

Je regarde Chamomor aller et venir dans l'herbe morte. Les bras accrochés par les pouces aux poches de son pantalon, elle déambule avec cette lenteur, cette grâce et cette nonchalance qui m'ont toujours donné envie, faim, qui m'ont toujours fait monter des goûts de douceur dans la gorge. Elle me fait penser à un de ces gros chats trop paresseux pour se crisper et sortir les griffes, une de ces grasses bêtes qui restent toutes molles quand on les prend dans ses bras, qui, toujours comme soûles, comme endormies, se laissent avec une suprême indifférence étreindre par n'importe qui, flatter par n'importe qui. Son pantalon de chamois, trop large, ondule dans le vent. Son pantalon de chamois, on ne sait pourquoi, elle en a roulé les jambes jusqu'à mi-jambe. Elle a mis ses chaussons de tennis. Elle les enlèvera avant d'entrer, les déposera sur le paillasson du tambour. En passant, je les verrai, les trouverai maculés de la boue du printemps, de la chlorophylle de l'été et du charbon des feux de l'automne. Le jardinier fait brûler des rebuts dans un baril. Elle s'approche du jardinier, lui parle. Le jardinier et elle regardent dans le baril comme des enfants dans un puits, regardent faire le feu. Le jardinier s'en va, tête basse. Elle continue à regarder dans le baril, à regarder faire le feu. Cette année, nous ne ferons pas brûler l'herbe morte. Ces choses-là n'intéressent plus personne.

— L'hiver déjà ! annonce Chamomor, entrant nu-pieds dans la chapelle.

Je regarde ses cheveux pleins de vent, ses yeux mouillés de vent. Qu'elle est belle ! Je regarde ses pieds. Elle a les pieds sales. Je me dis que c'est beau d'avoir les pieds sales.

— Que le temps passe ! Comme c'est vite fait le passé ! Quand j'étais petite comme toi, le temps ne passait jamais assez vite.

Quand je serai grande, je ne passerai pas mon temps

161

à déambuler paresseusement dans l'herbe morte. Je serai partie pour un lieu d'où l'on ne revient pas, un lieu où l'on arrive en passant par des lieux où l'on ne s'arrête pas. Je monterai Pégase et monterai à l'assaut de l'Olympe, comme les Titans, comme Ajax d'Oïlée, comme Bellérophon. Je mourrai en pleine force, de l'explosion même de ma violence. Je me mesurerai à la mort en plein midi, plein éveil, pleine gloire. Je me porterai à sa rencontre et porterai les premiers coups. Je connais l'issue de la bataille. Je sais que la lutte sera vaine. Je sais que mes soldats et mes chevaux devront donner l'assaut du bord d'un gouffre. Mais je me battrai quand même. S'il faut perdre, autant perdre beau. S'il faut que mes soldats et mes chevaux tombent au fond de l'abîme au premier pas de la charge, autant que ce soient mes chevaux les plus rapides et mes soldats les plus courageux.

Je n'ai pas grand mal à faire parler Christian. Il les étale sans se faire prier ses pauvres secrets, ses secrets inodores et sans saveur. L'âme est dans le corps. Il ouvre sa bouche et me la fait voir sa pauvre âme, son âme désolée comme une pomme de terre bouillie, son âme ennuyeuse comme de la soupe. Il y en a qui, comme Léandre, traversent l'Hellespont à la nage, d'autres qui traversent la Manche à la nage. Christian, bien assis dans sa chaise, traverse une crise religieuse. C'est une crise religieuse à la quatrième puissance, une crise religieuse comparable aux supplices infligés par Phalaris : c'est sa crise religieuse. J'ai essayé d'éprouver, de partager son angoisse, sa terrible angoisse. Je n'ai rien éprouvé, rien partagé. Sa terrible angoisse est dans son âme et son âme est dans son corps. Je ne pourrais sentir son angoisse qu'en entrant dans son âme et ne pourrais entrer dans son âme qu'en passant par sa bouche, la plus grande porte de son corps. Mon seul poing ne pourrait être introduit dans sa bouche. Comment pourrais-je m'y introduire tout entière ? Cet été, Christian a commis des péchés mortels avec Mingrélie. Il l'a embrassée sur la bouche, par exemple. Je l'écoute parler. Je l'écoute avec force. Je ne sais ce qui m'empêche le plus de l'entendre. Est-ce jalousie, rancune, haine ? Ou n'est-ce qu'ennui ? Je lâche de gros soupirs d'impuissance.

— Quand on commet un péché mortel, on perd la grâce de Dieu, et, pour la retrouver, il faut aller à confesse. Sans la grâce de Dieu, on n'a pas le droit de s'approcher de la sainte Table. Si on s'approche de la sainte Table quand même, on se rend coupable de sacrilège. Et un sacrilège, c'est la plus grande peine qu'on peut faire à Dieu. C'est si grave que si on s'en confesse on peut se faire refuser l'absolution, et même se faire excommunier. Comprends-tu bien, Bérénice ? Si je meurs tout à l'heure, je tombe en enfer à l'instant même. Tu comprends ça, n'est-ce pas ? Je me suis souvent présenté au confessionnal pour dire les péchés que j'ai faits avec Mingrélie. A tout coup, la peur m'a pris. Et j'ai fait fausse confession après fausse confession. Tu sais, il faut tout raconter quand il s'agit d'un gros péché, donner tous les détails... Je n'ai pas pu ! Je ne peux pas ! Mes mâchoires se verrouillent. Ma langue se gonfle. Et puis, pour ne pas décevoir maman, pour ne pas lui faire honte devant tout le monde, je continue comme d'habitude de communier avec elle tous les dimanches. Je suis sacrilège, Bérénice, sacrilège ! Je suis damné ! Je suis damné ! Personne ne peut plus rien pour moi ! Autant me tuer ! Si j'avoue au prêtre mes sacrilèges, je suis excommunié, entends-tu, excommunié !

J'aime Christian. Il faut que je le prenne au sérieux, que je sois émue. Malgré le ridicule de la situation, malgré tout mon cynisme, je m'efforce de le prendre au sérieux, d'être émue.

35

Avec moi, les chats ne font pas long feu. Je suis le seul être humain éveillé de toute l'île. Le jardinier dort. Les autres sont partis. J'attrape Mauriac II et l'attache par une patte à un pilier du treuil de carrier. Je m'arme d'un bon gourdin et le frappe jusqu'à ce qu'il soit raide mort. Je creuse une fosse au milieu de l'appentis du pavillon du jardinier, y dépose le cadavre et, machiavéliquement, l'enterre de façon que la queue dépasse. La queue dépasse, droite comme une queue d'oignon, dépasse, bien en vue, comme un périscope à la surface de la mer, comme la croix du Christ à la surface du Calvaire. Aussitôt revenue de ses courses, Chamomor se met à la recherche de son chat adoré. J'offre mes services et l'oriente habilement du côté de l'appentis. Elle tombe à genoux, éclate en cris et en sanglots. Je jardinier s'est montré particulièrement bizarre et hostile ces temps derniers. Aussitôt, les soupçons pèsent sur lui. Bleue de colère, Chamomor frappe à la porte du pavillon du jardinier, qui n'a jamais eu un chou à planter et qui est grassement payé. Elle n'obtient pas de réponse. Elle pousse sur la porte. Nous entrons avec fracas. Sur la table clôturée de bouteilles de bière vertes vides, le jardinier gît, la gorge tranchée. Les jambes molles, nous marchons dans le sang. Il s'est suicidé. Un chat assassiné et un jardinier suicidé font deux morts. La police arrive, prend des photos, me donne des caramels. Les morts violentes attirent les vivants mous. Tous les vivants mous du continent, Constance Chlore y compris, débarquent sur l'île. Les yeux mats se rincent.

Le sable de la plage est dur comme du ciment. Nous nous asseyons dessus, Constance Chlore et moi.

— C'est froid ! s'écrie Constance Chlore, se frottant le derrière pour se le réchauffer.

C'est froid à mort, Constance Chlore. C'est froid à pierre fendre. C'est froid comme un loir. C'est froid froid froid. Que veux-tu que je te dise ? Je n'ai rien à lui dire. Je ne dis rien. Qu'elle parle, si elle a quelque chose à dire. Dis-moi quelque chose d'extraordinaire, Constance Chlore. Je suis tout oreilles. Elle n'a rien à dire. En guise de conversation, elle se décrotte le nez et se mord les babines. Il y a des tonnes de mots. Mais il n'y a rien à dire. Il y a des tonnes de choses. Mais il n'y a rien à faire. Je l'ai emmenée ici pour être seule avec elle. Je suis seule avec elle : ça me fait une belle jambe. Je me sens encore plus seule que seule. Il y a des arbres par centaines. Qu'en faire? Je les couperais bien en petits morceaux, mais je n'ai pas les ciseaux qu'il faut. Je peux toujours les compter.

— Comptons les peupliers, Constance Chlore. Compte tout bas. Nous comparerons nos totaux.

Je compte onze peupliers. C'est trop ennuyeux. Je m'arrête de compter et, de tous mes yeux, de toutes mes oreilles, de toute mon âme, j'essaie de trouver autre chose, quelque chose d'intéressant, de resplendissant. La terre est grande. Comme le monde est grand! Comme le monde est vide! Comme il n'y a rien! L'univers est infini. L'univers est comme les nombres. On peut compter jusqu'à mille millions et continuer. On peut compter toute sa vie sans arriver au bout des nombres. Je regarde l'univers, énumère des yeux ce qu'il contient; et c'est aussi pâle, aussi insignifiant que lorsque j'essaie de compter jusqu'à un million avant de m'endormir. Le nombre trois ne me dit rien. Le nombre treize ne me dit rien du tout. Le nombre trois cent quarante-deux ne me dit absolument rien. Il n'y a rien dans le nombre cinq, rien dans les arbres, rien dans le vent, rien dans les nuages. Consciencieusement, Constance Chlore compte les peupliers avec son petit doigt sale. J'essaie de l'interrompre, de lui faire comprendre que c'est une sottise de compter les peupliers. Elle ne veut rien savoir. Elle se met à compter à tue-tête pour que ma voix ne la fasse pas se mélanger dans ses nombres. Elle est incorruptible. Rien à faire. Elle compte les peupliers. Elle les comptera jusqu'à la dernière goutte de son sang s'il le faut.

— Deux cent trente-neuf ! Et toi ? A quel nombre es-tu arrivée ?

— Je me suis arrêtée après onze... Ça m'écœurait à mort.

— Tu n'es pas gentille. Tu m'as fait compter tous ces arbres pour rien.

— Il y a des milliards et des milliards de nombres... J'ai une idée ! Je ne sais comment te dire... Il y a des milliards de nombres. Il y en a beaucoup trop pour que nous puissions tous les connaître, tous les garder dans nos têtes, tous les porter dans nos cœurs, tous les aimer comme on aime son arbre, sa maison, son frère... Si tu dis : J'aime les nombres, tu n'aimes pas grand-chose. Si tu dis : J'aime les êtres humains, tu ne sens pas que tu aimes. Mais si tu dis : J'aime Christian, tu vois quelqu'un dans ta tête, tu sens le poids de quelqu'un dans ton cœur, tu te souviens des choses que vous avez faites ensemble. Voici ce que je te propose : choisissons un nombre, n'importe lequel. Ce sera notre nombre et nous l'aimerons de toutes nos forces. Parmi les milliards de nombres qu'il y a, il sera le seul à avoir un visage. Je te le laisse choisir.

— Deux cent trente-neuf : le nombre des peupliers... D'accord ?

— D'accord. Le nombre de Constance Chlore et de Bérénice est deux cent trente-neuf. Que les oies et les autres oiseaux se le disent ! Soleil, prends note ! Lune, prends note !

Constance Chlore est emballée par l'affaire. Elle se met debout. Elle répète notre nombre à tue-tête, jusqu'à perte de voix, les mains en entonnoir. Chacune s'armant d'une branche morte solide, nous jouons à tracer le plus grand deux cent trente-neuf dans le sable dur comme du ciment de la plage.

Un chat chasse l'autre. Au dénommé Mauriac II succède le dénommé Trois. En provenance d'Abyssinie, Trois nous est arrivé par la poste, comme une lettre. Par sa taille élancée et par son air féroce, il ressemble davantage à une panthère qu'à un chat. Raides comme des coquilles, grandes comme des portes de grange, droites sur sa tête, ses oreilles triangulaires sont sans exemple dans le monde zoologique de mes souvenirs. Tu as bel air, Trois ! La lutte sera belle ! D'Abyssinie ou d'ailleurs, les chats ne font pas de vieux os avec moi.

36

C'est vendredi. Chamomor et Trois m'attendent dans la jeep pleine de neige. Je claque la porte sur le nez de dame Ruby, cours, oublie Constance Chlore, embarque ; et nous allons attendre Christian à la gare. Je reconnais à son échine courbée et à son regard fuyant que Christian n'a pas encore réussi à se confesser de ses péchés de luxure.

— Ça ne va pas encore, mon petit bonhomme ?

Une fois de plus, Chamomor interroge vainement Christian sur la nature de sa mauvaise mine.

— Montre un peu ta langue ! lui commande-t-elle cavalièrement.

D'une façon piteuse, il extériorise un peu de sa langue.

— Rien là ! décide Chamomor, examinant le bout de langue.

Elle lui écarquille les paupières d'un œil, puis les paupières de l'autre.

— Rien sur la langue, rien dans les yeux, rien au front ; c'est dur à dire. Je l'ai : c'est un chagrin d'amour. En aimerais-tu une autre que moi ?

Les oreilles de Christian s'empourprent. Faisant la femme fatale, Chamomor porte une jambe en avant, se met les mains sur les hanches, bombe la poitrine, secoue sa crinière.

— Qu'est-ce qu'elle a que je n'ai pas ? jette-t-elle du haut de ses beaux yeux bleus tristes.

Avec ceci et d'autres bouffonneries, elle finit par susciter en Christian la gaieté qu'elle veut de lui. Et, pendant que rassurée elle l'embrasse, Trois sème la terreur parmi les voyageurs qui arrivent et les voyageurs qui partent. Semer la terreur est le moins qu'on puisse dire, Trois-moi ! Plusieurs grimpent après les murs. Plusieurs cardiaques passeront Trois mois à l'hôpital. En un mot, c'est pire que la guerre de Trois. Nous descendons dans les caves. Nous nous taillons un passage dans les ténèbres de la crypte abandonnée. Nous allons nous asseoir l'un en face de l'autre dans la clinique des rats, également abandonnée. Comme tous les samedis depuis un mois et demi, nous procédons à la répétition générale de « La Confession des péchés que Christian a faits avec Mingrélie ».

— Mon père, je m'accuse d'avoir embrassé ma cousine sur la bouche cinq fois. Répète. Ferme les yeux et répète. Quand on a les yeux fermés, on est seul. Si tu te fermes les yeux au confessionnal, il n'y aura personne. Répète : Mon père je m'accuse...

Docilement comme tout, Christian se serre les paupières et répète.

— Mon père, je m'accuse d'avoir embrassé Mingré... ma cousine sur la bouche cinq fois.

— Mon père, je m'accuse d'avoir vu ma cousine presque toute nue une fois.

— Mon père, je m'accuse d'avoir vu ma cousine... Je ne pourrai jamais ! C'est inutile !

— Tu es seul au monde, Christian. Tu es le seul être humain du monde. De qui as-tu donc peur ? Mon père, je m'accuse d'avoir eu de mauvaises pensées au sujet de ma cousine treize fois. Vas-y, Christian. Ce n'est pas moi. N'aie pas peur. Il n'y a personne.

— Mon père, je m'accuse d'avoir eu de mauvaises pensées au sujet de ma cousine treize fois. Tu as raison, Bérénice. Je suis seul. Je ne peux compter sur personne que moi. Si je ne me confesse pas de ces saletés, personne ne le fera à ma place, personne n'ira en enfer à ma place. Mon père, je m'accuse d'avoir reçu la communion en état de péché mortel sept fois... Il ne me donnera jamais l'absolution. Je ne pourrai jamais. C'est inutile.

— Je suis sûre qu'il te donnera l'absolution. N'est-ce pas toi qui m'as dit que le Christ a racheté tous les péchés du monde en mourant sur la croix ?

— Ça n'empêche pas qu'il y en a qui ne reçoivent pas l'absolution.

— Christian Einberg, tu m'as dit toi-même que Dieu ne refuse son pardon qu'à ceux qui n'ont pas de repentir. Ce n'est pas ton cas. Tu as tellement de repentir que tu en deviendras fou à la longue. Tu te compliques l'existence à plaisir.

— Tu ne sais pas tout. Je te cache des péchés encore plus écœurants que ceux que je t'ai dits.

— Dis-moi tout, Christian ! Si tu es encore si malheureux, c'est justement parce que tu ne m'as pas tout dit. Vide ton cœur. Donne à ta petite sœur. Ton cœur sera si léger quand il sera vide. Tu en as trop lourd. Donne à ta petite sœur. Donne. Emplis ses bras inutiles.

Je m'assois par terre aux pieds de Christian. Je prends ses jambes dans mes bras, y presse ma tête. Tout à coup je sens mon cœur plein de cynisme. Tout à coup je le sens plein de fraternité, de tendresse, de miséricorde.

— Et puis, Mingrélie était si belle. A ta place, je serais fier de mon coup, je me vanterais. Je courrais à confesse. Et, au lieu de dire au prêtre : Mon père, je m'accuse... je lui dirais : Mon père, je me félicite... Tu te trouves ignoble. Si tu veux le savoir : je te trouve chanceux. Ce n'est pas donné à n'importe quel garçon de pouvoir embrasser sur la bouche une aussi belle fille que Mingrélie. Je suis si laide. Ça ne me fait rien. Je n'ai pas besoin d'être belle, je suis ta sœur...

Shhhhh!... Écoute... Écoute... J'entends des pas...
Quelqu'un vient...

Christian entend les pas. Il rougit, devient nerveux,
cherche à retirer ses jambes de sous ma tête. Je lui
résiste : j'étreins ses jambes avec plus de force, y presse
ma tête avec plus de force. Plus il se débat pour sortir
de la situation, plus je me débats pour l'y maintenir. Ça
dégénère en pugilat, en ridicule.

— C'est pour ça que vous vous cachez! s'écrie
Einberg, tout scandalisé, tout sévère, tout haineux,
tout fier, croyant être arrivé comme un cheveu sur la
soupe.

C'est dimanche. Christian part pour la messe. Je le
prends à l'écart pour l'inciter une dernière fois à la
sagesse et au courage.

— Ferme les yeux. Tiens-les bien fermés. Serre. Il
n'y a que toi au monde. Imagine-toi que tu es dans la
clinique des rats, que ce n'est que moi qui t'écoute.
Elle était si belle.

Sous le regard courroucé d'Einberg, j'accompagne
Christian et Chamomor jusque de l'autre côté du pont.
Christian tremble comme une feuille, comme s'il allait
se faire scalper. Avant de le quitter, follement, désespérément, pour lui donner confiance, je prends à deux
mains une de ses mains et la baise.

— Bérénice! s'écrie Chamomor, comme excédée.
J'en ai assez de vos petites manigances. Mes enfants, il
n'y a rien que je déteste autant que les sournois, les
hypocrites et les intrigants.

— Que se passe-t-il entre toi et ton frère? me
demande Einberg, m'accrochant par un bras. Allez!

172

Parle ! Que se passe-t-il entre vous deux depuis quelque temps ?

— Il ne se passe rien... dis-je, faisant la tête que je fais quand je mens.

— Je vois du Brückner là-dessous ! Avoue ! Ils cherchent à te convertir ! Ils complotent !

— La religion n'a rien à voir là-dedans ! Elles m'écœurent, toutes vos religions !

Ça y est ! Christian a franchi le Rubicon ! Il revient de la messe transformé, éblouissant de liberté et de joie. Comme je suis contente ! Je me lance dans ses bras.

— Comme je suis heureuse ! Enfin ! Enfin !

Je le tiens enlacé, longuement, passionnément, pour que Chamomor et Einberg ne puissent pas ne pas s'en scandaliser, ne puissent pas ne pas se poser des questions, ne puissent pas ne pas se sentir attaqués. Comme dans la clinique des rats cet après-midi, Christian cherche nerveusement à se dérober. Mais je tiens bon.

37

Nous accompagnons Christian à la gare, Trois, Chamomor et moi. Il neige plein le ciel, plein la jeep, plein mes bras, plein mes oreilles. Je retombe dans ma chambre, mon lit, le silence. Dans tout le vide, mon cœur seul bouge. Dans toute l'immobilité, mon cœur est comme un poisson pris dans l'air, un oiseau pris dans l'eau. Sans le chercher, sans arrêt, je pense à Christian. Son image cogne dans mon âme comme un marteau sur un clou, devient inévitable, morbide, révoltante. C'est toujours la même chose. Aussitôt que je retombe seule dans ma chambre, mon cœur et ma tête s'emplissent de lui, s'en gonflent à me faire mal. Plus le sommeil tarde, plus l'idée de Christian est forte, aiguë, pressante, plus j'ai mal. C'est ridicule. Je sais trop bien que s'il était encore ici je n'aurais que faire de lui. Lorsqu'il est ici, au lieu d'être trop pleins de lui, mon cœur et ma tête sont trop vides de lui. C'est ridicule à mort. Il n'y a pas moyen d'avoir la paix, de dormir. Je me lève, rallume, m'attable, lui écris une lettre passionnée, une lettre longue et folle, une suite de cris au bout desquels je souhaite trouver la mort. Le matin suivant, cette lettre pleine de larmes et de sang me fait rire de moi, et je la détruis avec haine. Mais, cette nuit, mon désespoir est pire que pire. Et ma lettre pleine de larmes et de sang, je la posterai, par cynisme, par haine de moi-même, pour que le maître du ridicule triomphe.

« Christian ! Christian ! Viens me chercher, je brûle ! Viens me chercher, j'éclate ! Je me donne à toi de toutes mes forces ! Je t'appartiens corps et âme ! Viens me prendre ! Viens me sauver ! Mon amour ! Mon amour ! Mon trésor ! Mon trésor ! Tu ne peux pas ne pas vouloir de moi ! Je suis si belle ! Je suis si riche ! Je suis pleine de pétrole, de vinaigre et d'acide ! Viens me chercher ! Tu feras des millions avec moi ! Mon ami ! Mon ami ! Celui qui se dressera sur notre route, je l'abattrai, je le jugulerai, j'injecterai du cyanure de potassium dans les pommes de terre bouillies qu'il mange ! Aimer c'est se choisir quelqu'un et se faire prendre par lui. Viens me prendre ! Je t'aime ! J'ai besoin de toi ! Fais un trou dans les ténèbres et montre ton nez ! Viens ! Viens ! Viens ! Tu ne me reconnais pas ? Tu ne sais pas qui je suis ? Je suis la folle qui est prisonnière en moi ! Je suis ton amie, ton amour, ton trésor, ton chou, ta mère, ton frère, ta sœur Bérénice. Quel temps fait-il où tu es ? Ici, il fait mauvais ! Ici, il fait décadabacrouticaltaque ! »

Je ne suis pas une imbécile. Quand j'ai confié à Einberg le soin de mettre ma lettre à la poste, je savais fort bien qu'il ne pourrait pas résister au désir de l'ouvrir et qu'après l'avoir lue il ne pourrait pas résister au désir d'en faire un petit drame. Mme Glengarry a été invitée à souper. Je m'approche de la table en riant dans ma barbe. Je jette un coup d'œil à Einberg : il rit dans sa barbe. Tout va comme sur des roulettes, Taniatouva ! Ayant fini de manger ses pommes de terre bouillies, Einberg lève les bras, réclame silence et attention. Mme Glengarry, la grande réconciliatrice, l'amie du Guelfe comme de la Gibeline, coupe court à une intéressante dissertation sur les roses et, toute souriante, se pend aux lèvres du Guelfe. Le Guelfe, prenant son temps, faisant durer le plaisir, éponge ses grosses lèvres molles avec sa petite serviette de batiste. Nous sommes tout ouïe. Le Guelfe essuie son petit menton de mouton. De la poche intérieure de son veston, il tire ma lettre. Il la déplie. D'une voix neutre, crispée, il commence à la lire.

— « Christian... Christian... »

Il la lit lentement, laissant flotter de longs silences entre les mots, d'interminables silences entre les phrases. Diaboliquement, il fixe Chamomor. Il ne lève la tête que pour la fixer, méchamment, haineusement. Il ne ménage ces longs silences entre mots et phrases que pour se donner le temps de la dévisager comme il faut, avec voracité, avec la brutalité de coups de poing. Mme Glengarry et moi, il nous ignore tout à fait, nous ne l'intéressons pas du tout.

— Ici... il fait... décadaba... crouti... caltaque...

Pendant que Mme Glengarry fait le tour de la table pour aller prendre tendrement Chamomor par le cou, c'est moi qu'Einberg fixe.

— Ces obscénités sont bien de toi, n'est-ce pas ?

— Oui ! Oui ! Et ce ne sont pas les premières ! Tu as raté les meilleures !

— Et ça signifie ?

A tout hasard, il se lève de son siège et se penche, prêt à bondir.

— Tout ce que tu voudras, monstre ! J'aime Christian ! Et si c'est ça qui ne te plaît pas, je suis bien contente, je l'aime cent fois plus, je l'adore, je l'idolâtre !

Curieuse de l'effet que je fais, je jette un coup d'œil à Chamomor et Mme Glengarry. Elles sont comme dressées sur la pointe des yeux. Mme Glengarry a l'air tout à fait perdue. Chamomor cherche à comprendre, à me soutenir, mais est dépassée.

— Christian, c'est ton amour, n'est-ce pas... ton trésor... ton chou...

176

— C'est bien davantage, bien pire. C'est comme mon mari...

Mon insolence, ma facilité à collaborer à l'élaboration de sa démonstration rassurent Einberg. Il se redresse, se rassoit, se détend. Il a envie de rire, mais se retient.

— C'est quoi, l'amour ? me demande-t-il d'une voix grivoise.

— Tu ne le sais donc pas, vieux comme tu es ? C'est comme toi et ta maîtresse.

Je n'ai pas mâché mes mots. Fière de mon coup, je fais faire à mon regard le grand tour des visages. Mme Glengarry frotte avec compassion le dos de Chamomor. Celle-ci, les bras sur la table, la tête dans les bras, est secouée de sanglots. Quant à Einberg, il tapote victorieusement le bord de la table.

— Bon ! fait-il. Bon ! Bon ! Nous aviserons. Nous aviserons. Il est clair que quelque chose ne va plus dans cette maison. Il se produira des changements, de grands changements.

Chamomor se retire de table, pliée en deux, soutenue par Mme Glengarry. A moitié dépeignée, à moitié dessanglée, étendue sur le ventre dans son nid de peaux, Chamomor pleure. En bas, Mme Glengarry, les cheveux bien frisés, bien cuits, houspille et morigène Einberg. Quel désordre ! Quel désordre ! Je me jette sur mon lit, me glisse sous mes couvertures tout habillée. Couchée sur le ventre comme Chamomor, j'ai comme de très loin, l'illusion d'être elle. J'essaie de pleurer comme elle. Je n'y arrive pas. Mille heures plus tard, je me relève, rallume. Où trouver la paix, le

sommeil ? J'ouvre la porte, la fenêtre. J'ouvre les
tiroirs de la commode. J'ouvre des livres. Je ne trouve
rien, nulle part. Ouvrant la porte de la penderie, mon
regard tombe sur mes patins. Mes patins m'inspirent.
Allons patiner, patiner jusqu'à tomber endormie sur la
glace, ou morte ! Je chausse mes patins, lace mes
patins. Essoufflée par ce travail, je me laisse tomber
sur mon lit. Je ferme les yeux. Je sens, comme une eau,
le sommeil monter. Je me renveloppe dans mes
couvertures, m'endors.

38

Einberg me fait entrer dans son officine, me fait
fermer la porte. Il me dit de m'asseoir. Je demeure
debout. Je lui réponds que je ne m'assois que lorsque
j'ai confiance. Il s'accoude au tablier de chrome de son
pupitre de chêne. Et, se guidant avec la pointe de son
stylet d'or, à manche de plâtre, il lit à haute voix dans
son édition princeps de la Bible. S'il continue, il va me
lire tout le Livre de Ruth. Je me tiens tantôt sur une
patte, tantôt sur l'autre. Dans un mouvement d'orgueil, je redresse mes épaules. Dans un mouvement de
désespoir, je les laisse retomber. Je me croise et me
décroise les bras. Je me frotte et me frotte les yeux. Il
lit lentement. Sa lecture semble devoir durer ce que
devrait durer un bonheur infini.

« Obed engendra Isaï. Isaï engendra David. »

— Tu pars pour New York, le 24. Tu n'y seras pas en villégiature. Non. Tu y seras en demeure. Tu quittes cette maison, cet enfer. Tu changes de famille, pour longtemps, pour plusieurs années, peut-être pour toujours. Aux grands maux les grands remèdes.

Il s'interrompt pour bâiller. Il s'ennuie, ou il a sommeil.

— Il se produira de grands bouleversements quand tu ne seras plus ici. Ta mère est une inadaptée, une déséquilibrée, une grande enfant. Notre mariage est voué à l'échec... Plus tard, tu comprendras. Je te confie à une famille de saints. Tâche à te rendre digne de leur hospitalité. Avec eux, tu te retrouveras, tu apprendras ce qu'est vivre, bien vivre, ce qu'est bien penser, bien faire, bien manger, bien dormir. Nous nous reverrons peut-être... Dans un an ou deux. Tu dois oublier la vie qui t'a été faite ici, et vite. Tu dois oublier cette île, cette abbaye sinistre, ton frère, ta mère... S'il en est encore temps, il te reste une excellente chance de santé et de bonheur. C'est tout, ma fille.

Passons vite à un autre sujet. Entendues à longueur de jours, de semaines, de mois, les inconséquences graves et savantes de dame Ruby portent au suicide. Pour y survivre, Constance Chlore et moi, nous avons inventé un code, des jeux, un marché noir de singeries, un commerce clandestin d'amitiés. Les dialogues subreptices sont ce qui nous amuse le plus. Un dialogue subreptice consiste en un échange, devant se faire dangereusement, de répliques scandaleuses griffonnées sur des bouts de papier.

Mon bout de papier : « Loin de toi, ma dame Ruby, ma beauté à tout casser, je ne touche pas terre. Autant le dire : je m'écroule. Depuis que nous ne nous voyons que toutes les cinq minutes, j'ai l'impression que chaque jour dure un siècle. Tu es demeurée éclatante de jeunesse. J'ai un pied dans la tombe. A vieillir d'un siècle par jour on ne vieillit pas longtemps, ma cruelle. Qu'est devenu le temps homérique où nous nous voyions toutes les cinq secondes ? »

Son bout de papier : « Éliézer, tais-toi, brosse l'ardoise ! Frotte ! Frotte ! N'aie pas peur ! Tu ne l'useras pas ! Des loques comme toi, elle est capable d'en enterrer sept fois septante ! Ne te traîne pas les pieds ainsi ! Ça empêche les élèves de se concentrer ! »

Le mien : « Ma belle dame Ruby ! Que sont devenues ta douceur, ta grâce et ta graisse ? Qu'est devenu le jour où tu étais tellement lourde que, montant dessus par inadvertance, tu fis exploser la balance qui servait à peser les camions qui servaient à transporter le fer qui servait à emplir d'or les goussets de mon défunt père ? »

Le sien : « Voilà que tu m'accuses de t'avoir épousé à cause de l'argent de ton père ! Tu es dans les prunes, vieux fou ! Tes radotages dégénèrent en confiture, vieux chien obéissant ! Je t'ai épousé uniquement parce que j'avais besoin d'une main pour brosser l'ardoise ! »

Le mien : « Poupoune, ma poupoune, souviens-toi ! Tu ouvrais les yeux si grands quand je te prenais par le cou que tes lunettes, les belles lunettes à foyer unique que tu portais en ce temps-là, éclataient comme un ballon de football dans lequel la chaleur de l'été et les frottements de mains des joueurs ont fait augmenter la pression de l'air. »

Le sien : « Pas de ballon de football en classe ! Apporte-moi cet objet vulgaire ! Vite ! Et tu peux lui faire tes adieux ! Je le ferai brûler ! Quel toupet ! Des plans pour me faire avaler d'un coup sec mes dentiers pourris, mes dentiers noirs de vert-de-gris ! Que tu t'y reprennes, vieux brosseur d'ardoise, espèce de sportif, haltérophile incapable de porter son propre poids ! Quand sur l'ardoise il y a des écritures à effacer, efface-les ! Quand il n'y en a plus, efface-toi ! Va te mettre derrière la porte, reste tranquille et attends que je te rappelle ! Les brosseurs d'ardoise sont faits pour brosser les ardoises, non pour mettre des ballons de football sous les yeux d'enfants qui n'ont pas mangé depuis deux jours ! »

Le mien : « Tu exagères, ma belle grande maigrichonne toute ratatinée, ces enfants passent leur temps à manger. Regarde cette petite Constance Chlore. Elle a l'air d'une ogresse à côté de toi. Il faut dire que, sauf pour ce qui est de tes gros orteils, tu n'as rien de très très gros, de très très obèse. »

Le sien : « Fais attention, Bérénice ! Elle nous a vus faire ! »

39

Le dos courbé par en dedans de Chamomor, l'ai-je
perdu ? Son dos merveilleusement ensellé, ne le rever-
rai-je donc plus ? En cette veille de grand départ, je me
sens forte, capable de rire. Ma chambre pleine de
malles, je la domine. Je suis la reine des petites malles,
des malles de taille moyenne et des grosses malles. Ce
peuple de malles fières obéit à mes ordres, à ma gaieté.
Je joue un sale tour à tout et à tout le monde : je suis
gaie, forte. Allons, malles ! Quand est-ce, ce départ ?
Où est-il, ce fameux départ, que nous l'abreuvions de
rires ! Je suis folle à lier. Je me mets debout sur mon
lit, et marche, la bouche écumante de rire. Je saute à
pieds joints sur mon lit, boxe, salue à la Hitler,
m'incline sous un orage d'applaudissements, serre la
main à Blalabaléva, Sargatatalituva, Skararoutoukiva,
Sinoirouissardan, Allagatatolaliève et d'autres joyeux
lurons. Je suis la grande Bérénice, la vainqueuse, la
témérêtre, l'incorruptable. Je suis Bérénice d'un bout à
l'autre du fleuve Saint-Laurent, d'un bout à l'autre de
la voie lactée. Je suis Bérénice jusque dans les quatre
petites plumes noires perdues dans les milliards de
petites plumes blanches de mon oreiller. Qu'ils y
viennent, les êtres humains, ces insalubres, ces agoni-
sants moribonds ! Le petit laïus qu'Einberg m'a tenu
avant-hier m'a déprimée, déçue en profondeur. Je
savais pourtant qu'il ne pouvait pas m'aimer ; j'en avais

pourtant fait la preuve maintes et maintes fois. Je
persistais malgré tout à croire que je lui faisais quelque
chose, qu'étant mon père il était à mon égard dominé
par une sorte de chaleur animale, une sorte de charme
sanguin. Il n'en est absolument rien, et c'est pour ça
que, lorsqu'il me parlait avant-hier, c'était effrayant.
J'entendais à peine sa voix. Sa voix semblait provenir
du fond d'un abysse, de l'autre côté d'un désert. Mes
oreilles portaient dans le vide. Mes oreilles étaient dans
un lieu, et la voix dans un autre. La voix de mon père
n'était pas dans la maison de mon père, mais dans la
maison des purs étrangers. Mais comment reprocher
son indifférence à Einberg ? Comment reprocherais-je
à Einberg que son indifférence ne lui soit pas un effort,
moi qui voudrais que la mienne n'en soit pas un ?
J'aime tout le monde. Je suis une fille facile. La vie est
difficile pour les filles faciles.

Il est grand temps que j'alèse l'âme de mon canon,
rajuste mon tir. Il ne faut plus que je tergiverse. Rien
n'importe que moi ici-bas. Je suis seule, inéluctable-
ment et irrémédiablement. Si je ne demeure pas fidèle
à cette vérité, je suis une dupe consentante, la pire des
poltronnes. Je suis seule. Que ce ne soit pour moi ni un
cri de guerre ni un râle d'agonie. Que ce ne le soit
surtout pas. Que ce soit comme quand on se compte les
doigts. A cette main, j'ai un, deux, trois, quatre, cinq
doigts. Combien y a-t-il de personnes ici ? Il y en a
une… Combien sommes-nous de soldats dans ce
camp ? Un. Je suis seule ; c'est un simple calcul, un
simple dénombrement ; ce n'est pas autre chose.

Christian, viens ! Arrive, Christian ! Vite ! que je te

fasse dieu ! Vite ! que je puisse ramper à tes pieds, que je puisse tomber à la renverse sur toi, que je sois soulagée de ce fardeau ! Vite, hirondelle malade ! que je te prenne dans ma main, que je te fasse manger dans ma main, que je te réchauffe, que je te défende. Laisse-toi faire. Laisse-toi donc faire. Là ! Couverte du sang de la dernière bataille que j'ai livrée pour t'avoir, je suis ta maîtresse par la tendresse et la faiblesse. Vite ! que nous nous asseyions à l'écart, sous cet orme, pendant que les autres se dressent l'un contre l'autre, dans le plus brûlant des soleils ! Vite ! avant que pour toi je ne doive retourner sur la brèche ! Vite ! avant que tu ne t'en défendes ! Vite ! avant que tu ne voies quelle loque je suis en train de faire de toi et n'en prennes ombrage, sottement, imbécilement !

Je ne serai pas seule en mon exil. J'y serai avec Constance Chlore. Je dois ce charmant édulcorant à Chamomor. En deux jours, de haute lutte, elle l'a arrachée des mains jalouses, mains mortes comme mains vivantes, de sa nombreuse famille, et a obtenu de son implacable ennemi qu'il fasse lui-même les démarches nécessaires pour qu'elle soit dignement reçue à New York. Tu es superbe, Chamomor. Maintenant, il faut, je suppose, que je te dise merci, que j'éprouve de la reconnaissance, que je me sente liée, que je t'aime. Tu as décoché pour rien cette dernière flèche, Chamomor. Tu m'as ratée. Tu m'as toujours ratée et tu me rateras toujours. Tu combats en vain. De l'air ! Tu ne m'auras pas ! Ton dévouement, tes faveurs, tes caresses et tes beaux yeux sont de la ruse, des hameçons, des grilles et des abîmes. Je ne suis pas Christian. Avec moi, beau ou pas, bon ou mauvais, juste ou inique, un piège est un piège, un piège a des dents, un filet a des mailles. Celui qui veut m'avoir veut me faire souffrir. Tu n'auras pas ma peau. Je suis celle qui s'agenouille devant un esclave et ne baisse pas les yeux devant une reine.

J'ai peut-être vu Christian pour la dernière fois. Einberg a précisé que les lettres que nous nous écrirons malgré son interdiction seront interceptées et détruites. Nous avons patiné jusqu'à ce qu'il fasse noir. Ignorant ses hauts cris, j'entre dans sa chambre et me couche avec lui. Avant, il ne disait rien quand je venais me coucher avec lui. Il commence à me trouver étrange, à me craindre. Il me fait des réflexions qui me font rire dans ma barbe.

— Tu m'aimes trop, Bérénice. Et puis tu n'es pas naturelle...

— Je suis surnaturelle, dis-je, caressant son front du bout du doigt, fermant ses yeux comme on ferme les yeux à un mort, voulant qu'il se taise et s'endorme.

— Tu n'es pas naturelle. On dirait que tu te forces pour m'aimer, que tu te crois obligée de m'aimer. On dirait même que tu as une mauvaise idée derrière la tête.

— Quand nous nous reverrons, je serai devenue une femme et tu seras devenu un homme. Ce sera une grande surprise ! Écris-moi. Je suis sûre que maman pourra s'arranger pour que tu reçoives mes lettres et que je reçoive les tiennes. Tu te méfies de moi, n'est-ce pas ?

— Tu ris ? Tu trouves ça drôle ?

185

— Ferme tes yeux, mon gentil frère. Dors. Laisse-toi faire. Laisse ma main t'endormir.

— Je ne te comprends plus du tout, plus du tout.

— Je suis diabolique.

Je sors enceinte du lit de l'enfance. J'en ai plein la ceinture. Des crimes ont pris racine dans mes entrailles, et poussent, se gonflent. Quand je mettrai bas, ce sera laid ! Quand je me promènerai sur le trottoir avec ma ribambelle de crimes, ils trembleront. S'ils ne tremblent pas, ils vomiront ou me cracheront à la figure.

40

La tête couronnée de phylactères, nous prions chaque matin et chaque soir. C'est la sainteté. Ce n'est pas drôle. Nous arrivons dans la ville de New York comme des baleines dans un aquarium : il n'y a pas de place. Nous arrivons chez Zio comme des thons dans une boîte de sardines à l'huile. Il n'y a pas de place dans la neuvième cage du columbarium prismatique à dix cages où il a juché sa nichée. Comment appelle-t-on, élève Einberg, ceux qui vivent dans des igloos ? On les appelle Esquimaux, mademoiselle. Comment appelle-t-on, élève Einberg, ceux qui vivent dans des étages. On ne les appelle pas, mademoiselle, ils n'en valent pas la peine. Ce sont des êtres humains, élève Einberg, des hommes ! Vous me la baillez belle, mademoiselle, vous me la baillez belle. Mes cousins portent calotte, comme des évêques. Et ils ne quittent leur calotte multicolore que pour dormir. Au bout de leurs tempes rases, ils laissent pousser des touffes de poil caudales et ridicules. Zio ne fait pas vivre sa famille au sommet de ce columbarium parce qu'il est pauvre. Non. Il est très riche. Il la fait vivre au sommet de ce columbarium par sainteté. Quand on est saint, il faut avoir l'air pauvre. Ceux qui, par ouï-dire, doutent de la sainteté de Zio et de sa nichée n'ont qu'à venir voir. La longue barbe artisonnée de Zio et les tempes à queue de ses fils sont catégoriques, mettent fin à toute discussion. Pour moi, saints ou non, ce sont des singes. Ce sont des éléphants ! Ce sont des lapins ! Ce sont des porcs ! Je suis grossière. Depuis que je vis saintement, je ne suis pas grossière par gourmandise, mais par ascétisme.

Zio, Zia, les deux cousins et les deux cousines nous reçoivent avec la plus grande cordialité. Ils nous broient les mains. Ils sont enchantés de nous connaître.

— *Glad to know you. Hope you'll like it here. Come on. Let me show you your room.*

Ils sont aimables à mort. Ils sont heureux à mort. Ils sont heureux à mort parce qu'ils sont saints à mort. Ils sont saints à mort parce qu'ils sont hospitaliers à mort. Il faut entrer ici comme on entre dans une rivière de crocodiles, comme on entre dans un marais d'hippopotames. Dès le seuil, on peut voir leurs cœurs ouvrir une énorme gueule armée d'épées, une benne preneuse faite pour dévorer vif. En entrant ici, je me suis fermée, comme l'huître en péril. Ils sont trop gentils.

Et puis je me méfie des contacts. Un contact est une lézarde, une disponibilité offerte au mensonge, à la déception et à l'amertume. Mon attitude envers mes cousins en est une de légère animosité diluée par un grand souci d'indifférence. J'ai des cousins pour rien. Mes cousins sont là pour rien. Je ne veux rien savoir, rien avoir. Mes chers cousins, faites comme si vous n'étiez pas !

J'apprends l'hébreu. C'est obligatoire. C'est fort excitant. Quand je saurai l'hébreu, Zio me récompensera. Il me fera l'honneur de m'inscrire, comme sa femme, ses fils, ses filles et Constance Chlore, sur la liste de ceux qui ont l'honneur de lire des passages de la Bible à haute voix avant le dîner.

La chambre qu'on nous a donnée est une chambre célèbre. Réservée de tout temps pour faire de la philanthropie, elle est habitée de fantômes d'enfants plus infirmes et plus tristes les uns que les autres. Les deux derniers enfants à être hébergés dans cette chambre, deux sœurs filles d'ivrognes, ont connu une fin tragique. On les a trouvées mortes un matin, la bouche comme mangée, les lèvres comme rongées, comme râpées, en sang jusqu'au nez et au menton. Dans une crise de désespoir, elles avaient brisé silencieusement la vitre inférieure de la fenêtre à guillotine et, la mastiquant sans un bruit, éclat après éclat, l'avaient toute mangée. Zio voit d'un mauvais œil que je lise Homère et Virgile, ce Turc et cet Italien. Mais son agacement ne fait qu'exciter les appétits ombrageux que lui et ses saint-je ont éveillés en moi.

Néanmoins, cette nuit, maintenant, les jambes

contre les petites jambes froides de Constance Chlore, je me sens calme, jolie, benoîte, presque heureuse. Je m'y oppose ! Je n'ai pas le droit de me sentir presque heureuse ! C'est ridicule ! C'est illogique ! Quoi ? Je serais heureuse... après tout ce qui m'a été fait ! Je jette dehors ces sentiments ridicules et illogiques. A grands cris, je rappelle la haine et le désespoir. Dans le cœur d'une laide comme moi, d'une mise au monde rien que pour souffrir comme moi, seuls haine et désespoir ont place. Il faut que je me remette vite à pleurer et à grincer des dents ! Ils m'ont volé mon frère ! Ils m'ont volé ma mère ! Ils m'ont volé mon île ! Ils m'ont exilée ! Ils m'ont mise en cage avec des saint-je.

— Nous nous fichons de tout ça, me répond ma voix. Nous sommes presque heureuses cette nuit, les jambes contre les petites jambes froides de Constance Chlore.

Ce n'est pas vrai ! Que m'ont-ils fait encore ? O Satan, que je me le rappelle !... Je leur reprendrai ce qu'ils m'ont pris ! Mes forces sont à se faire... Je sens des ailes grandir aux dépens de mon corps, s'élargir, se gonfler au hasard des coups de vent et m'arracher du sol. Je me fais libre. Je pousse des serres aussi. Elles sortent déjà par le bout de mes doigts, faisant éclater autour de leur ivoire la laide et vile mue qu'est la peau. Déjà, elles me tordent les doigts, me tendent les mains. Bientôt, je pourrai regarder le soleil en pleine face sans être éblouie, comme un aigle. Étrange le rêve que je suis en train de faire... Je suis dans un vaste temple hypostyle. Je suis au bout d'un long cloître dont les voûtes d'arêtes sont si hautes qu'elles m'entêtent.

189

Chamomor porte au poing un serpent noir et jaune sifflant de colère. Elle me noue le serpent autour des reins et il se change en une ceinture de cailloux glacés. Soudain, comme pour un adoubement, je suis agenouillée et elle me touche les épaules du plat d'une lourde rapière. Comme les cailloux, la rapière est glacée. Je me tourne. La vitre inférieure de la fenêtre est brisée et le vent souffle la neige jusque sur mes couvertures. Revoilà Chamomor. Elle me donne le sein. Le lait est merveilleusement chaud. Le sein se change en une boule de cristal qu'étreignent les doigts crochus d'une sorcière. A l'intérieur de la boule, je plonge dans une forêt profonde où court un être hideux qui, bien qu'il soit sans tête et sans bras, rit à m'en faire éclater les oreilles et me caresse le front du bout des doigts.

41

La lumière s'est faite forme, est hors de l'océan d'air qui lui donnait l'aspect immatériel de l'ombre. Le soleil a des rayons de fer. La lune a des rayons de bois, comme une roue de carriole. Je suis calme. Jamais plus je ne crierai. J'ai tout compris. Je sais. Quand on sait où on est et qui on est, on peut, comme le chat, fondre sur la bille roulant sur le plancher et imaginer que c'est un dragon. Quand on s'est compris, on peut courir dans l'immense sphère armillaire et s'imaginer que, comme l'écureuil dans sa cage, on joue, on se joue. Le seul moyen de s'appartenir est de comprendre. Les seules mains capables de saisir la vie sont à l'intérieur de la tête, dans le cerveau.

Je ne suis pas responsable de moi et ne peux le devenir. Comme tout ce qui a été fait, comme la chaise et le calorifère, je n'ai à répondre de rien. La balle qui frappe l'animal au cœur n'est pas criminelle. Elle a été lancée et ne pouvait échapper à sa direction. Un élan m'a été donné et je ne peux y échapper. Plus dégourdie qu'une grêlée de plombs, je peux vouloir contre l'élan, vouloir vers d'autres cibles ; mais mon sang et mes chairs sont remplis d'une direction et je ne peux pas plus en changer qu'une bouteille ne peut changer de contenu. En d'autres termes : j'ai été faite Bérénice comme le calorifère a été fait calorifère. Je peux résister à Bérénice et essayer d'être une autre, mais, pas plus qu'un calorifère ne peut se changer en boa, je ne pourrai me changer en Constance Chlore. Quand on a été fait indifférent, méchant et dur, on ne peut être sensible, charitable et doux. Comment les choses peuvent-elles vous faire mal si elles ne vous font rien ! On peut résister à sa méchanceté mais on reste méchant. On peut tendre vers la douceur mais la pierre reste dure. Celui qui aime le vin ne peut pas ne pas aimer le vin. Celui qui n'aime pas le vin ne peut pas aimer le vin. On est fait. C'est fini. On est calorifère. On ne peut rien y changer. Les êtres humains sont les seuls calorifères pouvant ruer dans leurs brancards, leurs formes. Être un être humain c'est être un calorifère pouvant ne pas être content de ses formes et en vouloir d'autres. Mais la sardine qui rue dans l'océan ne change pas grand-chose à l'eau de l'océan. Être quelqu'un, c'est avoir un destin. Avoir un destin, c'est comme n'avoir qu'une ville. Quand on n'a que Budapest, on n'a qu'une alternative : aller à Budapest ou ne pas y aller. On ne peut pas aller à Belgrade. Je ne suis coupable de rien de ce que je fais : je ne me suis pas voulue, je n'ai pas eu le temps de me vouloir.

On ne naît pas en naissant. On naît quelques années plus tard, quand on prend conscience d'être. Je suis née vers l'âge de cinq ans, si je m'en souviens bien. Et naître à cet âge c'est naître trop tard, car à cet âge on a déjà un passé, l'âme a forme. A peine un papillon est-il né qu'il essaie ses ailes. Son premier mouvement est celui qui le plonge ivre mort vers l'azur. Les papillons sont beaux. Naissant, j'ai cru avoir le choix et j'ai choisi d'être un papillon aux ailes constituées de vitraux jaune-orange. Puis, sûre de mon coup, sans plus réfléchir, je me suis élancée du haut du donjon ou j'étais. Hélas ! je n'étais pas un papillon. J'étais un buffle. Pour tout dire, j'étais un rhinocéros. Depuis la moitié d'une décennie, j'étais autre chose qu'un papillon. Ce qui devait arriver est arrivé : je me suis écrasée sur un parvis, le parvis s'est fendu en deux, et je me suis retrouvée à l'hôpital. Quand on est rhinocéros, inutile d'essayer de voler. Qu'avais-je donc fait pour être affublée d'une carapace de rhinocéros ? Qu'avais-je donc fait de si mal ? Que je m'en suis posé des questions ! Qu'il en est passé des hypothèses dans ma tête ! Que j'en ai eu des idées ! Maintenant, c'est fini. Maintenant, je comprends.

Quand je suis née, j'avais cinq ans d'âge, j'étais quelqu'un : j'étais engagée au plus fort du fleuve qu'est un destin, au plus fort du courant que sont mes envies, mes rancunes, mes prochains et mes laideurs. J'ai crié d'horreur, en pure perte. J'ai nagé à contre-courant comme une forcenée, en pure perte. J'étais folle. Je me suis fatiguée ; c'est tout.

Voici ce que je suis : un nuage de flèches qui pensent, qui voient qu'elles volent et vers quelles cibles elles volent. Donc je pense. Je pense ! Je pense ! Qu'est-ce que je pense ? Quelle belle question ! Je pense qu'il est temps que je pense à m'amuser, à jouer. Je n'ai qu'un visage et je n'ai pas fait ce visage, mais j'ai le choix entre trente grimaces. Quelle grimace choisirai-je ? Quelle belle question ! Je choisis le rire. Le rire ! Le rire est le signe de la lumière. Quand, soudain, la lumière se répand dans les ténèbres où il a peur, l'enfant éclate de rire. J'ai le goût d'arracher des ongles avec des tenailles, de scier des oreilles avec un rasoir, de tuer des êtres humains et de pendre leurs cadavres aux cimaises de mes murs pour en faire une guirlande. J'ai le goût de brûler des campagnes, de bombarder des villes. J'ai le goût de secouer la nappe des océans, de pousser les continents les uns contre les autres, de traverser l'univers sur les étoiles comme on traverse un torrent sur les roches. Je ferai tout ça, pour rire. Rire ! Rire à mort !

Passons à un autre sujet. Passons des grands principes à la manœuvre. J'adresse, au soin de Chamomor, de longues lettres à Christian. Le plus important n'est pas que Christian reçoive ces lettres, car elles ne sont

193

pas vraies. Le plus important est que Chamomor ou Einberg les lisent, soient scandalisés, découragés, abasourdis, écœurés. Je n'ai rien reçu de Christian. Les trois mots de Chamomor sont tout ce qu'en trois mois j'ai reçu de mes anciennes amours. Je vois encore l'enveloppe bleue qui contenait ces trois mots trembler dans ma main. Le timbre, un beau grand timbre de Tchécoslovaquie, est collé sens dessus dessous, au bas et à gauche de l'enveloppe, tout de travers. J'essaie en vain de déchiffrer le cachet d'oblitération. Je n'ouvre pas l'enveloppe bleue tout de suite. Je fais l'avaricieuse. Je la dépose sur le bonheur-du-jour, me jette sur mon lit et, les mains croisées sur la nuque, je la regarde être posée sur le bonheur-du-jour, attendre, s'impatienter. « Ma chérie, je serai de retour en Amérique dans une couple de mois. Et alors, je viendrai frapper au mur épais qu'on a élevé entre nous. Ne sois pas méchante envers moi. Ne sois pas inutilement dure envers toi. Tu ne feras pas la sourde oreille. Tu accourras. A deux, nous ferons vite dans le mur le trou qui nous permettra de nous redonner la main. J'ai besoin de toi si tu n'as pas besoin de moi. Maman. » Ma chérie... ! D'un mouvement de colère je déchire la lettre en mille confetti. Aussitôt après, je regrette, me sens tendre et aimante jusqu'aux larmes. Et, d'un mouvement de pitié aussi vif que mon mouvement de colère, je couvre l'enveloppe de baisers, décide de garder jusqu'à la fin de ma vie le beau grand timbre multicolore représentant un mineur travaillant à la haveuse. Deux jours plus tard, timbre comme Chamomor ne me disent plus rien, et je laisse tomber le timbre précieusement conservé entre les barreaux de la grille d'une bouche d'égout. Par ailleurs, Chamomor n'avait pas indiqué d'adresse de retour. Tout à coup, Chamomor, Christian et Constance Chlore me font si mal. Tout à coup, ils me laissent si indifférente. Ils me font très mal ou ils ne me font absolument rien. Dans les deux cas je souffre. Quand ils ne me font rien, je souffre de m'être trompée, d'avoir dit et pensé des choses qui ne sont plus vraies, d'avoir fait des choses qui n'ont plus de sens, d'avoir souffert dans le vide. C'est la plupart du temps qu'ils me laissent indifférente. Quand je souffre à cause d'eux, je crie, je me plains, je fais ma diarrhée de jérémiades. Je crie comme quelqu'un qui vient de se faire couper les bras. De quoi a l'air le nouveau manchot qui, au plus noir du désespoir, après avoir tout maudit et saccagé, après avoir crié tous les cris de son corps, voit ses bras repousser et son indifférence à propos de ses bras revenir ? C'est très drôle. C'est à mourir de rire. Rions ! Que fait Constance Chlore pour être si constante, si égale à elle-même, si conséquente dans ses gestes, ses paroles et ses sentiments ? Que fait Zio pour être si continuellement saint ? Que font cousins et cousines pour ne ressembler qu'à eux-mêmes ? Ils le font tous exprès ! Constance Chlore, pâle comme les prairies de l'automne, comme le sable, comme la cendre, comme tout ce qui est stérile. Elle me quitte à la fin du mois et me reviendra en septembre. J'aime Constance Chlore à la folie et elle me laisse extrêmement indifférente. Sa grande beauté, sa grande sensibilité et sa grande profondeur de pensée me mettent en extase puis me sont égales. Ingénue, secourable, elle s'est sacrifiée à mon salut : tout ce qu'elle trouve, en elle ou ailleurs, qui puisse faire ma joie, elle me le donne. Ingénieuse, vigilante, elle n'est jamais à bout de ressources, de surprises : une flatterie chasse l'autre, une folie n'attend pas l'autre. Il n'y a qu'une Constance Chlore pour prétendre être née en 1687, année où, selon elle, il n'y a pas eu de 4 mai. Elle me fixe attentivement, avidement, les yeux pris d'une sorte de nystagmus, comme si elle craignait que je la frappe.

— C'est idiot ce que je dis, hein ?

— Ce n'est pas idiot, Constance Chlore, puisque c'est vrai. Il n'y a pas eu de 4 mai cette année-là. Qu'y a-t-il de si idiot là-dedans ? S'il n'y en a pas eu, il n'y en a pas eu. Tu es née en 1687, l'année où il n'y a pas eu de 4 mai. Je te crois, je te jure. Tu ne crois pas que je te crois ?

Constance Chlore secoue la tête en signe de négation. Elle est contente : elle m'a eue. Elle m'a fait parler. Elle me voit m'animer, me piquer au jeu.

— Tu dis ça pour te moquer de moi.

— Mais non ! Je suis libre de croire ce que je veux et je te crois. Je crois de toutes mes forces qu'il n'y a pas eu de 4 mai et que tu es née en 1687 !

— Je te crois, Bérénice. N'est-ce pas merveilleux de pouvoir croire à toutes sortes de choses impossibles ? Jouons à croire à toutes sortes de choses impossibles. D'accord ?

— Croyons que les étoiles ont des yeux ! Croyons que les êtres humains ont trois bras !

Elle me donne vivement la réplique, et nous jouons à

196

croire à toutes sortes de choses impossibles jusqu'à perte d'haleine.

— Laisse-moi te dire des choses complètement idiotes... O.K. ?

— Rien n'est idiot, fais-je, d'une façon grandiloquente, prenant malgré moi comme sincères ses habiles feintes de langage.

Elle se place. Elle rougit. Elle se concentre comme pour rendre quelque chose d'appris par cœur. Elle s'éclaircit la voix. Elle commence.

— Nous sommes amies. Tu m'emmènes et je t'emmène. Nous allons faire un tour dans ma forêt. Je t'apprends le nom de chacun de mes grillons et de chacune de mes sauterelles. Les grillons portent des noms de garçons, les sauterelles des noms de filles. Jean-Pierre te sent avec ses grandes antennes molles : c'est un maussade qui n'aime pas les étrangers. « Qui c'est, ça ? — C'est Bérénice, mon amie. Tu peux lui faire confiance. — Elle n'a pas l'air très gentille, ton amie. Elle n'a pas le sourire facile. — Bérénice n'a pas eu une vie facile. Il faut sourire le premier avec elle. Allez, Jean-Pierre ! Souris-lui. » Marguerite arrive : c'est une commère. Elle te tend sa grande patte raide et épineuse. « Enchantée de vous connaître, mademoiselle. Vous êtes l'amie de Constance Chlore, je suppose ? Bérénice ! Vous êtes Bérénice... Elle ne cesse de nous parler de vous. Attendez ! Ne partez pas ! Je vais aller chercher Yolande, Eunice et Paulette. » N'est-ce pas que c'est complètement idiot ? J'en ai assez dit. Dis-en à ton tour. Allez ! Il faut que ce soit complètement idiot. Si ce n'est pas complètement idiot, c'est signe que tu me laisseras tomber un jour.

Constance Chlore est aussi savante que Christian. Il faudra que je la lui présente un de ces jours. Elle connaît par leurs noms latins les douze segments du hanneton. C'est une forte-en-botanique. C'est une forte-en-zoologie, si vous voulez. Il y a des termites rois, des termites reines et des termites soldats. Les termites rois ont des ailes, mais les termites reines n'en ont pas. Les termites reines sont tellement grosses qu'elles ne peuvent pas se remuer. Leur ventre blanc est aussi gros qu'un doigt et leur tête est aussi petite qu'une tête de mouche. C'est Constance Chlore qui m'a dit tout ça.

Constance Chlore trottine derrière moi. Quand je presse le pas, elle trottine plus vite. Quand je change de trottoir, elle change de trottoir. Elle ne pose pas de questions. Elle me suit discrètement. Elle trottine tout bas derrière moi, où que j'aille. Elle ne parle d'elle que pour me demander si elle m'ennuie.

— Je t'aime parce que tu es triste, toujours triste, triste comme un portrait triste.

42

Je repasse dans ma tête avec aigreur les samedis que nous avons eus dans l'île, Christian et moi. Le samedi, nous courions de l'aube jusqu'à la nuit. Le samedi, nous étions si occupés, si pressés, que nous en perdions l'appétit. Le samedi, nous étions des déchaînés d'école. Des retranchements exigus des livres et des pupitres nous tombions dans les francs-alleux du bruit et de la lumière. Nous bondissions comme des cabris, toute la journée, de découverte en découverte. Et nous restions sur nos appétits.

Ici, samedi est sabbat. Et toutes les prescriptions bibliques concernant le jour consacré par Moïse à l'ennui sont strictement observées. Tout devient verboten, et particulièrement, tout ce qui n'est pas faim, soif, silence et immobilité. Le samedi, Zio s'abstient de toute nourriture, qu'elle soit solide, liquide ou gazeuse. Il se soude la bouche et se coud le nez pour ne pas avaler d'air. Mais, Yahveh soit loué ! il n'impose pas à la maisonnée un jeûne aussi extravagant. Quelques bonnes racines de rutabaga trempent au fond du lavabo de la cuisine. Si on n'a pas peur de laisser les autres crever de faim, on peut, se levant tôt le matin, en récolter trois-quatre et se mettre ainsi à l'abri des crampes d'estomac jusqu'au soir. Tolérant à mort, en plus de tolérer qu'on morde à belles dents dans le rutabaga, Zio tolère également qu'on morde à belles dents dans l'eau. Cependant, il ne souffre aucun accroc aux lois qu'il a instituées quant au bannissement de toute lumière non céleste. Celui qui, le samedi, allume une cigarette à la neuvième cage du columbarium est passible de chaise électrique. Il ne faut pas toucher au réfrigérateur, à cause de l'ampoule électrique qui s'allumerait automatiquement à l'intérieur si par malheur on l'ouvrait. Quand la nuit tombe et que les lampadaires et les néons vont s'allumer dehors, les stores de toutes les fenêtres de la neuvième cage sont baissés. Si quelqu'un, par mégarde, soulève un store, il est passible de chaise électrique. Souvent, ne pouvant résister au plaisir de prendre des risques, j'ai soulevé un store. J'ai survécu à plusieurs chaises électriques. Je suis chanceuse : la lumière qui brille dans les yeux de Constance Chlore est considérée comme céleste.

Quand, après avoir passé douze heures de supposée méditation, l'heure de la délivrance arrive, elle n'est pas mal venue. Quand, après avoir eu, depuis le lever du soleil, liées à une chaise et bâillonnées, envie de rire et envie de folie furieuse, envie en vain d'espace et de vent, l'heure sonne où nous pouvons nous retirer dans notre chambre, il n'est pas trop tôt. Nous gagnons notre chambre à pas feutrés, n'en croyant pas nos jambes. Craignant qu'il n'y ait eu maldonne, que le grand ennui ne soit pas fini et qu'ils nous rappellent, nous nous asseyons par terre contre notre porte et attendons que nos doutes soient dissipés. Cinq minutes ayant passé sans coups de théâtre, nous lâchons de gros soupirs de soulagement. Nous nous congratulons et nous étreignons comme des joueurs de hockey qui viennent de marquer un point. Puis, avec une infinie prudence, nous déchaussant pour ne pas qu'ils nous entendent, nous pénétrons dans la sphère de l'interdit. Ayant écarté d'un geste large les lourdes draperies, je prends le spectacle nocturne de la ville comme s'il n'y avait jamais rien eu derrière les draperies, mes yeux se vautrent dans ces monceaux d'étoiles, dans ce ciel sur la terre. Pendant ce temps, comme d'habitude, jouant à cache-cache, Constance Chlore s'est glissée sous le lit. Je l'appelle, en vain, pour l'amuser. Pour l'amuser, je fais semblant de la chercher, de ne pas la trouver. Je regarde partout, sauf sous le lit. Je regarde sous les oreillers, derrière le calendrier, dans la boîte de conserve raccourcie à la scie qui nous sert de cendrier. Soudain, l'un des montants du meuble sous lequel je rampe résonne gravement sous le choc de mon crâne. Constance Chlore n'y tient plus, pouffe de rire. Son rire, chuintement rapide et saccadé, me contamine. Son rire, sifflement de marmotte, prend mon rire par la main, l'emporte dans sa folle course. Tombons dans le vif du sujet. De peur qu'il s'échappe, Constance Chlore a embrassé de la totalité de ses doigts le petit bout de bougie que nous avons cueilli à l'une des branches du chandelier à sept branches. C'est le feu, la lumière, le mal. Je frotte l'allumette. La tête de soufre craque, pète, s'enflamme. Nos cœurs pompent à vide. Nos yeux clignotent, piquent. La bouche ouverte par les efforts d'âme que nous déployons pour communier avec ce que nous voyons, nous regardons le feu greffer son inflorescence au bois blanc, l'envelopper, le noircir. Nous regardons le pétale de feu se dédoubler et, sautant, s'attacher comme un oiseau au bout de la mèche noire du petit bout de bougie. Constance Chlore souffle sur le feu de l'allumette, et nous entendons le feu claquer comme un drapeau, vrombir comme une motocyclette. Regardant dans les grands yeux noirs de Constance Chlore, j'aperçois soudain, à la surface de chacun, la réflexion du lumignon et la réflexion de mon visage. Comme un miroir sphérique, les yeux de

Constance Chlore déforment mon visage, rapetissent mes yeux déjà trop petits, grossissent mon nez déjà trop gros. Les yeux de Constance Chlore sont comme des tunnels. A l'entrée, ce n'est pas la même chose qu'au milieu et qu'au fond. Regarder dans les yeux de Constance Chlore me fait mal. C'est si... fascinant. Ce n'est pas fascinant, c'est avalant, étouffant, asphyxiant. Je dis à Constance Chlore que j'ai envie de la battre, de la tuer. Nous avons volé toute la semaine. Nous nous asseyons par terre au milieu de la chambre et nous déployons fièrement, dans l'enceinte formée par nos jambes embrassées, les viandes, les fruits, les légumes et les sucreries qui composent l'inventaire de nos vols. Nous avons volé les bouchers, les fruitiers, les vendeurs de bonbons et de gâteaux. Nous avons volé tout le monde. Nous avons l'estomac creux. Nous avalons âprement. Nous déglutissons sans mâcher. L'œsophage congestionné, les joues gonflées comme des ballons, les mains débordantes, chacune défend déjà, d'un regard méchant, le saucisson hongrois, la reine-claude ou le nougat qui font l'objet de ses plus ardentes convoitises. J'ai eu d'abord du mal, en dépit de son évidente aboulie, à convaincre Constance Chlore de participer à ces orgies sabbatiques. Elle ne semblait pas s'y opposer pour des raisons précises. Quand je lui faisais des propositions, elle me disait seulement d'attendre encore un peu, qu'elle n'était pas prête. Tout à coup, comme si un objet invisible venait de la frapper à la tête, ella s'arrête de rire et de s'empiffrer, et elle devient d'une grande tristesse.

— Je sais que tu me fais faire du mal, tu sais.

Elle me dit ça lentement, d'une voix très douce, d'une voix presque amère à force de douceur. Ces paroles me mettent en colère. Elle s'en aperçoit, jette la tête quelque part sur moi en signe de contrition et, pour m'achever, m'affirme qu'avec moi ça ne lui fait rien de faire du mal. Elle a battu les oreillers. Elle m'a enveloppée dans les couvertures comme on enroule une momie de bandelettes. Elle me baise au front. Alors, s'asseyant à mon chevet, bien droite sur la chaise, elle me lit les poèmes qu'elle aime, comme à une reine. Elle est amoureuse folle de Nelligan, d'Émile, le poète devenu fou à l'âge de devenir adulte, le poète qui s'enfermait la nuit dans les églises pour crier ses poèmes à la Vierge Marie. Ces poèmes qu'elle me lit comme à une reine, ce sont les mêmes que dame Ruby me faisait apprendre par cœur quand elle était en rut contre moi, mais ils sont tout autres. Je les écoute comme si je mordais à belles dents dans les grands yeux noirs de Constance Chlore. Quand je me lisais *Rêve enclos* et *Hiver sentimental,* ils avaient l'odeur aigre de mon haleine, et ils m'écœuraient. Venant de sa bouche, ils goûtent l'eau d'érable, le sucre d'orge : mes cils se mouillent, j'ai la chair de poule.

— « Loin des vitres clairs yeux dont je bois les liqueurs, et ne vous souillez pas à contempler les plèbes, des gels norvégiens métallisent les glèbes, que le froid des hivers nous réchauffe les cœurs, tels des guerriers pleurant les ruines de Thèbes, ma mie ainsi toujours cultivons nos rancœurs, et dédaignant la vie aux chants sophistiqueurs, laissons le bon Trépas nous conduire aux Érèbes, tu nous visiteras comme un spectre de givre, nous ne serons pas vieux mais déjà las de vivre, mort que ne nous prends-tu par telle après-midi, languides au divan, bercés par sa guitare, dont les motifs rêveurs en un rythme assourdi, scandent nos ennuis lourds... »

— C'est beau, Constance Chlore. C'est si beau. Dis encore : « Nous ne serons pas vieux mais déjà las de vivre. »

— « Nous ne serons pas vieux mais déjà las de vivre. »

Occasionnellement aussi, elle me lit un de ses propres poèmes. Je porte au cou, attaché au lacet du soleil zoulou de Christian, un discours généthliaque qu'elle m'a dit avoir écrit en songeant à notre amitié. Voici les quatre premiers vers.

Elle est née. Ah ! Ah ! Ah ! Elle n'est plus matière inerte.
Elle est née, la maligne. Elle est née et depuis
Elle creuse une tombe, creuse un très grand puits.
Elle commence à marcher. Regardez : elle court déjà à sa
perte.

43

Je pense beaucoup, davantage de jour en jour. Je pense beaucoup mieux que les philosophes secs. Les philosophes grecs sont des philosophes de Grèce. Les philosophes italiens sont des philosophes d'Italie. Les philosophes vénitiens sont des philosophes de Venise.

Or, tous ces philosophes sont stériles, secs. Ils pourraient tous être d'un pays appelé Sècherie. Il se peut que l'adhésion d'imagination et de volonté donnée aux apparences de la vie devienne délirante, devienne du délire, devienne ivresse. Et cette possibilité est féconde, très féconde, très mobile, très riche : elle offre mille solutions à la solitude et à la peur. Quand j'admets qu'un et un font deux, il n'y a pas de délire. Quand un théorème m'est démontré, il peut y avoir un certain délire. J'ai remarqué que plus un théorème est difficile à comprendre plus il y a de délire à le comprendre, que plus un théorème provoque ma volonté et mon imagination plus il provoque de délire. Et c'est de cette observation et d'expériences tentées par la suite que j'ai conclu qu'il y avait en moi du délire et que, pour que ce délire s'ouvre, s'épanouisse pleinement, il fallait que je donne, à outrance, libre cours à ma volonté et à mon imagination. Ce n'est pas clair clair.

Je regarde une ville : elle est grise et noire à perte de vue, elle est immense : immensément éloignée de mes mains comme de ma parole. C'est en vain que je la frapperais, que je lui crierais à la figure. Je la regarde : j'éprouve de l'angoisse, puis de la lassitude et de l'ennui. Si je ne fais que regarder la ville, il ne peut en être autrement. Car le regard, quand il est seul, est une brèche faite à soi-même, une reddition inconditionnelle, un relâchement des mailles qui permet à la ville d'entrer en soi comme le vent par les fenêtres ouvertes et de mener en soi le bal. Si, au contraire, en regardant la ville, j'affirme qu'elle est moitié verte, moitié bleue, et que je la tiens comme un bijou dans le creux de ma main, j'éprouve un délire semblable à ceux de la délivrance et de la conquête.

Je ne sais pas ce que Chamomor pense en ce moment, ce qu'elle fait. Je ne sais pas à qui appartient l'univers, à quel maître je dois obéir. Je ne sais pas d'où me vient la vie, à quoi il faut qu'elle serve. Je ne sais pas contre quoi doivent s'adresser mes armes, contre qui. Dois-je contempler béatement mon ignorance, me laisser déborder par elle ? Non ! Dois-je, comme le poète célèbre, regarder la saxifrage ombreuse et attendre, immobile, qu'elle me dise pourquoi elle me fait quelque chose ? Non ! Je prends, de toute mon âme, des positions. J'établis, de toutes mes forces, des certitudes. C'est ce que je fais ! Je donne arbitrairement une autre forme à toute chose qui, par son manque de consistance ou par son immensité, est impossible à saisir... et alors, à la faveur de cette autre forme, je saisis la chose, je la prends dans mes mains, dans mes bras, mais surtout : dans ma tête. Pour parer à l'insuffisance qui ne me permet pas d'agir sur les choses et les activités indéfinissables de la vie, je les définis noir sur blanc sur une feuille de papier et j'adhère de toute l'âme aux représentations fantaisistes ou noires que je me forge ainsi de ces choses et de ces activités. Par exemple, j'affirme que la terre (que les meilleurs astronomes n'ont pas encore comprise) est une tête d'éléphant roulant à la dérive dans un fleuve d'encre bleu azur... et alors, dans ma tête, elle n'est rien d'autre que ça. J'affirme que la lune est une tête de mort qui pend par un fil d'araignée du plafond noir d'une chambre qui est ma grande chambre. Les étoiles stridulent quand, au mois d'août, la nuit bat son plein : j'affirme que les étoiles sont des grillons, des criquets. Les ténèbres sont une agglomération de uhlans noirs, un magma de uhlans noirs en fuite vers le siège de Québec, de Waterloo, de Verdun. J'affirme que tout ce qui touche ma peau est une chenille. Quand Constance Chlore m'embrasse sur le front, je crois, dur comme fer, qu'une chenille me passe sur le front, une chenille orange et noire. Quant à Chamomor, je sais, exactement, où elle est, ce qu'elle fait et quel sentiment elle m'inspire. Chamomor est debout au milieu d'une rue d'une ville du Danemark, elle m'attend fixement, et je la hais. Maintenant, je sais que je la hais. Maintenant je sais quoi faire à son sujet : haïr. L'univers lui, est commandé par un titan qui essaie de me faire avoir peur, qui veut que je me soumette à lui. Maintenant, je sais que l'univers est la maison d'un autre.

— Et la mort ? émet doucement Constance Chlore. Qu'est-ce que c'est ?

— En termes ordinaires, c'est une défaite. En termes délirants, elle porte le nom de triomphe. Mais il faut prouver que la mort est un triomphe, me diras-tu. Les preuves servent à établir des certitudes, c'est bien connu. Mais à quoi servent les preuves quand on a les certitudes ? J'ai la certitude que la mort est un triomphe. Les preuves ? Elles sont là, à attendre que je meure pour me donner raison. De toutes tes forces donne à la mort le nom de triomphe. C'est tout. De toute ta foi appelle la mort triomphe. Pourquoi l'appeler défaite ?

— Triomphe ! émet triomphalement Constance Chlore. Quel beau nom ! J'ai fait un rêve : Debout sur ses pattes de derrière, une grenouille aussi grande que moi m'enlaçait. Et la peau d'un vert très pâle de cette grenouille était tatouée de grosses roses rouges. On aurait dit que, comme une vieille chaise, la grenouille était vêtue de tapisserie.

— Ce n'était pas un rêve. Ça t'est arrivé. Une grenouille t'a rencontrée, s'est mise debout sur ses pattes de derrière et t'a embrassée. Pourquoi veux-tu que seulement des choses banales t'arrivent ?

— C'était donc une vraie grenouille ? émet rêveusement Constance Chlore.

— Le ciel est plein de fourchettes volantes et de cuillers volantes. Pour ne pas les avoir vues, il faut avoir les yeux bouchés à l'émeri.

— Regarde, Bérénice ; il y a un raton laveur sale d'assis sur le bonheur-du-jour. Chutttt !

Il neige, pour la première fois cet hiver. Au bord d'un parc que la neige a généreusement salé de sa lumière en forme de duvet, une mère et son enfant attendent l'autobus. L'enfant, tiré par la neige, n'en pouvant plus, s'arrache de la main de sa mère, s'y élance en riant, y patauge comme dans l'eau, y rue, y tombe, la fait rejaillir, s'éclabousse. Le Canada, quand ils l'ont vu pour la première fois, ils l'ont appelé Nouveau Monde. Le parc frais rempli de neige, c'est le Nouvel Océan. Nous y courons en tous sens, Constance Chlore et moi ; et courir devient découvrir.

Nous nous roulons, nous battons dans la neige. Nous nous parlons dans la neige, nous regardons dans la neige... Tout ce que nous faisons dans cette première neige devient premier comme la neige, nouveau comme la neige, neuf. C'est comme si je n'avais jamais parlé à Constance Chlore, ne l'avais jamais regardée. Nous sommes prises par la neige, prises au piège de la neige, avalées. La gorge serrée, le cœur serré, la tête bouillante, l'âme à fleur de mains et de jambes, nous sommes asphyxiées par la neige. Vacherie de vacherie ! Maudite neige ! Les mains pleines de neige, les pieds pleins de neige, les vêtements pleins de neige, nous courons encore dans la neige, la neige garde encore tout son mystère. J'ouvre mon cartable et, un par un, lance mes livres et mes cahiers dans la neige. Constance Chlore, impressionnée, fait comme moi. Épuisées, à bout de réponses au mystère de la neige, nous ramassons nos livres et nos cahiers et rentrons au columbarium. Ne rien comprendre à la fièvre que donne la neige de la première fois qu'il neige, c'est vraiment insultant. Maudite neige ! Vacherie de vacherie !

Il n'y a personne dans la salle à manger de la cage. Le vaisselier gît, face contre terre, dans les ruines de sa vitrine en forme de vitrail et de ses porcelaines de Saxe. Un chapeau de feutre taupé et une paire de souliers à semelles épaisses gravitent autour des dégâts. Les vantaux du boudoir sont fermés. A en juger par le tumulte et les cris qui débordent du boudoir, nous pourrons y surprendre plusieurs personnes en flagrant délit de haine. Je me dresse soudain sur mes ergots. Car voilà que, parmi les éclats de voix, je reconnais ceux de mon bien cher papa. Nous entrons sans frapper. Nous pénétrons dans une véritable tornade. Einberg est bien là, tout à fait là. Les bretelles cassées, les lacets en bataille, le revolver sens dessus dessous, les deux gendarmes qui se débattent pour le contenir n'y suffisent pas. Einberg s'agite comme un possédé, comme un barman agite un shaker. Il râle, crie, écume, bave. Il se démène comme un coq qui vient de subir le sort d'Holopherne. Il bat des bras, des jambes, du ventre, de la tête. A bout de force et de sueur, les gendarmes dégainent leurs matraques et lui en appliquent des coups retentissants sur la tête. Plus ils frappent fort, plus Einberg se démène. Il mord l'air à grands coups de mâchoire. Mes muscles se sont raidis, vibrent comme des cordes de violon. Je sens mon cerveau perdre pied. Soudain, les yeux flamboyants de cris d'Einberg se fixent sur moi. Il s'arrête de se démener. Que va-t-il faire ? Sa figure crispée comme un chat agonisant se détend, et il éclate de rire. Ne tenant plus qu'à un fil, mon cerveau s'échappe et je me mets à hurler, et je me vois devenir folle. Les cheveux droits sur la tête, les yeux vitreux et sanguinolents, la face tissée d'ecchymoses, les vêtements boueux et déchirés, il avance vers moi, me tendant les bras, riant de plus belle.

— Viens, chérie, chérie, chérie ! Je suis ton papa, chérie, chérie, chérie, chérie.

Pieds nus, il marche laborieusement, comme s'il portait des skis. Il est soûl. Il dégage une odeur forte, fétide. Il tombe à genoux. Son pantalon est fendu. La fente bée, révélant son cache-sexe. Il se relève. Il fait

210

un bond en avant. Il est tout près de moi, bras grands ouverts, riant à pleine bouche. Il va tomber sur moi. Je m'enlève. Il tombe avec fracas et, dans un rot formidable, se décharge à mes pieds de tous ses viscères.

Je n'ai pas dormi de la nuit. Constance Chlore non plus. Je me sens à la fois violente et incapable de bouger. Je suis comme possédée du démon : une force volcanique m'habite, une force douloureuse que rien au monde ne peut déclencher, assouvir. Je me roule, me mords, ne sais à quels gestes me donner. Cette force brûlante dans mon ventre, inutile, inépuisable, sans objet, comme une envie de vomir qui n'aboutit pas ! Constance Chlore pleure, me prend dans ses bras, me donne des baisers, ne sait à quel saint se vouer. Elle ferait tout pour me délivrer, mais il n'y a rien à faire ; elle est tout à fait impuissante. Elle me donne des potiches à briser. Elle me dit de la battre. Elle s'agenouille au milieu du lit, me tend une paire de ciseaux et me supplie de la tuer. Tue-moi, Bérénice. Prends ces ciseaux et tue-moi ! Fiche-moi la paix, Constance Chlore. Va te faire pendre ailleurs, Constance Chlore.

44

« Voici les fils de Hur, père d'Etam : Jezrahel, Jéséma, Jébédos ; le nom de leur sœur était Asalelphuni. » Et c'est tout ce que les Chroniques disent d'Asalelphuni. J'ai lu en vain les trois pages qui précèdent et les trois pages qui suivent. Il n'y a rien d'autre au sujet d'Asalelphuni. Asalelphuni n'a jamais mangé, jamais bu, jamais dormi. Elle n'était ni belle ni laide. Elle n'a jamais porté d'épée, jamais porté de cruche sur sa tête. Comme je la vois, Asalelphuni était la sœur de Jezrahel, Jéséma, Jébédos, n'était que ça, ne faisait qu'être ça. Elle passait les vingt-quatre vingt-quatrièmes de son temps à être la sœur de Jezrahel et des deux autres. Comme c'est beau ! Je voudrais être comme elle, être une sœur comme une statue est une statue. Je voudrais, quand je passe, qu'on sente à fleur de vue que je suis la sœur de Christian et que je ne suis rien d'autre. Quand les hétéromyaires voient une formation d'hyponomeutes s'abattre sur un poirier en fleur, ils voient tout de suite de quoi il s'agit. Les hétéromyaires ne se disent pas : « Amis, accourez ! Voici qu'une meute de loups s'abat sur un pommier en fruits. » Non ! Non ! Ils se disent : « Accourez ! Voici qu'une formation d'hyponomeutes s'abat sur un poirier en fleur. » Je voudrais que les êtres humains voient sur mon visage que je suis la sœur de Christian. Que je suis la sœur de Christian, il faudrait que ça se voie comme ça se voit quand il vente. Que faudrait-il que je fasse pour que le simple fait d'être la sœur de Christian soit écrit sur mon visage ? Faudrait-il que je porte un uniforme, comme les marins et les rabbins ? La fée est facilement reconnaissable à sa baguette et à ses pieds nus. Les poissons nagent. Coligny grignotait des cure-dents. Napoléon portait son bicorne de travers. Que fait une sœur ? Faudra-t-il, pour que ce soit bien clair que je suis une sœur, que, comme le hérisson, je porte une longue chevelure d'aiguilles à coudre ? Oui ! Si un poirier se mettait à porter des pommes, des citrons et des citrouilles, personne ne reconnaîtrait plus en lui un poirier. Pour être un poirier et continuer d'en être un, il faut qu'on porte des poires et continue à ne porter que ça. Pour que je sois la sœur de Christian, il faudrait que tout ce que je fais ressemble à des poires. Quand je serai tout à fait adulte, je m'y mettrai. Je sais maintenant quoi faire de ma vie. Que je me sens bien de savoir ça. Que ça soulage. Si j'avais une sœur, je l'appellerais Asalelphuni et elle serait comme Asalelphuni. Elle ne serait rien que ma sœur. Je suis la sœur de Christian, une sœur ! affirmerai-je.

— Donne-nous des preuves de ce que tu affirmes !

— Je ne porte pas la moindre prune. Vous voyez bien que je ne porte que des poires.

Pendant le cours de physique, je pense à Asalelphuni. C'est fou. Je pense à Asalelphuni et ne peux en venir à bout. Les poires sont une solution stupide à mort. Je le sais bien, mais je ne peux faire mieux. Les yeux fixés au plafond, je suis si fâchée après moi que je n'entends rien de ce que raconte le professeur de physique. Alors, le professeur, avec la voix de cet infusoire infundibuliforme appelé stentor, crie mon nom :

— Bérénice ! Bérénice ! Bérénice ! Qu'avez-vous ?

— J'ai un problème.

Et, se croyant spirituel à mort, il me tend sa craie et m'invite à aller exposer mon problème à l'ardoise. Il y en a bien plus dans trente têtes que dans une seule...

etc., etc. Pas plus bête que lui, je prends la boutade au pied du hiéroglyphe (de la lettre, si vous voulez) et me lève. « Le monde me colle à la peau comme des poux au cuir chevelu. Et j'en ai assez. Et j'en ai suffisamment. » Pénétrée de cette sombre hypothèse, je monte sur la tribune, prends la craie et trace sur l'ardoise une vague tête d'éléphant.

— C'est la terre ! dis-je. Est-ce que c'est bien compris ?

Ensuite, je trace un petit triangle à l'intérieur de la tête d'éléphant.

— Et ce triangle, c'est moi, Bérénice Einberg. Comme vous le voyez, la terre me borne des trois côtés, la terre me presse de toutes parts. Je ne suis qu'une tache à la terre. Je ne suis pour la terre qu'une pustule qu'elle absorbera, dont elle guérira. Et ça s'explique facilement d'ailleurs par son mouvement de translation, mouvement qui n'est pas sans affinité avec celui d'une baratte. Or donc, je ne suis pas un être libre et indépendant, mais une sale excroissance, une sorte de verrue avec des bras et des pattes, une sale verrue poussée à la surface de la terre et se nourrissant à même ce sale être qu'est la terre. Que faudra-t-il que je fasse pour être moi-même, pour être par moi-même, pour cesser de n'être qu'un infime parasite de l'être qu'est la terre ? Que faudrait-il que je fasse pour ne plus avoir à dépendre de tout, tout le temps, pour tout ? Chaque fois que la terre tremble vous tremblez. N'en avez-vous pas assez ? N'aimeriez-vous pas mieux être ce qui tremble ? Que faut-il faire pour être libre ? Élève Constance Chlore, quelle est votre solution ?

214

— Pour se libérer de la terre, il faut s'élever au-dessus de la terre.

— C'est une solution, mais ce n'est ni l'une ni l'autre des deux solutions que j'ai en tête. Or, je peux seule avoir raison. Par conséquent, je vous donne un gros zéro. Rasseyez-vous ! J'attends ? Quelqu'un d'autre a-t-il une autre solution aussi stupide à proposer ? Personne ? Excellent ! Très excellent ! Très très excellent ! Donc, zéro pour Constance Chlore et cent sur cent pour tous les autres.

Je me tourne de nouveau vers l'ardoise et, armée de ma craie d'une main féroce, je hachure à grands traits la tête d'éléphant, prenant cependant bien soin de ne pas toucher au petit triangle.

— Voilà ce qu'il faudra que je fasse pour être libre : tout détruire. Je ne dis pas nier, je dis détruire. Je suis l'œuvre et l'artiste. Ce qui m'entoure, ce que je vois, ce que j'entends, c'est le marbre d'où je dois sortir, à coups de hache, de ciseau et de brosse. Dans un bloc de marbre il y a un buste, mais à une condition, à condition de sculpter. Est-ce clair ?

— Si vous détruisez tout, de quoi allez-vous vous nourrir ?

— De rien, imbécile ! Et je mourrai de faim ! Mais, pendant deux jours, j'aurai été libre !

— Ce n'est pas très gai. J'aime autant manger plein mon ventre.

— Moi, ma fille, j'aime autant ne rien manger que d'être mangée par la terre. Mais il y a une autre solution. J'ai bien peur qu'elle ne plaise pas davantage aux petites natures.

A ma demande, Constance Chlore vient brosser l'ardoise et dessiner une autre tête d'éléphant. A l'intérieur de la tête, au lieu de dessiner un petit triangle, elle dessine une teigne reine. Je lui dis qu'elle est talentueuse et la renvoie s'asseoir. Elle me remet la craie. Nos doigts se touchent, se reconnaissent. Revenant à son travail, j'entoure la forme de la teigne de formes semblables jusqu'à ce qu'à sa limite le développement de cette forme contienne en entier la tête d'éléphant.

— Voilà ce qu'il faudra que je fasse pour être libre : tout avaler, me répandre sur tout, tout englober, imposer ma loi à tout, tout soumettre : du noyau de la pêche au noyau de la terre elle-même. On peut avaler militairement, administrativement, judiciairement. Cette seconde solution est la plus fréquemment employée. D'ailleurs, nous en sommes tous un peu victimes. Qui n'est pas avalé, militairement, administrativement, judiciairement, monétairement et religieusement ? Qui n'est pas avalé par un évêque, un général, un juge, un roi, et un riche ? Donc, tout incorporer. Mais j'aime mieux tout détruire. Je ne sais pas pourquoi. C'est plus désintéressé, plus rapide, plus joli. Ça me donne plus envie de rire, si vous voulez. Et puis, est-ce que ma première solution ne suppose pas l'identification de la plus totale victoire avec la mort ?

Je suis très applaudie. Je suis bannie de la classe pour le reste de la journée.

Je cours après toutes les Bérénice de la littérature et de l'histoire. J'apprends que Bérénice d'Égypte a épousé son frère, Ptolémée Évergète, et s'est fait assassiner par son fils, Ptolémée Philopator. L'idée de devenir l'épouse de Christian me plaît. Si vous voulez, c'est une de ces idées qui me donnent envie de rire quand j'ai mal à l'âme comme aujourd'hui. Bérénice, fille d'Agrippa Iᵉʳ, me plaît moins, quoiqu'elle ait assisté sans broncher à la condamnation d'un des apôtres du Christ. A lire et relire la *Bérénice* d'Edgar Poe, je prends l'habitude de faire ce qu'elle fait, d'être comme elle est. L'influence qu'exercent sur moi ces Bérénice n'est pas à négliger. J'ai tellement besoin de croire en quelque chose et peux si peu croire en ce qu'on croit. J'ai besoin tellement d'un chemin que je prendrais volontiers, s'il m'était offert, le chemin de n'importe quelle Bérénice. Il faut que les pouvoirs de l'imagination soient grands pour que la seule coïncidence de quelques syllabes provoque un accommodement si vif de tout mon être, et un si grand désir.

J'ai lu que Ganymède était le plus beau des mortels et qu'ayant pris la forme d'un aigle, Zeus ou l'autre (Jupiter) l'enleva pour en faire l'échanson des dieux. Gloire ou déchéance? Déchéance! Déchéance!

Constance Chlore me prédit qu'un jour je mendierai aux portes de Séville. Je me demande où elle prend des prédictions pareilles. Elle doit avoir vu un opéra quelque part. Il faut qu'elle m'aime beaucoup pour inventer de pareilles prédictions pour me plaire.

Chamomor est venue, changée, les cheveux raccourcis, les cheveux courts et tout en virgules. Elle était très triste et très belle. Elle avait l'air de Jeanne d'Arc avec ses cheveux courts. Il y avait bien deux ans que je ne l'avais pas vue. Elle portait des souliers si petits, si

attendrissants, que j'avais envie de lui couper les pieds
à coups de hache. Deux petits pieds, deux petits coups
de hache. Floc ! Floc ! Elle m'a trouvée changée.

— Que tu es grande ! m'a-t-elle dit, les larmes aux
yeux.

45

Après avoir complété un cours de cor anglais, j'en
entreprends un de clairon. Je veux tout savoir. Qu'est-
ce que je risque ?

C'était écrit, il fallait que je fasse la rencontre de
mesdemoiselles les menstruations. Je suis pleine
d'ovaires, maintenant. Les ovaires sont des œufs. Ne
cours pas trop vite, Bérénice, tes œufs vont se briser.
Je commence à avoir des mamelles. Ne cours pas trop
vite, vache, ton lait va surir. Hier soir, comme tous les
lundis et les vendredis, je me rends chez mon vieux
maître de musique. Tout se passe dans l'ordre. Il m'a
prise par le cou, et je souffle, avec un enthousiasme
débordant, dans l'embouchure de mon instrument.
J'ai mal au ventre, de plus en plus. Je pense que c'est
parce que ce vieux sacripant m'écœure, mais, hélas,
c'est faux. Je croyais que je deviendrais adulte sans
passer par les affres dont les filles parlaient tout bas au
vestiaire. Il a fallu que je change mon fusil d'épaule. Je
rentre au columbarium pliée en deux, me répétant,
sans le vouloir, cette phrase retenue je ne sais pourquoi

par ma mémoire : « Elle demeurera sept jours dans son impureté et quiconque la touchera sera impur jusqu'au soir. » Je rentre au columbarium plus seule que jamais. Sur ma route, je rencontre le néon familier qui annonce : « Cordonnier. » J'y vois : « Cochonnerie. » Personne ne saura ce qui est arrivé. Je rentre au columbarium plus seule que jamais, me disant que je ferai des économies et que j'irai voir en secret un chirurgien pour qu'il mette le scalpel une fois pour toutes dans mon écœurant appareil sexuel. Je vomis sur un lampadaire. Je manque m'évanouir sur le trottoir. Dieu, que ça va mal ! Vacherie de vacherie ! Je n'ai jamais eu de chance ! Il faut que personne ne s'en aperçoive. Je gagne la cage par les escaliers de secours, y pénétrant par le petit soupirail aérant le buen-retiro. Des masses de sang, de lymphe et de chyle se coagulent sur mes cuisses, dégageant une odeur stercoraire. Je me déshabille en toute hâte, fais un tas de mes vêtements souillés, y mets le feu, et confie les cendres à la chasse d'eau. Je remplis la baignoire d'eau glacée. Je m'y jette comme sur une planche de salut et passe la majeure partie de la nuit dedans, à me savonner, m'épiler, blasphémer et jurer vengeance.

La blanche et pure Constance Chlore dort, en chien de fusil, presque lovée, le cou et les poignets noyés de dentelle, l'ampleur de sa longue chemise imprimée de pavots escamotant les formes de son corps. Je la tiens embrassée en pleurant. Elle dort comme un loir, comme quand on peut démolir le columbarium sans qu'elle se réveille. Elle dort, front humide.

— J'aurais tant donné pour être épargnée ! lui dis-je, dis-je à son beau visage sourd et aveugle. Pauvre Constance Chlore ! Si tu savais à quoi tu t'exposes à dormir ainsi, sans armes et sans sentinelles. Pauvre chérie ! Pauvre trésor ! Ne te laisse pas faire !

Je vois les pores s'ouvrir comme pour un tamis dans la nacre du visage de Constance Chlore. Je sens un relent de pétrole s'infiltrer dans son haleine si douce, dans son souffle qui goûte l'eau de rose. Je vois des nerfs saillir sur ses mains unies et dans son cou uni. Je vois ses chairs fermes comme pierre se relâcher, fondre, se distendre, se charger de poix. Je vois sa tête de diamant se ratatiner comme une pomme malade. Je la vois, une cigarette au bec, se mettre un soutien-gorge et des bas de nylon. Je vois sa peau jaunir comme de l'étamine qui pourrit et se boursoufler comme ce que vous voudrez. Je vois des seins en forme de grands sacs vides tomber sur un ventre en forme de globe. Je la vois changer, changer jusqu'à disparaître. Il faut la sauver, qu'elle échappe au sadisme du titan. Il faut vite que j'invente un harnachement, un frein, un poison, un lieu. Il faut qu'elle demeure, qu'elle ne change pas. Il faut la soustraire aux racines qui la dévorent, la libérer, couper le fil de l'onde qui l'emporte loin d'ici. Il faut qu'elle reste pour veiller sur cette nuit comme je veille cette nuit sur elle, pour monter la garde devant notre enfance. Pourquoi faut-il que cette nuit passe ? Pourquoi cette nuit ne s'arrête-t-elle pas de sombrer ? Pourquoi cette nuit ne s'immobilise-t-elle pas et ne devient-elle pas à jamais une nuit dans laquelle, lorsque nous serons vieux, nous pourrions entrer, une nuit que nous pourrions visiter comme on peut visiter un grenier ? Pourquoi n'existe-t-il pas, à côté du temps, un jour ensoleillé dans lequel nous pourrions entrer pour aller faire, dans une rivière de marguerites, nos gambades d'hier et d'avant-hier ? Comment puis-je songer à m'arrêter ? Les Khazars menacent dangereusement notre arrière-garde. Il me faut vite dormir, afin de refaire mes forces, afin de reprendre demain, fraîche et dispose, la fuite.

46

Constance Chlore ne parle pas aujourd'hui, ne court pas, ne fait rien. Elle reste assise, à émettre des ondes de tristesse et d'angoisse. Ne pas voir Constance Chlore être vive et gaie m'inquiète jusqu'au remords, me dépayse jusqu'à la désorientation. Qu'a-t-elle donc ? Elle ne sait pas. Elle a comme un pressentiment. Elle est comme découragée, sans savoir trop pourquoi. A-t-elle mal à la tête, au ventre ? Non. Comme elle, avec elle, je suis comme découragée sans savoir trop pourquoi.

— Qu'est-ce que tu as ? Parle !

— Rien. J'ai comme un mauvais pressentiment.

— Quelle sorte de pressentiment ? Parle ! Tu ne peux pas savoir ce que ça me fait de te voir triste.

— Je suis vide. Je me sens vide comme quand j'ai appris que mes trois frères s'étaient fait tuer. Abel s'est fait tuer lui aussi, j'en suis sûre. Je suis vide. Je suis une maison d'où les gens sont partis en emportant les meubles et les rideaux.

— Moi aussi, je me sens vide. Mais il peut mourir n'importe qui. Je m'en fiche.

— Ne dis pas ça. Qu'allons-nous faire, Bérénice?

— Partons, Constance Chlore. Partons. J'en ai jusque-là. Allons-nous-en.

— Si tu veux. Tout a si peu d'importance aujourd'hui.

— Sautons dans la première caravelle.

— Jetons-nous dans le prochain trois-mâts.

Nous sommes en train de revenir de l'école. Nous faisons demi-tour, sans trop y croire, et nous nous postons devant un relais de trolleybus. Nous passons la nuit à tourner en rond, à marcher et à bondir de trolleybus en trolleybus sans pouvoir sortir de la ville. Où que le trolleybus s'arrête, nous nous ramassons en plein cœur de la ville. C'est comme si nous étions victimes d'une conspiration.

Il fait noir comme sous terre. Nous marchons vite. Il faut vite sortir de cette ville. Nous marchons en faisant comme si ce n'était pas nous qui nous déplacions. Nous jouons à nous imaginer que nous sommes immobiles et que c'est la ville qui marche, que la ville s'écoule de chaque côté de nous comme un fleuve. Nous regardons les angles des édifices glisser vers nous comme des étraves. Tête en l'air, nous voyons les immenses néons passer au-dessus de nous comme des ptérodactyles et nous découvrir comme par rotation la claie fantastique de leur armature noire. Une enfilade d'automobiles stationnées processionne en silence à notre rencontre. Une maison de rapport isolée dans un terrain vague tourne sur elle-même comme un mannequin vivant et nous découvre successivement trois de ses quatre faces. Une rampe de réflecteurs fixée au faîte de la façade d'un grand magasin retient notre attention. Les couleurs éclatantes des drapeaux qu'elle éclaire se tordent dans le noir absolu du ciel. Un trolleybus nous abandonne sous une voie surélevée. Sous la voie surélevée, nos pas résonnent comme dans une cathédrale vide. Excitées par l'écho, nous nous mettons à courir entre les énormes piles de béton. Plus nous courons vite, plus, en se répercutant, nos pas ressemblent à des applaudissements. Bien entendu, nous courons aussi vite que nous pouvons.

— Regarde, là-bas !

Elle me fait voir, loin en contrebas, là où plusieurs voies surélevées se croisent, comme un vaste envol d'oiseaux lumineux figé entre ciel et terre. Elle n'a pas l'air de savoir ce que c'est. Elle a ouvert grands les yeux.

— Ce ne sont que des lumières. Qu'est-ce que tu crois ?

— Comme elles sont blanches ! Regarde : elles sont faites en V, comme si elles avaient des ailes. J'ai peur, Bérénice. Si c'était la fin du monde. J'ai un mauvais pressentiment.

Je l'emmène regarder les grandes lumières jumelées en V et infiniment blanches qui, juchées au bout de hautes potences, éclairent la portion de voie surélevée sous laquelle nous courions. Elle ne semble pas très rassurée. Tout à l'heure, elle trouvait le vent trop doux

223

pour être naturel. Son mauvais pressentiment ne la lâche pas.

Le jour se lève. Une clarté d'aquarium baigne la ville, une clarté vide, une clarté muette et immobile, une clarté comme je n'en ai jamais connu et que, comme Constance Chlore, je ne trouve pas naturelle. Le trolleybus qui nous transporte roule, presque vide, dans une avenue où l'on ne voit personne, où aucune automobile ne circule. La tête lui allant de midi moins le quart à midi et quart, Constance Chlore cogne des clous. Je la secoue par le nez pour ne pas qu'elle s'endorme. Je suis si fatiguée que je crois que je l'oublierais dans le trolleybus si elle s'endormait. En face de nous, une femme d'âge mûr dont toute une joue est mangée par une balafre embrasse dans le cou un grand nègre jeune dont la braguette bée. Le vieillard soûl qui vient de monter gigue au milieu de l'allée ; se trouvant drôle, il nous regarde en riant. Constance Chlore, se croyant en enfer, se met à pleurer, doucement. Dans la ruelle où nous marchons en traînant les pieds, les maisons sont basses, vieilles, sales, serrées les unes contre les autres. Au-dessus de la palissade qu'elles forment, dans un au-delà de brume blanche, un gratte-ciel se dresse, gigantesque et spectral, qui ne semble être que le diaphane pan de fenêtres éclairées qu'il nous présente, et qui se trouve toujours, bien que nous avancions et avancions, au même endroit de notre regard. Je pense, gravement, à un vaisseau d'étoiles en perdition dans les marais du matin.

Nous nous retrouvons, par hasard, devant le columbarium. Nous y entrons. Merveilleusement, nous tombons dans notre lit et, merveilleusement, nous nous endormons. Pendant deux jours, dans la cage des saint-je il ne sera plus question que de notre coup de tête sans queue ni tête, stupide, incompréhensible, ridicule, idiot, imbécile, sot, incroyable. Mais tous les bavardages pourrissent et meurent, même ceux provoqués par un coup de tête sans queue ni tête.

Je reviens de ma leçon de clairon. Il fait tiède. Je suis de bonne humeur. Je me dis qu'il vaut mieux apprendre le clairon et l'accordéon que l'arquebuse. La rue est saisie d'un de ces silences éclatants qu'on ne peut trouver qu'en montagne. Le crépuscule a hissé sa tapisserie jusqu'au-dessus de la masse fuligineuse des gratte-ciel. Le crépuscule embrase le frêne à quatre feuilles de chez Dick Dong, le seul arbre en vue. On m'appelle. Je me dresse sur la pointe de mes oreilles. On appelle encore. C'est la voix de Constance Chlore, qui, malgré l'heure tardive et la défense des avunculaires, est venue à ma rencontre. Au bout du bras, passionnément, elle agite ce qui me semble une lettre. Elle court comme une folle. Le trottoir claque sous ses pieds nus. Ses cheveux sautent, dansent comme des petits lutins. Soudain, une auto sort à reculons d'un sous-sol, surgit vivement à la hauteur de Constance Chlore, se dresse contre elle de toute son immonde ferraille. J'ai à peine le temps de crier. L'auto l'a renversée et broyée. Déjà le sang noircit le trottoir. Le sol a disparu de sous mes pieds, comme la trappe sous les pieds du pendu.

De la main, fiévreusement, vainement, je cherche le

225

battement familier de son cœur. Sa poitrine rompue est molle, cède comme de la neige sous mes mains. Sous l'effet d'un dernier spasme, ses doigts s'accrochent à mes bras et s'y plantent. Ses yeux livides concentrent dans mes yeux leurs derniers feux. Va-t-elle parler ? Parle ! Parle ! Parle ! Dis-moi quelque chose ! Des larmes se sont agglomérées dans ses cils. Parle ! Une sorte de sourire émane de sa figure restée intacte, une sorte de vraie joie. Elle parle. Elle prononce mon nom.

— Ça ne fait rien, répète-t-elle. Ça ne fait rien. Ta lettre.

Des faces affreuses, hostiles, méchantes, ridicules, grouillent autour de moi, dans une presse suffocante. Je me rue sauvagement contre ces faces. Je m'arc-boute et, aveuglément, en tous sens à la fois, de tous mes bras et de tout mon poids, je les repousse, les refoule, les éloigne. Une de ces faces s'est penchée au-dessus du cadavre et s'apprête à y porter les mains. Je lui saute aux yeux, la laboure de mes ongles, la mords. D'un seul geste, sans effort, j'ai pris le cher corps dans mes bras et je cours, l'emportant loin des faces. Elle est si légère, si légère qu'elle m'emporte, qu'elle me rend aussi légère que ces pluviers que nous voyions trotter sur la plage, qu'elle m'enlève comme le ballon enlève la nacelle, que je m'élève dans l'air, que je vole.

Constance Chlore n'est plus. Drôle d'idée. Sur le coup, j'ai perdu les pédales. Maintenant, je ne sens rien. Donc, c'est ça la mort de Constance Chlore. Donc, c'est ça, une feue Constance Chlore. Si elle m'entendait la pauvre, elle qui avait tant de respect pour les décédés. Mais, belle amie, est-ce qu'on est responsable de ne pas avoir de larmes, est-ce que le puits est responsable de ne pas avoir d'eau ?

Je n'assisterai ni à son service funèbre, ni à ma mise en terre. Je ne porterai ni le cercueil, ni le deuil. Ils penseront et diront de ma conduite ce qu'ils voudront. Si ma conduite peut les faire endêver, je suis bien contente. A peine au lendemain de ce premier choc avec la mort, il me tarde que le soleil se lève, que la ville s'éveille, que la vie reprenne. Mort, si tu savais comme j'ai hâte de voir ta face en plein soleil, comme j'ai hâte qu'il fasse assez jour pour que tu puisses me voir rire de toi. Constance Chlore est morte et je m'en porte bien. Morte, Constance Chlore ne me dit rien… D'ailleurs, les morts ne sont pas parlants, ils ne disent pas grand-chose à qui que ce soit. Pas de deuil, merci.

47

Après avoir été incinérée, Constance Chlore a été enterrée dans le magnifique ossuaire de la Hêtraie, à Montréal. Je souhaite crever au milieu d'un désert. Et je souhaite que pourrisse, là où je tomberai, ce que les vautours, puis les chacals et les fourmis auront dédaigné. Ils m'ont rendue violente : j'ai soif de sang. Faut-il voir comme une simple coïncidence que j'aie désiré la mort de Constance Chlore ? Réponse : non. J'exerçais sur elle de grands pouvoirs, une fascination hypnotique. Je l'ai tuée : je l'affirme froidement, je le crois dur

227

comme fer. Il ne fallait pas qu'elle continue de vivre ; ç'aurait été un blasphème à sa beauté et à sa spontanéité. Elle a senti que je voulais sa disparition. Pourquoi, tout à coup, la vie lui a-t-elle paru si insensée ? Elle s'est supprimée pour me faire plaisir, comme pour me faire plaisir elle trottinait derrière moi. Elle s'est fait tuer pour se conformer à un impératif mystérieux issu de ma volonté. On peut assassiner par télépathie, et je l'ai fait. Il m'arrive de rire de la mort de Constance Chlore, sardoniquement, charmée par ma propre puissance, comme sous l'effet de l'ivresse, comme quand on a joué un bon tour à quelqu'un de haïssable. Est-ce de la folie ? Réponse : non, c'est de la force. Et si, même avec les preuves du contraire, je voulais croire dur comme fer que c'est moi qui ai tué Constance Chlore, personne ne pourrait m'empêcher de le faire. C'est de la force.

Les portes de la cathédrale du voisinage restent ouvertes jusque tard dans la nuit, comme pour accueillir quelque Émile Nelligan. Nous la fréquentions, Constance Chlore et moi. Je reste debout pendant de longues minutes, fixement, sous les voûtes. La tête jetée en arrière, entêtée, j'écoute des phrases de Constance Chlore me revenir.

— Pourquoi les enfants se tiennent-ils par la main ? Est-ce que c'est parce que leurs parents le leur ont dit ? Pourquoi ne nous tenons-nous pas par la main ? N'as-tu pas peur de me perdre ?

Je me tiens debout au milieu de la nef, et je me laisse stupéfier par la paix, la grandeur, la richesse et le déraisonnable des lieux. Des orgues vrombissent et je me tiens debout au cœur des orgues, d'abord inquiète, puis apeurée, transie, comme soumise à une tempête glaciale. « Ce fut un grand vaisseau taillé dans l'or massif. » Je me ferme les yeux, et il me semble que sous mes pieds une mer roule des vagues plus hautes que des montagnes. Partir. Encore partir. Toujours partir.

J'ai lu *I the Jury, Kiss me deadly, Sylvia, The Hot Mistress*. Ce ne sont pas des titres qui ont fait l'objet de dissertations doctorales. Mon petit bénéfice mensuel de dix dollars ne suffirait pas à payer toute la littérature pornographique que je consomme. J'ai, généreusement, recours au larcin. Mon furieux goût de lire des mauvais livres me vient de mon furieux goût pour l'isolement et le mauvais rêve. Dans un livre, on est seul. Dans un mauvais livre, il y a des meurtres, des cochonneries, tout ce que je souhaite au monde. Je ne les méprise pas encore assez. Si je pouvais les voir tous pris dans la brutalité et la cochonnerie jusqu'au cou, ça m'aiderait. Aussi, j'éprouve une belle volupté à exposer les jaquettes scandaleuses de « mes » livres aux regards idiots des avunculaires, des cousins, de mes professeurs et de mes compagnes de classe. Je connais, en ce sens, mes plus énergiques sensations à parcourir un roman d'Orrie Itt à la synagogue, coincée entre Zio et son aîné. Je lirais aussi du Christian, s'il daignait m'écrire, l'infâme. Je n'ai pas reçu une seule lettre de lui. Occasionnellement, Chamomor me donne de ses nouvelles. Il va bien. Il est de l'autre côté de l'Atlantique, en Europe, en Pologne, en Silésie, à Walbrzych pour tout dire. Il vit là aux crochets des Brückner. On dit qu'il a commencé ses études de biologie. On dit qu'il ne cesse de lancer le javelot. On dit qu'il aime mieux le javelot que ses manuels de biologie. Chamomor et Einberg viennent me voir, trop souvent, il me semble. Ils viennent me voir, mais ils ne me voient pas. Je m'enferme dans ma chambre et je refuse de les voir. J'ai entendu dire à travers les branches qu'Einberg et Chamomor cherchent à se réconcilier. Ce qui veut dire, je pense, que Chamomor est prête à recoucher avec Einberg pour remettre la main sur sa sainte famille. Je n'aurais jamais compris ça si je n'avais jamais lu de livres pornographiques. Pauvre Jeanne d'Arc.

Je suis lasse. J'ai une grande bouche, une bouche de plus d'un empan de longueur. Une sorte de duvet croît sur ma lèvre supérieure, blanc et fin, à peine visible, semblable au revers d'une feuille de grémil. Quand j'aurai trente ans, j'aurai une moustache, une mouche et même, peut-être, des favoris. Je serai laide à mort. Mais, hélas, je ne pourrai pas en jouir, car je n'aurai pas trente ans. C'est trop beau pour durer, comme on dit.

J'apprends, lors d'une conférence présidée à l'école par un psychiatre éminent, qu'une vierge c'est quelqu'un comme moi. J'apprends également que j'ai une sorte de petit sexe masculin appelé clitoris, que si je le manipule systématiquement je me masturbe, que si l'opération est couronnée de succès j'éprouve une sorte de ténesme appelé orgasme. La terre n'a plus de secrets pour personne : elle est toute découverte, toute déshabillée. L'atome est tout déshabillé, tout découvert. Il ne restait plus aux êtres humains qu'à enlever leur caleçon aux jeunes filles ; ils ne se sont pas gênés. Il n'y a plus de secrets nulle part. Qu'est ce que je fais ici ? Quelles surprises est-ce que j'attends ici ?

— Est-ce que tu te masturbes, toi ? me demande une émancipée.

— Non, je suis en deuil.

— Ces types-là, savants éminents ou non, ce sont des cochons ! s'exclame une carrée (« square » en anglais). Si jamais j'en rencontre un dans la rue, je le mets en capilotade.

Baby you're so square ! (chanson populaire). Bébé tu es tellement carrée !

48

Après avoir soutenu un inutile siège d'une heure à ma porte, Einberg s'en retourne. Je l'écoute descendre l'escalier. J'écarte les rideaux pour le regarder sortir. Que vois-je ? Chamomor ! Elle s'engage dans l'allée du columbarium. Une curiosité avide me prend, me poussant à écarter davantage les rideaux. Il faut que je puisse bien les voir quand ils se rencontreront, bien voir faire leur haine. Le moindre tressaillement du moindre muscle de leur visage ne doit pas m'échapper. Je m'aiguise les yeux comme un chat s'aiguise les griffes. J'ai refusé de voir Einberg. Je me suis retirée dans ma chambre et j'en ai fortifié la porte avec le lit, le bonheur-du-jour et les deux chaises. Il a passé une heure à monologuer au travers de la porte. Sans perdre patience, sans jamais élever la voix, sans jurer, sans menacer, il m'a, pendant une heure, suppliée de le laisser entrer.

— Je t'apporte des gants de mouton mort-né d'Estrées-Saint-Denis. Je les ai personnellement commandés à l'artisan. Une jeune fille de ton âge et de ta condition se doit de porter des gants de mouton mort-né d'Estrées-Saint-Denis. Dis-moi que tu les veux.

Voici qu'Einberg sort. Ils marchent, l'un en face de l'autre, l'un vers l'autre, entre les deux haies de rosiers sauvages. Chacun, excessivement, a détourné la tête. Chacun, autant qu'il peut, s'écarte de la trajectoire de l'autre. L'un ou l'autre a-t-il parlé ? Voilà qu'ils se sont arrêtés. Que se disent-ils, tête basse ? Voici que, tout à coup, ils s'étendent les bras, décollent, volent l'un vers l'autre. De la prostitution en couleur sur écran géant ! Comme c'est doux à mon petit cœur de lectrice de livres pornographiques ! Ils s'enlacent, se harpent, se tordent ensemble comme deux torons. Ils sont vraiment ridicules à voir. C'est vraiment délicieux de les épier. On dirait un combat de catch. Le groin comme affamé d'Einberg, laborieusement, écrase et tord la bouche triste et tendre de Chamomor. Dans le feu de l'action, le feutre taupé d'Einberg tombe de sa tête sur les roses sauvages et des roses sauvages sur le gazon. Elle le dominerait de toute sa magnifique tête, mais elle ne cherche pas à tirer profit de cet avantage. Elle se penche pour être à sa hauteur. Se penchant pour être à la hauteur de sa situation, sa brillante jupe de crêpe marocain se soulève comme une cloche et, pornogra-

232

phiquement, découvre ses jarrets. Ils partent ensemble, joyeusement, bras dessus bras dessous, leurs hanches se frottant.

Une heure plus tard, Chamomor revient. Elle s'est chargée des gants de mouton-né d'Estrées-Saint-Denis. Imperturbablement, je maintiens mon silence et mon embargo.

Mon front, frissonnant d'angoisse, se souvient d'un mufle humide et tiède, d'une rose mouillée, de la bouche de quelqu'un de merveilleux. Je me vengerai de la mort de Constance Chlore. Je ne l'oublierai pas, titan ! Je ne me sens pas poussée à me venger, à ne pas oublier. Mais je ne vais pas laisser planté là, à ne rien me faire, un si beau cadavre. Et puis, qu'au lieu de me sentir poussée à me venger et me souvenir, je me sente poussée à pardonner et oublier, n'est-ce pas un mauvais tour du titan ? Et puis ce lit est si vide, si grand.

49

Je me suis si bien murée, j'ai tenu mes valves fermées si juste durant ces années d'exil, que cette nuit, comme beaucoup d'autres nuits, je me meurs, je me frappe la tête contre le plancher comme on frappe contre le coin d'une table une montre qui s'est arrêtée. Je ne peux pas dormir, tant je suis contractée, tant c'est violent dans mon corps et dans mon âme, tant j'ai mal. Je végète. Surtout depuis la mort de Constance Chlore, les rumeurs de la cage, de l'école et de la vie ne me parviennent plus qu'en sourdine. Je rôtis, moitié vivante moitié morte, dans un taureau d'airain où je me suis moi-même mise. Pousserai-je cette sotte jérémiade jusqu'à concéder que je suis malheureuse ? Non !

Si je ne suis pas heureuse, c'est que je n'ai pas cherché à l'être. J'ai déjà assez mal à chercher à conserver l'ombre de dignité qui me reste ! Si je n'ai pas, d'abord, cherché le bonheur, c'est qu'il ne me dit rien, qu'il est laid, qu'il suppose une collaboration avec la puanteur. Je me refuse à tout commerce avec le monde immonde qu'on m'a imposé, où l'on m'a jetée sans procès comme des esclaves aux galères. Ils m'ont jetée au milieu d'une chiourme si gueule, si ventre, qu'elle ne s'aperçoit même pas qu'elle a une âme, une chiourme prête à toutes les chaînes, à tous les crimes contre l'âme et sa fierté, pour avoir accès à l'auge que, trois fois par jour, les maîtres lui donnent à lécher. O maîtres, je mangerai plutôt mes excréments ! O maîtres, vos cages, sur roues comme sur béton, sur air comme sur mer, je vous les ferai ravaler ! Je resterai une mauvaise prisonnière, une galérienne insoumise et irrespectueuse. Je passerai mon temps à essayer de m'évader. J'endurerai en silence les estrapades que me mériteront mes blasphèmes et je continuerai à blasphémer. Qui que vous soyez, ô maîtres, autant que vous soyez, mortels comme divins, je m'insurge contre vous, je vous crache désinvoltement à la figure. Je vous appelle misérables, je vous appelle jouisseurs, sadiques, paranoïaques, schizophrènes. Si j'ai le cœur creux, c'est parce que j'ai choisi de ne pas me mettre à

234

quatre pattes, de ne pas japper, de ne pas me battre avec les quatre milliards d'autres pour vos reliefs. J'aime peu les loups, mais je préfère les loups aux chiens, parce que les loups préfèrent se dévorer entre eux à se faire promener au bout d'une laisse sur un trottoir pour faire leurs petits besoins. Je profite de l'occasion pour signaler que j'aime les avions parce que les avions de nuit portent une lumière de couleur au bout de chaque aile. Je ne suis pas heureuse, j'ai le cœur creux : je veux garder ce qui me reste de dignité. J'ai choisi d'être fidèle, loyale, de défendre jusqu'à mon dernier couac la cause perdue, les enseignes de l'armée vaincue. Mon maître est en otage. Mon maître est ailleurs. Mon maître s'est fait battre. Si mon maître ne s'était pas fait battre, est-ce que je serais prisonnière, est-ce que je serais aux mains de ces vendeurs de réfrigérateurs ? Si je suffoque ici, ce soir, seule, c'est que, malgré le poids de la meule attachée à mon cou, je me raidis, je me tiens droite, je ne m'incline pas, je ne plie pas. Je ne suis la servante ni des présidents des pays de la terre, ni des Yahveh des pays du ciel. Je n'immole de victimes pour aucun de ces généraux mal habillés. Je ne prie et ne m'agenouille pour aucun pardon, aucune rémission, aucun salut, aucune salade, aucune automobile, aucune monnaie. Je me souviens que j'ai été battue, que j'avais un autre maître. Je suis debout, à le rappeler. Je me souviens que je suis dans un camp ennemi. J'en dis des stupidités quand je veux. Je ne manque pas de talent. Je suis douée douée.

Depuis que j'ai des mamelles et que je n'ai plus de boutons, Mordre-à-Caille, l'aîné de mes cousins, m'aime en silence. Pauvre cher âne ! Il me tend des pièges tendres dans l'escalier, aux détours de la table, sur le pas des portes, dans le boudoir quand je condescends à aller regarder le poste de télévision. Il multiplie les allusions équivoques. Des regards coupables s'échappent de ses yeux de porc, de ses petits yeux à la Einberg. Je ne sais plus que faire pour refroidir l'agaçante ardeur de ce scrofuleux. Je lui ai offert de lui donner un petit spectacle de strip-tease. Il m'a fait entendre que c'était mon amitié qu'il voulait. Si c'est mon amitié que tu veux, cesse de me regarder entre les genoux ! Je ne lui ai pas mâché mes mots ! Ça ne lui a pas fait grand-chose. En silence, les yeux pleins d'eau, les mains moites, le cœur à fleur de peau, il revient régulièrement à la charge. Il veut mon amitié, absolument. Il veut que je lui sourie. Le grand nigaud ! Il me trouve jolie ! Il faut qu'il ait faim d'amitié en sapristi ! Je grandis, démesurément. Je grandis si vite que, du jour au lendemain, je ne trouve plus dans mon miroir qu'une sorte de gonflement boursouflé de moi-même. Qu'importe ! Je préfère devenir grande comme Chamomor que rester petite comme Einberg. J'ai assez d'avoir ses yeux et sa bouche ! Il me semble que Dick Dong aussi, qui demeure à trois-quatre pâtés de maisons vers l'est, manifeste à mon égard un intérêt de garçon. Quand nous nous croisons sur le trottoir, il a toujours quelque chose de singulier à me dire. « Quand tu voudras, madame ! » « Toi, je t'aime ! » « Partons ensemble pour le Wyoming ! Il paraît qu'il y a tellement de vaches par là qu'ils ont été obligés de construire des pâturages à plusieurs étages. » J'avoue qu'il me fait rire, que je ne le trouve pas laid. Mais je ne me pendrai jamais au bras d'un garçon, ne serait-ce que pour ne pas faire comme les deux milliards d'autres exemplaires du sexe féminin. Je ne serai la girl-friend d'aucun garçon, et aucun garçon ne sera mon boy-friend. Qu'elle ne compte pas sur moi, l'institution de l'amour, la machine à faire se promener les filles au bras des garçons. Qu'ils ne comptent pas trop sur moi, les metteurs en scène et en rut du cinéma de l'amour. Si jamais je me marie, ce sera avec Christian ou avec un crocodile.

Si Constance Chlore vivait encore, je changerais son nom en Constance Exsangue. Comme ai-je pu, pendant cinq ans, lui conserver un nom aussi bête ? Il y a le vrai et le faux. Le vrai est ce qui me donne envie de rire, le faux, ce qui me donne envie de vomir. L'amour est faux. La haine est vraie. Les animaux sont vrais. Les hommes sont faux.

50

L'abbaye est rouverte. Ouais ! Einberg et Chamomor se sont remis en ménage. Ouais ! Ouais ! C'est Christian qui, dans sa première lettre en trois ans, d'une main visiblement guidée, m'apprend la nouvelle. Il me dit aussi que maintenant il parle français avec l'accent polonais. J'ai répondu ce qui suit à mon cher frère.

« Mon amour, mon chéri, mon trésor, mon amant, mon frère, je suis très heureuse d'apprendre que, maintenant, tu parles français avec l'accent polonais. De mon côté, c'est avec l'accent anglais que, maintenant, je parle français. Ton amour, ton trésor, ta chérie, ta maîtresse, ta sœur, Bérénice. »

J'espère que ça les fera bien endêver, que ça leur apprendra à m'envoyer de fausses lettres. Quand elle était ici, c'était Constance Chlore ma vedette. Maintenant qu'elle est partie, c'est Zio ma vedette. Mais il n'est ma vedette que par différence, que parce que les autres, la tante, les cousins et les cousines, sont si humbles et effacés qu'ils ne sont même pas dignes de figurer. Je m'amuse à dire le contraire de ce qu'il dit et à faire le contraire de ce qu'il veut que je fasse. C'est facile. Zio a des idées bien arrêtées sur toute chose comme sur toute personne. Il m'embête. Je m'aperçois, depuis la mort de Constance Chlore, qu'il a dans la tête que ce que je fais depuis trois ans je ne le fais que parce qu'il veut que je le fasse. Il est temps que je mette de l'ordre dans sa tête. S'il me mène par le bout du nez depuis trois ans, c'est bêtement, parce que je ne m'en apercevais pas, parce que je le trouvais si stupide que je ne le voyais même pas. S'il croit qu'il a de l'autorité sur moi, il va être amèrement déçu. Finis, le silence, le jeûne, l'immobilité et la noirceur des samedis ! Il n'y a plus de Zio qui tienne ! Le samedi, dorénavant, je mangerai plein mon ventre trois fois par jour, et à son nez, et à sa longue barbe. Lui obéir, moi ? Après tout, il n'est ni plus ni moins être humain que moi ! Tu n'as qu'à bien te tenir, Zio, ça va chauffer ! Et des prières, matin et soir, mon cher, dorénavant, je n'en fais plus, je ne fais même plus semblant d'en faire. Si Yahveh les veut tellement, mes prières, il n'a qu'à venir les prendre au fond de mon œsophage ! Qu'est-ce que c'est que ces façons ? Moi, obéir à un sale être humain ? Ça va chauffer ! En vérité, je vous le dis, ça va chauffer !

51

Ce qu'il y a de plus ridicule en Zio, c'est son assurance d'acier, cette solidité dans chacun de ses gestes, cette logique infaillible de machine électronique qui préside à ses moindres actes. Minée par le doute, rendue molle, inconsistante, invertébrée par le doute, je ne suis pas de taille à lui faire peur. Pourtant, je suis sûre que mon doute est meilleur que son assurance. Pourtant, je suis convaincue que Zio n'est qu'un aveugle-sourd, n'est qu'un autre de ces imbéciles graves qui m'ont fait le monde que j'ai. Pourtant, je ne peux trouver que ridicule qu'il puisse croire que je le craigne et le respecte comme tous ceux qui le connaissent le font. Car Zio est pris pour un maître par les esclaves-nés. Car Zio est pris pour le grand maître des morues par les morues.

Le jour de la Yom-Kippour voit Zio se lever avant le soleil, traverser à pied tout Manhattan, et se porter vers l'Hudson pour y faire sa pieuse et traditionnelle trempette. Il faisait très froid ce matin. Je l'imagine, nu dans sa longue barbe de cercopithèque, impassible, sûr de lui, brisant la glace à coups de gourdin. Les Einberg d'Arménie n'auraient jamais osé commencer une journée, une seule, sans s'être auparavant purifiés dans l'Araxe ou la Koura. Cha cha cha. Ce qu'il faut qu'un être humain fasse le matin de la Yom-Kippour, Zio en est sûr, c'est aller faire trempette dans les eaux de l'Hudson. A moins qu'il se prenne pour autre chose qu'un être humain. Peut-être se prend-il pour un Zio...

Mais Zio est pris par tous pour un homme digne et respectable. Il est écouté, puissant. Il jouit d'un grand ascendant sur tous et sur tout ce qu'ils ont fait. Parti d'Arménie et de haillons, il dirige maintenant, vêtu d'un complet de fin lainage britannique et chaussé à l'italienne, une très importante société de prêts sur hypothèque. Fils d'une branche cadette des Einberg, il est devenu peu à peu, on ne sait comment, le chef incontesté de tous les autres Einberg. Et il y en a beaucoup, sur la terre, des Einberg. On dit qu'il y en a au moins un dans chaque pays. C'est le pacha des Einberg. Il a fondé la fortune de chacun. Il a trouvé une femme adéquate à chacun. Il dirige l'éducation de leurs fils. Il les fait émigrer et immigrer en tous sens.

En surface, mes rapports avec Zio sont presque inexistants. Quand il a quelque chose à me dire, il me le fait dire par Zia. Car il méprise fille comme femme. Il admet que les femmes parlent entre elles, mais point qu'elles se mêlent aux discussions des hommes. Quand un invité ose soutenir une conversation avec une invitée, Zio voit rouge ; et l'invité et l'invitée en question peuvent être assurés qu'ils ne se feront plus jamais inviter. Donc, il ignore les femmes avec mépris. Si l'on considère que je ne suis pas encore tout à fait une femme et que je suis à moitié barbare par ma mère, on peut juger de la profondeur de sa méprisante ignorance à mon endroit. En principe, il ne m'aborde qu'une fois l'an, aux fêtes de la Délivrance. Il essaie alors de me faire boire et rire, et de voir ce que j'ai dans le ventre. Rien n'est plus gentil qu'un homme dur quand il est gentil. Je m'attendris. Je ris autant qu'il veut, bois autant qu'il veut et m'ouvre le cœur aussi grand qu'il veut. Avant, régulièrement, il m'appelait à la Thora. Maintenant, depuis ma fugue d'une nuit avec Constance Exsangue, il ne m'appelle plus à la Thora. Quand il est de bonne humeur, il m'appelle, cyniquement, « Fräulein ». Chamomor, sur qui il n'a pas beaucoup d'effet, l'appelle « Santa Claus ».

52

Mes valises sont bouclées. Mon manteau est boutonné. La porte est ouverte. Chamomor et Einberg sont venus me reprendre, et je vais, d'un instant à l'autre, quitter cette vallée de grincements de dents. Mais, pour perpétrer mon enlèvement, les deux époux avaient compté sur l'absence de Zio qui, soudain, comme un cheveu sur la soupe, arrive et serre tous les freins. Le patriarche, le vengeur des veuves qui ont perdu leur premier mari, n'est pas d'accord. D'une voix sans appel, il me dit que je ne pars pas.

— Cette enfant ne bougera pas d'ici. Bérénice ! retire-moi ce manteau et ces couvre-chaussures ! Bérénice ! va dans ta chambre défaire tes valises !

Il ne manquait que Zio au nombre de ceux qui s'occupent de mon bonheur comme du leur. Maintenant qu'il se range aux côtés des politiciens, des urbanistes, des philosophes, de la S.P.C.A. et des vendeurs de savon doux pour l'épiderme, il ne manque plus personne.

— J'assume la responsabilité de Bérénice ! affirme le redresseur des orphelins sans père.

Alors, fort de cette hypothèse éclatante, cet ayant droit fait comprendre à ces ayants cause qu'il ne me juge pas assez grande et assez forte pour participer aux jeux qui se tiennent dans l'île.

— Revenez plus tard, beaucoup plus tard, quand vous aurez vidé vos querelles, dans un an, dans deux ans, dans dix ans.

Demeurés jusque-là silencieux et abasourdis, Chamomor et Einberg sont piqués au vif par ces derniers traits et conjuguent leurs talents pour lancer un assaut passionné de brillantes protestations. Ils pourraient être mille et tous parler avec l'éloquence de Cicéron ! Zio a dressé autour de moi une tour imprenable : personne ne pourra m'atteindre et faire de mal !

Ma solitude est trop lourde. Je gauchis, m'affale, m'effondre. Envers ma logique et contre mes serments, je cède aux assiduités de Dick Dong. Au

242

rendez-vous qu'il m'a donné, il se fait attendre.
J'attends et, tout en attendant, dans un effort désespéré pour sauver ce qui reste de mon honneur, je me
répète que je suis une vestale et que je ne laisserai
aucun homme mettre ses sales mains sur moi. Dick
Dong arrive enfin. Il me considère longuement sans
s'excuser, puis, en silence, compte mystérieusement
sur ses doigts.

— Nous ne pourrons pas nous marier avant six ans,
dit-il enfin. Toutes ces études qui me restent à faire !
Une autre année de high school, cinq ans d'université !
Auras-tu la patience de m'attendre ?

— Me marier avec toi ? Fouï, Dick Dong !

Tirant mon lacet de mon corsage, je lui expose les
précieux objets qui y pendent.

— Je suis déjà fiancée. Il poursuit de brillantes
études dans une université allemande. Nous n'avions
que trois ans quand nous avons été promis l'un à
l'autre.

— Étudie-t-il à Heidelberg ?

— Je suppose.

Rompu aux adresses des filles, Dick Dong n'est
guère secoué par mes supposées révélations. Nous
mangeons des frites et des glaces, comme dans les
chansons françaises. Ce n'est pas désagréable. Je dois
entrer car il est neuf heures et que c'est à neuf heures
que se termine la leçon de trombone à laquelle je devais
assister.

— Nous nous revoyons vendredi soir, à la même
place ! affirme Dick Dong.

— Crois-tu ?

— Qui vivra verra…

— Quelle insolence ! Quelle arrogance !

Comme Zio, Dick Dong est sûr de lui. Mais Dick Dong n'est pas aussi dangereusement sûr de lui que Zio. Dick Dong n'est sûr de lui que parce qu'il emploie régulièrement le déodorant « Graisse-à-Cheveux ». S'il ne s'était pas cru obligé de faire son Marlon Brando, ma vie, en cette minute même, en serait peut-être changée.

53

Je regarde le vent faire. Le vent est vif et froid. Le vent dresse le duvet sur le dos des moineaux que je vois sur le boulingrin. Ces moineaux sont immobiles tant qu'ils peuvent ; ils se cramponnent contre le vent. D'autres moineaux sont lancés contre les murs par le vent. Ce qui m'amène à parler de mon association avec Dick Dong. L'aspect sexuel du problème humain gâte tout le déraisonnable de nos rapports. Nous sommes deux avides de caresses. Nous ne sommes pas deux avides d'argent. Ne pas succomber aux caresses n'est, hélas, pas une solution, car ne pas y succomber occupe plus de notre temps qu'y succomber. Le dimorphisme sexuel devrait se limiter, chez l'être humain, à la longueur des pieds.

Si demain j'étais nommée reine de la terre, il me suffirait d'une heure pour la tirer du fossé. Je décréterais d'abord, vite, la guerre, un état de siège perpétuel entre les deux parties du globe séparées par le degré de latitude zéro. Mes traîtres, ceux de mes sujets qui seraient surpris en train de parler d'entente ou de soumission, n'auraient pas la tête tranchée ; un supplice plus raffiné leur serait réservé : l'ennui horaire. Leur vie serait divisée en heures, et ils seraient condamnés à compiler des statistiques jusqu'à leur dernier spasme, assis sur une chaise dans une cage de quelques portes et quelques fenêtres. Je créerais ensuite, dans le pire soubassement de mon royaume, une enclave interdite appelée République de l'Amour où, dans l'attente d'une autre solution, quelques milliers de femmes et une dizaine d'hommes rendus aveugles et sourds assumeraient exclusivement la tâche de reproduire l'espèce. Je déclarerais traître tout soldat d'un sexe trouvé en train de trouver joli ou triste un soldat de l'autre sexe, traître et, donc, passible du supplice de l'ennui horaire. Le naturel des humains et des primates n'est pas de boire, manger et courir après l'orgasme, mais de se surpasser. Pourquoi donc, s'il n'en est pas ainsi, les humains et les primates en sont-ils venus à se dresser sur leurs pattes de derrière et à s'obstiner à marcher dans cette position, leurs deux autres pattes ballantes, comme des chiens de théâtre ? J'oublie, il est vrai, ceux qui se déplacent sur des roues fixés à un strapontin... mais ils sont rétrogrades et en voie de disparition. Donc, je suis la souveraine de la tête d'éléphant depuis trente-quatre ans. Il a suffi de neuf ans pour que les villes s'effondrent et que l'humus se mette à s'accumuler sur leurs ruines nivelées. Les villes ne devaient la solidité de leurs structures qu'à la circulation d'automobiles. Par la bouche d'un canon énorme, les automobiles ont été lancées, une à une, dans l'océan Pacifique. Comblé de ce fait, l'océan Pacifique est devenu arable. Les déserts de Gobi et du Sahara, ayant absorbé les eaux de l'océan Pacifique, sont devenus arables eux aussi. Habitués au port de l'armure et au maniement de l'arquebuse et de la pertuisane, ceux du sexe féminin d'entre les êtres humains ont peu à peu perdu leurs protubérances et leur exubérance. Dans les batailles où mes guerriers s'entre-tuent, sans distinction de couleurs, pour la seule cruauté de la chose, quand l'un d'eux tombe, on ne s'occupe pas de savoir de quel genre il est. Pour se prononcer avec assurance au sujet du genre de ce guerrier, anonyme comme tous les autres, il faudrait lui ouvrir le ventre ; ce qui nécessiterait l'emploi d'un chalumeau oxhydrique, étant donné qu'avec le temps le sang et la chair des guerriers se sont greffés à l'acier de leur armure. D'ailleurs, le genre d'un guerrier, mort ou vif, n'intéresse plus personne. A la République de l'Amour, les choses vont bon train. Les gynécologues qui en sont les maîtres se montrent bouffis d'orgueil dans les rapports qu'ils m'écrivent à l'encre quotidiennement. Bientôt, en effet, c'en sera fait de la République de l'Amour : rendus inutiles, ses frontières et ses écœurants habitants sont sur le point d'être rasés et balayés. Demain, par la seule mastication d'une fleur de marrube, fleur d'une excessive âcreté, mes mirmillons et mes rétiaires, devenus de véritables phénix, pourront se reproduire d'eux-mêmes, pourront, comme par fissiparité, se donner vie nouvelle, corps nouveau, armure neuve. L'immortalité est atteinte et, ce qui n'est pas à dédaigner, elle est à prendre ou à laisser. L'énorme canon qui a servi à lancer les automobiles dans l'océan Pacifique a été poussé dans l'Aral du haut d'une montagne de l'Elbourz (qu'il a fallu adapter géographiquement à ce propos), en même temps que toutes les armes non portatives et trop destructrices. Par ailleurs, sur la tête d'éléphant, il n'y a plus un seul chalumeau oxhydrique.

Dick Dong et moi marchons jusqu'aux docks, ne nous tenant pas par la main. Nous nous asseyons dos à dos sur un cabestan, juste au-dessus de l'eau noire où des réflecteurs se réfléchissent. Avec lui, comme avec Constance Chlore, je ne m'arrête pas de parler.

— Je sais pourquoi il est si agréable de briser, de détruire. Je vais t'expliquer. Ça procède de la nostalgie d'avoir, de posséder, de posséder vraiment. Tout à l'heure, en marchant, en regardant ce qu'il y avait autour de nous, une pensée très douce m'est venue : « Tout ceci m'appartient. » Je comparais la rue à une poupée que j'ai eue. Je me disais que la rue m'appartenait autant que ma poupée m'avait appartenu. Je me disais : « Tout ce que je pouvais faire à ma poupée, je peux le faire à la rue : je peux la regarder, la sentir, la prendre dans mes bras. » Puis je me suis rendu compte de mon erreur. Je me suis dit : « Non ! cette rue ne m'appartient pas. Car je ne peux pas la détruire comme j'ai détruit ma poupée. » As-tu compris, Dick Dong ? As-tu bien compris ma démonstration ?

Dick Dong trouve mes propos bizarres, insensés et anormaux. Anormaux !... Je reconnais par ce jugement qu'il a l'esprit étroit, qu'il n'a pas la foi et qu'il n'est bon qu'à jeter aux pourceaux. Nous nous hissons sur une pile et nous asseyons dessus, les jambes ballantes entre eau et ciel. Nous crachons dans l'eau noire, visant les taches de pétrole jaunes et violettes, vertes et jaune-orange. Un paquebot passe, proche, d'une blancheur que les ténèbres semblent imbiber, diluer. Soudain, il beugle. Son cri rauque est si puissant qu'il me secoue comme le vent secoue les feuilles d'un arbre, si puissant qu'il me donne la chair de poule et envie de crier plus fort. En réponse, un remorqueur invisible décoche une volée de coups de sifflet stridents. Les cris du remorqueur sont si stridents qu'il faut que je me serre les dents pour endiguer ce qu'ils déclenchent en moi de souffrance. Dick Dong dit que les cris du remorqueur ne lui ont pas fait, comme à moi, penser à des cris de bête à la torture. Il se fait tard. Nous prenons le chemin du retour. D'entre toutes les ruelles qui s'offrent, nous prenons celles qui sont les plus sombres, les plus étroites, les plus désertes et les plus sinueuses. Je cours, et l'asphalte résonne comme un tambour. Je songe à Christian, qui ne cesse de lancer le javelot. La ruelle est en pente. Rendue au sommet, je me laisse tomber. Étendue de tout mon long, sur le dos, au milieu de la ruelle, je respire, je me sens bien. Je m'étends les bras et me croise les chevilles, rien que pour ressembler au Christ en croix. Je regarde le ciel, là où, à la pointe d'un toit, un croissant de lune baigne dans un nuage flou. Je me retourne. A plat ventre, je suis Antée : je sens, à travers le macadam froid, la chaleur du sol me pénétrer, exciter mon sang, me faire pousser racines et rameaux. Dick Dong, à pas lourds, m'a enfin rejointe. Il n'aime ni courir, ni marcher de travers, ni s'arrêter et repartir. Il aime marcher droit comme une bête de somme.

— Le poète a dit, lui dis-je : « Mon cher enfant, tu danses mal. La danse est un attardement arabesque, une paraphrase de la vision. »

Il me tend les bras pour m'aider à me remettre sur pied. Je lui dis que je n'ai besoin de personne pour me remettre sur pied. Il essaie de m'embrasser sur la bouche. Je le repousse avec violence et lui rappelle notre pacte. Notre pacte stipule que je peux seule prendre des initiatives dans le domaine des caresses, et que seule la certitude que j'aurai qu'il a oublié que nous sommes garçon et fille m'autorisera à prendre de ces initiatives. Quand il aura oublié que nous sommes garçon et fille, il sera fils du Vent et du Feu, et, quand je l'embrasserai, son âme frémira avec la pureté du ruisseau qui frémit sous le souffle du vent et l'éclat du soleil. Il me dit que son cœur est gonflé d'amour au dernier degré et qu'il va éclater comme un ballon trop soufflé si je ne m'avise pas d'être plus affectueuse. Je le trouve vulgaire, sans foi. Je l'abreuve d'injures. Il devient violent, me rive au fût d'un lampadaire. Ses bras contractés, qui cherchent à m'emprisonner, à me fixer, à me soumettre, à m'imposer sa passion comme on attelle un bœuf à une charrue, m'écœurent. Je l'appelle monstre. Il me dit que c'est moi le monstre. Présumais-je de mon empire sur Dick Dong ? Devrai-

249

je abandonner tout espoir de faire sortir un peu d'âme de sa fressure ? Son dernier ultimatum est clair et concis :

— Nous sortons ensemble depuis un mois. Une fille normale se laisse embrasser à la deuxième sortie. Si tu ne te laisses pas embrasser à notre prochaine sortie, je te laisse tomber.

— D'où viens-tu ? me demande Zio, debout au fond de la salle à manger éteinte.

« Va te faire raser ! » devrais-je lui répondre.

Mais, par mépris des scènes, par mépris du théâtre, par mépris du ridicule, je lui passe en vitesse sous le nez, tête basse, sans rien répondre.

54

Bérénice Einberg, as-tu du cœur ? J'ai plein de peau mais pas de cœur, Monseigneur. Et pourquoi donc, mon enfant ? Je ne sais pas, Monseigneur. Ça m'est venu comme ça, petit à petit, peu à peu, au jour le jour, tranquillement, sans que je m'en aperçoive.

L'autorité que Zio a sur moi ne tient à rien, il faut bien l'avouer. Pourtant, elle tient. L'autorité des généraux sur les hommes ne tient à rien. Pourtant, elle tient bien. J'ai pitié de Zio. Il peut si peu contre moi, pour moi, contre les bacilles qui me rongent. J'ai véritablement pitié de lui. Il s'imagine que, par l'entremise de sa société de prêt sur hypothèque, de ses

connaissances de massorète, de sa longue barbe artisonnée et de je ne sais plus quoi, il contribue à relever
le niveau de bonheur des êtres humains. Il éclaterait en
sanglots s'il pouvait voir combien je me moque de ce
qu'il dit, combien ridicule et dupe je le juge, combien
peu il compte, combien il est seul, combien il laisse
tout le monde seul, combien il laisse tout le monde
indifférent et inchangé. J'ai une sorte de tendresse
pour lui, une tendresse comme en a toute femme pour
un homme qui fait l'homme. J'aurais de la tendresse
pour une fourmi qui s'aviserait de me menacer d'une
épée. Jouer son jeu me distrait, m'occupe le cœur.

Assise seule devant mon miroir, je décide, sans
grand enthousiasme, de lancer une petite attaque
contre Zio. J'ai les cheveux assez longs pour me faire
des tresses. Je me fais, difficilement, deux belles
grosses tresses et, en manière de tortil maure, je me les
attache au milieu du front avec un grand ruban rose.
Ensuite, sortant de sa cachette le nécessaire de gouache
de Constance Exsangue, je me noircis, soigneusement,
les ongles, les sourcils, les paupières et la bouche. Plus
tard, ainsi coiffée, ainsi maquillée et abondamment
parfumée, je me présente à table. L'effet que j'ai sur
mes cousines est indescriptible. Les « Ah ! » et les
« Oh ! » que je fais faire à mes cousins et à ma tante
sont indescriptibles. Non sans une ombre d'appréhen-
sion, je lance un regard du côté de Zio. Il attendait ce
regard : il le saisit, le fixe, comme lui seul peut le faire.
Il rit dans sa barbe. Il sait tout de mes sorties
nocturnes. Il va profiter de l'occasion pour s'en donner

à cœur joie. M'appelant « Fräulein » (dans sa tête, Chamomor est allemande), il commence :

— M. Klaust a demandé de vos nouvelles. L'état de votre santé l'inquiète. Il lui tarde de vous voir réapparaître à ses cours... des cours de trombone, je pense. Votre maîtresse de ballet m'informe qu'elle ne vous a jamais vue de sa vie. Elle a hâte de vous connaître.

Oh ! ce visage de Zio, si grave, si dur, si fâché, si beau ! Oh ! ce pauvre visage ! Je peux soutenir si facilement le regard de rapace qu'il s'est fait pour que j'aie honte, que j'en suis dégoûtée. Je le sens si offusqué de ma froideur que j'en ai presque honte.

— Baisse les yeux, insolente ! Seuls les chats ne baissent pas les yeux quand ils ont fait du mal.

J'obéis. Je le sens si vulnérable derrière sa longue barbe. Si je n'avais pas baissé les yeux, il se serait mis à pleurer, ou il se serait mis à me donner des coups.

— Choisis : ou tu montres vite des signes de cœur et de maturité, ou je te traite comme tu te conduis depuis trois mois, comme une chienne en chaleur. Mais ! mais ! mais ! ne sais-tu donc pas distinguer par toi-même ce qui est conforme à la dignité de jeune fille de ce qui ne l'est pas ? Tu n'as donc pas le sens du devoir, de l'obéissance et de la reconnaissance ?

Non, Zio... Je n'ai rien de tout ça. Je suis vile, vide, veule, vaine, vache, vaincue, vilaine, et même voleuse. Étant donné que tu ne peux pas me guérir de l'insipide, de l'inconséquent et de tous les autres cancers, je dois me reposer sur moi-même de ce soin. J'ai si mal à l'âme, Zio, et c'est si important d'avoir mal à l'âme quand on a très mal à l'âme, que je ne peux

m'empêcher de ne m'occuper que de mon âme. Le
devoir, l'obéissance, la reconnaissance, ces mots, d'autres, comme toi, sont bien plus en état de s'en occuper
qu'une cancéreuse de l'âme comme moi. Va voir ces
autres et fiche-moi la paix ! J'ai si mal à l'âme, Zio, et
cela a si peu d'importance pour toi ! Tu devrais
comprendre que les maux que te donnent les mots
n'aient pas grande importance pour moi, que ta barbe
n'importe pas autant pour moi que pour toi.

— Tu t'es peinturée ! Tu as été chez ta coiffeuse !
Misérable ! Cours te laver ! Vole te peigner ! Comment
as-tu osé aborder la table de Yahveh en cet état ?
Prendrais-tu Yahveh pour un paillard, pour un cou-
reur de jupons ?

Je me lève, vais me laver et me peigner. Toute mon
âme a dit non, mais ma bouche a dit oui. Que serait-il
arrivé si je n'avais pas obéi ? Il se serait mis à pleurer. Il
m'aurait battue. Il m'aurait renvoyée au Canada, loin
de Dick Dong. Tel Jupiter, il m'aurait donné un coup
de ses foudres. Souvent, mieux vaut faire ce qu'un
imbécile vous dit de faire. Des dispositions draconien-
nes ont été prises pour que je sois présente à mes cours
de trombone et de ballet. J'y serai conduite et en serai
ramenée en taxi. Les parents du « jeune Dong » ont été
éclairés sur les « écarts de sa conduite ».

Je suis libre. Ma volonté est dans mon crâne.
Personne ne peut la voir, l'entendre et y toucher.
Personne d'autre que moi ne peut agir sur ma volonté.

55

Il me semble qu'il serait bon de retrouver Christian, de me retrouver parmi les peupliers de l'île et les marais de l'île. Je reçois une des rares lettres de Christian. Il est heureux, me mande-t-il, d'apprendre que je commence à m'intéresser aux garçons. « C'est sain. » Il me mande qu'il a participé aux jeux hongrois d'athlétisme, mais qu'il en est revenu fort découragé, n'ayant pu faire mieux que de se faire déclasser dans la première d'une série de quatre épreuves éliminatoires. « La foule me figeait, me faisait perdre tous mes moyens. Je suis irrémédiablement timide. » Il parle beaucoup de l'amour reconnaissant que la bonté du cœur des parents devrait faire bouillonner dans le cœur des enfants. Il effleure à peine le sujet de notre amitié, sur lequel, pour ma part, je suis intarissable. Il noie notre amitié dans la grandeur délétère de la famille homogénéisée et pasteurisée dont il rêve. Je lui avais demandé de me dire s'il s'était mis de la partie aussi, s'il avait commencé à faire des malheurs parmi la gent féminine. Il n'a pas accédé à cette demande. Je lui avais demandé de m'envoyer une photo de lui. Il n'a pas accédé à cette demande. Lui faisant comprendre que je suis une avide de caresses, je lui avais demandé de commencer ses lettres par « Mon amour » ou « Ma tendre maîtresse » au lieu de par « Ma bonne Bérénice » et « Ma bien chère sœur ». Il n'en a rien fait.

« Je ne suis pas ta sœur, je suis ton amour, ton trésor, ta chérie, ta petite louve, ton petit lapin, ton petit chou, ta petite souris. » Pas plus de petite souris dans sa lettre que d'hippopotame dans le fleuve Saint-Laurent ! « Les femmes aiment sentir qu'elles sont petites et bêtes. Je ne suis pas que ta sœur. Je suis aussi une femme. Donc, donne-moi des noms de petits animaux. Rappelle-toi que je ne suis pas ta bien chère sœur mais ta tendre maîtresse. Rappelle-toi que ce qu'il y a de plus beau chez un homme, après sa cravate, c'est sa tendresse. » Mais il semble que Christian a été dépassé par toutes ces nuances. Je ne joue pas sur les mots, même si je me donne l'air de le faire. J'ai besoin de tendresse. J'aimerais, vraiment, que dans son cœur et dans ses lettres Christian me traite comme sa maîtresse. J'ai froid au cœur.

Mes soirs se chargent de plus en plus. Je compte maintenant, partagées entre les cinq soirs de la semaine scolaire, plus de vingt heures de cours de ballet, de trombone, de karaté, d'indologie, d'espagnol, de mécanique, d'électronique et de mythologie. Il faudrait sans doute que je compte des doubles soirs s'il fallait que j'ajoute à ce total le nombre d'heures que je passe à traîner dans les rues avec Dick Dong, à lire des romans pornographiques, à poursuivre ma correspondance unilatérale passionnée avec mon ignoble frère, à penser à Constance Exsangue.

Pour ce qui est de notions, de connaissances, je mange n'importe quoi, n'importe quand, n'importe comment. Ma voracité fait le ravissement de mes professeurs. Zio semble s'interroger au sujet du surmenage que ma voracité m'impose. Mais il ne me met pas de bâtons dans les roues. Il paie sans mot dire tous les cours qu'il me prend la fantaisie de prendre. Une fois, je lui ai entendu dire tout bas à Zia, pendant que je me retirais dans ma chambre : « Yahveh a doué cette enfant d'une grande énergie. Il lui réserve sans doute un grand destin. Je me demande ce qui l'inquiète tant, ce qu'elle cherche tant. » Je passe vingt-quatre heures sur vingt-quatre sur la brèche. Toute chose que je vois est fouillée en profondeur. Toute pensée qui me vient est poursuivie jusqu'à son aboutissement, jusqu'aux actes. Tout ce qui m'apparaît durant le sommeil est soigneusement décrypté, enregistré, comparé. Néanmoins le jour qui vient de passer, tout débordant d'activité qu'il ait été, ne manque jamais, à la seconde où enfin le sommeil va m'assommer, de me sembler suspect, dénué de toute valeur, de me faire trembler de peur. C'est toujours avec angoisse que j'anticipe le retour de la nuit, le moment de la grande rencontre avec moi-même, le moment d'ajouter un autre zéro au total du passé, le moment de me rapprocher de tout un pas de la frontière au-delà de laquelle il n'y a plus rien, même plus de futur. Il ne faut pas perdre espoir, ma bonne Bérénice, mon petit lapin, mon petit hibou, mon petit singe, ma petite souris. Tant de choses restent à considérer avant que vienne l'heure où il faudra me prononcer. L'hélicon et l'accordéon ont encore à me révéler tous leurs secrets. Je n'ai jamais fumé. Je ne me suis jamais soûlée. Je ne me suis jamais masturbée. Les textes sanscrits cachent peut-être un message d'ordre cosmique que les milliards de fortsen-thème qui les ont lus n'ont pas compris. Je ne sais pas piloter un avion. Je ne suis jamais montée à motocyclette. Je n'ai jamais vu les Barren Lands. Je n'ai jamais eu dix-neuf ans. On verra après. Il me semble, tout à coup, que je n'étais pas si bête quand j'avais Constance Exsangue. Fouï! Fou-ï! Fo-u-ï!

56

A partir de cette simple vérité, à partir de cette évidence fulgurante que Zio n'est et n'a jamais été qu'une manifestation de mon appareil physiologique (une ombre dans mes yeux, un bruit dans mes oreilles, une odeur dans mon nez et un frisson quand il me frôle), j'en suis venue à de renversantes conclusions. Je suis libre! libre d'ouvrir et de fermer les paupières! libre de porter la main ici et là! libre de m'agenouiller aux pieds de celle-ci et d'expectorer à la figure de celui-là! Tourmentée par l'éblouissant aspect du néant, dans un effort maladroit pour le travestir, je refusais de croire que Zio n'existe pas, qu'il n'existe en rien, qu'il ne jouit par lui-même d'aucune sorte d'existence, qu'il n'existe que par moi, qu'il commence à exister quand je fixe mon attention sur lui et qu'il cesse d'exister quand il cesse d'occuper ma pensée. Cela a assez duré! Il faut se tirer de la confusion des sens, s'avancer résolument dans la lumière. Assez de sommeil! De la veille, à tout prix! Personne ne peut exercer d'influence sur moi que j'y consente par quelque artificieuse mauvaise volonté. On peut m'opposer que n'importe qui peut m'infliger des blessures corporelles sans que j'y consente. J'abonde en ce sens, sous réserve cependant d'observer que les blessures corporelles ne sont pas affaire d'âme à âme, mais affaire de chose à chose, que le toit en s'effondrant peut, lui aussi, m'infliger des blessures corporelles sans que j'y consente, que la morsure d'un serpent peut m'empoisonner sans que j'y consente. Personne n'a de pouvoir sur moi que moi-même. La foudre, l'arsenic, l'alcool, les balles et les flèches ont des pouvoirs sur moi, mais ce sont là des choses, et les choses sont aimables. Quand me le serai-je donc assez répété ? Je suis libre d'aller si je veux à Chandernagor, à Mahé, à Joué-les-Tours et sur les docks ! Assez de spectres et d'ombres ! Du solide s.v.p. ! Du courage aussi ! Mais, si je tranche tout lien, je bondis en plein éther et il me semble (et ce qui semble est important) être plus seule en plein éther que sur la surface boisée et montagneuse... Soit !... Ce sera dur en plein éther, extrêmement pénible, douloureusement frivole. Soit ! Préfères-tu apprivoiser des illusions et étreindre des fantômes ? Pourquoi pas ? Et si, en suivant le sillage de la lumière, tu arrivais quelque part où personne n'est jamais arrivé ? La lumière est une rivière qui m'appelle et qui a quelque chose à son extrémité. Quelqu'un qui suit la vérité jusqu'au bout, qui en a la force, est quelqu'un qui escalade un rayon de soleil et finit par tomber dans le soleil.

Zio et tous les autres ne sont que parce que je

consens à ce qu'ils soient. Il me faut trois jours et trois nuits pour me pénétrer de l'esprit de cette force logique. Car mon âme d'être humain avait perdu, peu à peu, petit à petit au cours des siècles, sa suprématie sur mes chairs. Dieu! Quand j'y pense! Réduit de son plein gré, par la servitude d'alignement (la façade de ta maison doit être en ligne droite avec la façade de la maison de ton prochain) et d'autres semblables stupidités, à l'exiguïté progressive de son habitacle, l'être humain s'est dégénéré au point qu'aujourd'hui il a totalement oublié ce que le moindre des rats se rappelle encore quand, pris au piège, il sacrifie le membre qui lui nie le pouvoir de porter ses pas aussi loin que se porte son regard. Une hirondelle se laisserait plutôt mourir que de renoncer à aucun des quatre vents. Donc, je suis convertie à la logique vivace des rats et des hirondelles. Donc, petit à petit, peu à peu, l'autorité sotte qu'a sur moi Zio s'époante, s'émousse, pâlit, disparaît.

Dick Dong et moi avons rendez-vous. Nous devons nous rencontrer à neuf heures trente au coin de Fourth Street et Fifth Avenue. Je ne peux me rendre à ce rendez-vous car je suis en train d'apprendre à jouer du trombone avec M. Klaust et qu'à partir de neuf heures quinze mon taxi chien de garde cerbère fidèle incassable m'attendra devant la porte. C'est-à-dire que je ne peux me rendre à ce rendez-vous qu'en faussant compagnie à M. Klaust, au taxi et à Zio. D'abord, ça me paraît absolument impossible. Mais bientôt, à force de réflexion logique, ça s'avère très facile. Il me suffit de vouloir me rendre à ce rendez-vous, d'ouvrir la porte (qui ne peut ouvrir une porte quand il suffit de pousser dessus ?) et de me mouvoir en mettant un pied en avant puis l'autre (qui ne peut marcher ?). Je veux, je me lève, j'y vais. Je n'ai même pas besoin de courir. Car M. Klaust, qui est cul-de-jatte, ne peut pas courir pour me rattraper.

— Où allez-vous ? Où allez-vous ? Où allez-vous de ce pas ?

Je devrais répondre quelque chose aux interrogations désespérées de M. Klaust, mais je suis en passe de devenir un être humain libre et un être humain en passe de devenir un être humain libre ménage ses paroles.

Dick Dong se fait attendre, le sale œuf. Il se fait toujours attendre, le sale transfuge. J'ai mal à la tête. C'est au front que le bât me blesse. Constance Exsangue, viens appliquer ton mufle humide où le bât me blesse. Mes premiers souliers à talons hauts me font mal aux chevilles. Constance Exsangue, viens mettre tes pieds froids où les souliers me blessent. Mon nouveau soutien-gorge me fait mal aux clavicules. Constance Exsangue, reviens ! Tu étais toujours là, près de moi, à portée d'âme ; et, souvent, je ne te voyais même pas. Comment pouvais-tu être là, si douce, si bonne, si vulnérable, sans que je te tienne serrée dans mes bras, sans que je te tienne embrassée jusqu'à l'évanouissement ? Dick Dong arrive, sans trombone ni trompette, et prend dans ses bras le poteau contre lequel je m'étais confortablement appuyée pour l'attendre. J'ai envie de le foudroyer du regard. Mais je ne le fais pas. Je suis trop seule, j'ai

trop peur. Je lui souris tendrement. Il n'est pas arrivé
depuis cinq secondes que je me mets à lui exposer le
fameux système de liberté que j'élabore depuis trois
jours et trois nuits. Il me laisse parler avec patience et
en ennui. Il me laisse dire, sans m'interrompre, tout ce
que j'ai sur le cœur. Il s'imagine que plus il me laisse
parler plus il acquiert de droits sur moi. J'ai fini de
parler. Du tic au tac, il me défie de mettre à l'épreuve
ce que je viens de mettre deux heures à lui dire.

— Si tu es libre, tu peux rester avec moi toute la
nuit. Si tu peux rester toute la nuit avec moi, rien ne
t'empêche de rester toute la nuit avec moi. Si tu restes
toute la nuit avec moi, je croirai que tu sois vraiment
libre.

Il a parlé en anglais. Il ne peut parler qu'en cette
langue. Ce que d'ailleurs je lui reproche.

— Soit ! Je passe la nuit avec toi. Mais où allons-
nous passer la nuit ensemble ? J'aimerais bien que nous
passions la nuit ensemble dans la rue.

— Faisons.

C'est décidé. Nous nous installons, moralement,
pour passer la nuit ensemble dans la rue. Dick Dong
passe la nuit à essayer de me convaincre de rentrer au
columbarium.

— Ton oncle te massacrera quand tu rentreras. Si tu
tardes une minute de plus, il te tuera. Si tu ne rentres
pas aussitôt, il te mettra en capilotade. Je le connais, tu
sais !

Je relève mes manches, pour qu'il voie bien mes
bras, et, en tous sens, follement, j'agite mes bras.

— Regarde mes bras faire ! Vois comme ils m'obéissent! Vois comme ils répondent! Qui pourra jamais arrêter ces bras-là? Si je voulais scier mes bras, il me suffirait d'une scie. Si je voulais planter trois clous dans mes bras, il me suffirait d'un marteau et de trois clous. Mes bras n'appartiennent qu'à moi et n'obéissent qu'à moi. Mes bras sont un peu de mon âme. Mes bras sont un exemple de mon âme. Rien ne peut arrêter mon âme. Je peux demander à mon âme tout ce que je veux : elle m'est docile et fidèle. Elle m'obéit. Je m'obéis. Je reste ici. Si Zio, même sous la menace de mise en capilotade, demande à mes bras de se lever, mes bras vont-ils se lever? Mais tout ça est trop profond pour toi. Zio ne peut pas m'empêcher de vouloir rester ici toute la nuit et d'y rester toute la nuit. Car, comme en ce moment, il ne me voit pas, ne m'entend pas. Car il n'existe pas. A partir de la seconde où il sort du champ d'action de mes yeux, de mes oreilles et de mon nez, il n'existe plus, il est mort, il a perdu la vie, il ne peut plus rien. Il me massacrera, certes, mais seulement si je veux, si je lui redonne la vie, si je consens à ce qu'il revienne dans le champ d'action de mes yeux, mes oreilles et mon nez. Car Zio, comme toi, si je n'avais ni yeux, ni oreilles, ni nez, n'existerait jamais.

— Tu m'étonnes. Tu m'étonnes. Tu m'étonnes. En vérité, tu m'étonnes.

Le soleil se lève... se relève. Je suis assise sur le trottoir avec les pieds dans la rue, et c'est comme si j'étais assise sur une roche avec les pieds dans la rivière. Dick Dong a déserté le poste, s'est dégonflé. J'embouche mon trombone et souffle dedans, tout de

travers. Cette aube me rappelle cette autre aube, cette
aube que Constance Exsangue et moi avons eue. Les
premiers rayons du soleil réveillent les bruits de la
ville. C'est comme si les bruits de la ville étaient des
miroirs servant à réfléchir les rayons du soleil. Je
souffle de travers dans mon trombone, et ses sons se
mêlent harmonieusement aux sons de clairons, de
tambours et de xylophones qui surgissent, tout de
travers, de toutes parts.

57

Il faut que la harpe continue, que le toit tienne. Il ne
faut pas que la roue s'arrête. Je souffre — drelin drelin.
Mais, le cygne drinse bien. J'ai les mains en sang ; le
chanvre du hauban les a meurtries comme la râpe la
carotte. Je pends à un hauban qui se balance dans le
vide depuis le plafond de l'univers. Afin de ne pas
tomber dans le vide, il faut que, des seules forces de
mes mains, je soutienne tout le poids de mon corps et
tous les poids de mon âme. Mon âme, dans un grand
cri, d'une seconde à l'autre, va partir de moi : je
deviens folle. Il faut que je retienne ma raison à deux
mains, que je lui torde le cou pour qu'elle ne se
débande pas, pour qu'elle reste, pour qu'elle ne se
volatilise pas, pour qu'elle ne s'enfuie pas de moi
comme le gaz d'un ballon qui se fend. J'ai envie de
faire des drames.

Il règne dans mon cœur une grande tendresse pour le professeur de chimie. Deux pigeons s'aimaient d'amour tendre...

— Qu'est-ce que le phénol, Bérénice Einberg ? Parlez ! Qu'est-ce que le phénol ?

Il veut que je lui réponde que le phénol est un dérivé oxygéné du benzène que l'on extrait des huiles fournies par le goudron et la houille, mais je ne lui répondrai pas que le phénol est un dérivé oxygéné du benzène que l'on extrait des huiles fournies par le goudron et la houille. J'en ai assez de répondre ce qu'il veut, ce que la chimie veut, ce que la terre veut. Il ne s'arrête pas de me demander ce que sont le phénol, le phosphate, le phosgène, les phosphines, le phosphite et l'anhydride phosphorique ; et j'en ai assez. Quand je dors doucement sur mon pupitre, il me réveille pour me demander ce que sont le phénol, le phosphate, le phosgène, les phosphines, le phosphite et l'anhydride phosphorique. J'en ai assez de répondre ce qu'il faut répondre. Si Constance Exsangue m'entendait répondre, elle rirait, elle rirait comme trois cent quarante-deux marmottes baignées de gaz hilarant.

— Je n'ai pas évité les écueils, monsieur le professeur de chimie ! J'ai filé droit sur des archipels entiers et je les ai vus éclater, voler en miettes comme une migration d'aigrettes endormies où tombe une bombe ! Déferlant sur la plaine continentale avec l'impétuosité du Mississipi, j'ai tout brisé, j'ai déraciné tous les arbres, j'ai fait sauter toutes les digues, j'ai emporté comme coquilles de noix tous les quais ! Et je pourrai bientôt me répandre dans un golfe clair et immense pour me mêler là à un de ces courants qui font voler l'océan par-dessus les frontières de la terre et par-dessus les étoiles ! C'est pourquoi, monsieur le professeur de chimie, il faut détruire Carthage !

— Et le phosgène, Bérénice Einberg, qu'est-ce que c'est ?

— C'est un décomposé, monsieur le professeur de chimie ! Donc, ce n'est pas un composé ! Car, voyez-vous, j'ai taillé dans le roc vif, à partir du fond de mon Annapurna, une cheminée jusqu'à la lumière, jusqu'au sommet des choses ! Car, voyez-vous, assise sous ma haute montagne comme vous êtes assis sous ce plafond, je respire enfin l'air et la lumière ! Savez-vous seulement ce qu'est un gnou, monsieur le professeur de chimie ? Non ? Je vais vous le dire ! C'est un fox-terrier, c'est un sale hotu, c'est un exécrable yak ! Et un yak, monsieur le professeur de chimie, savez-vous ce que c'est ? Non ? Je vais vous le dire ! Un yak, c'est un être humain comme vous et moi, un sale professeur comme vous et moi, un exécrable professeur de chimie comme vous et moi ! Et ne m'appelez plus Bérénice Einberg ! Seul mon frère, mon frère que j'épouserai sous votre sale nez, a ce droit !

— Nous aviserons.

Ils avisent. Et je suis chassée pour toujours de l'école Eisenstein.

Zio se met à me séquestrer, à me murer pour des jours sans plus de pain et d'eau que de vent et de soleil. La porte de ma chambre est barricadée comme contre une garnison entière. Une seule issue : la fenêtre. Mais, en sautant de la neuvième cage d'un columbarium, on peut se briser les orteils et, même, mourir. Et je ne veux pas mourir avant de m'être vengée. Je saute à pieds joints sur le lit, rien que pour embêter les saint-je, rien que pour faire du bruit pour les empêcher de dormir. Mais, à force de sauter à pieds joints comme une folle sur le lit, je me sens perdre les pédales. Je m'entends rire comme une folle. Je sens l'ivresse de la folie me prendre au ventre, au cœur, à la tête. Tout à coup, dans un fracas épouvantable, l'empattement du lit se rompt, les quatre pieds de fer se coupent, en même temps, d'un coup sec. Je ne vois plus clair. M'armant de deux des pieds de fer, je bats les murs à tour de bras, tout en courant. Soudain, de deux-trois de ces coups de pieds de fer frénétiques, la fenêtre se brise, s'émiette, montants et carreaux. Et l'air de l'hiver entre, glacé, palpable comme une eau, entre et me prend comme une rivière. Qu'importe ! Je saute ! Je me lance à corps perdu dans cette brèche d'hiver et, après une merveilleuse chute de cent pieds, au lieu de mourir, m'affaisse dans un monticule de neige. Je me relève, n'en croyant pas mon corps. J'ai les chevilles foulées, mais je peux marcher. Je marche, n'ayant sur le dos que ma chemise de nuit, pendant quatre jours et quatre nuits. Me prenant pour quelque personnage de quelque scène de tournage, les gens me laissent aller sans m'ennuyer. J'atteins la frontière canadienne. Là, faute de meilleur pays que le mien, faute de meilleure destination que l'abbaye, je décide de revenir sur mes pas. Gelée de pied en cap, d'épiderme et épiderme, je rentre au columbarium.

Il n'est plus question d'agriculture entre Dick Dong

et moi. Plus du tout. Sur tous les tons, il ne me parle plus que d'amour. Il veut faire de moi son petit nécessaire de voyeur et de touche-à-tout. Il veut que je devienne sa petite Marie-déshabille-toi-là, sa petite Ferme-ta-gueule-que-je-t'explore-l'anatomie, son petit roman pornographique vivant. Il se fourre le doigt dans l'œil. J'ai besoin de tendresse, mais pas à ce point-là. Les mains sur les genoux, puis sur les cuisses ! Les mains sur les épaules, puis sur les seins ! Vacherie de vacherie. En veux-tu des seins ? Je vais t'en acheter une belle petite paire. Il t'amuse, mon sexe féminin, mon petit ? Allons au magasin, t'en acheter un beau gros.

— Cesse de me toucher ! Cesse de me peloter ou j'éclate et je te crève les yeux ! Si j'avais envie d'être pelotée je resterais au columbarium et je le ferais moi-même. J'ai les bras aussi longs que toi.

— Tu ne sais pas ce que tu veux, Bérénice Einberg. Tu es complètement perdue.

— Oui, je suis perdue. Et il est clair, depuis le temps que nous sortons ensemble, qu'il est inutile que je compte sur toi pour être retrouvée. Sire Dick Dong, je vous tire ma révérence. Adios amigo ! Off vie dher Zen !

— Off vie dher Zen encore une fois ? rit-il, sûr de l'effet qu'il m'a fait avec ses sales mains.

— Off vie dher Zen pour la dher des dher !

Je suis tellement en colère que j'ai failli tuer Mordre-à-Caille, le cher âne. Nous sommes à table. Nous en sommes au dessert. Et, depuis le potage, Mordre-à-Caille n'a pas pu se détacher les yeux de ma troublante personne. Il me regarde, les yeux pleins d'eau : il veut mon amitié. Si j'étais humble et pâte molle comme lui, moi aussi je voudrais mon amitié. Qu'il m'écœure, ce sans-estomac ! Je le frappe à coups de pied par-dessous la table, à coups de pied devenus si puissants, à la longue, que j'ai peur de lui rompre les tibias. Je lui ai fait des niques, lui ai tiré la langue. J'ai tout fait. Rien ne semble pouvoir le distraire de son atroce contemplation. Les sensations d'agacement qu'il me donne s'accroissent en progression géométrique ces jours-ci, comme dirait mon ex-professeur de chimie. Il me semble qu'il me colle à la peau et à l'âme de toute sa pustuleuse moiteur. Il faut que ça cesse ! J'en ai assez ! Je me lève, si soudainement et violemment que ma chaise s'en trouve renversée. Les larmes aux yeux, les cheveux droits sur la tête, je crie, je hurle.

— Assez, Mordre-à-Caille, m'entends-tu ! Assez ! Assez ! Assez ! Prends sur toi, nom d'une pipe ! Réagis, sapristi ! nom d'un chien ! Redresse-toi ! Cache-toi l'âme ! Couvre ta sale âme ! Frappe-moi ! Ne veux-tu pas sortir de ta médiocrité, espèce de bube ? N'en as-tu pas suffisamment, genre de hotu ? Frappe-moi ! Fais quelque chose ! Cesse de me regarder comme ça ! Je ne t'en ai pas assez fait ? Je ne t'ai donc pas repoussé assez de fois ? N'en as-tu pas assez de te faire écœurer par moi, une fille ? N'as-tu pas envie de respirer l'air pur, microbe anaérobie écœurant ? N'as-tu pas envie d'être digne et fort ?

Zio est absent. La pauvre Zia fait ce qu'elle peut : elle jette de hauts cris. Les autres cousins disparaissent peu à peu sous la table, se laissant doucement glisser le long du dossier de leur chaise. Tête basse, les yeux

dans les mains, doucement, Mordre-à-Caille pleure.
Saisissant la jatte de macédoine, je fais le tour de la
table et la lui verse sur la tête.

— Cet enfant a toujours été gentil pour toi ! supplie
Zia. Qu'est-ce qui te prend ? Folle !

— Défends-toi, pouille mouillée !

Et je gifle Mordre-à-Caille. Et, comme emportée par
ma violence, je le gifle encore et encore. Ça ne lui fait
rien. Je l'empoigne par les cheveux et tire, de toutes
mes forces, pour qu'il se lève, se mette debout. Il se
laisse faire. La chaise bascule et Mordre-à-Caille, se
sonnant le crâne, semble perdre connaissance. Je me
dis que je veux le tuer et que je vais le tuer. Je suis
dépassée. J'enlève mes souliers et c'est à coups de talon
que je ranime Mordre-à-Caille.

— Fais-moi face ! Fais-moi donc face ! Bouge un
peu ! Remue-toi !

Je le frappe encore et encore. Aussitôt que monte en
moi un peu de pitié, pour la faire taire, je frappe plus
fort. Mon cœur bat si fort que je l'entends. J'ai si
chaud dans la tête qu'il me semble voir les murs
fondre. Bougeant enfin, Mordre-à-Caille fuit du côté
de l'escalier. La terreur lui a fait pousser des ailes. Il
court si vite que je ne peux le rejoindre qu'à la
deuxième cage. Je l'attrape, le retiens un instant. Mais
il tremble tellement qu'il m'apparaît soudain qu'il n'y a
rien à faire, que rien n'importe plus, et que je le libère,
lui appliquant une violente poussée.

— Va ! Va ! Fuis ! Fuis !

Je l'ai poussé avec une telle force qu'il culbute et
que, bondissant comme une balle de marche en

marche, il va rouler jusque sur le trottoir. La police est alertée. Les pompiers sont avertis. Les électriciens sont mis au courant. Une ambulance arrive, faisant un bruit d'essaim d'abeilles. Je m'en fiche tellement.

58

Ils m'ont enfermée dans l'armoire de la salle de bains. J'ai mal aux reins, aux reins, aux reins. Depuis deux semaines je suis prisonnière de l'armoire de la salle de bains. Assise au fond de l'armoire, je ne vois rien. Quand Zio ouvre le guichet pour me donner une autre ration de brouet noir, je vois la main de Zio, les ongles de la main de Zio, les petits poils noirs de la main de Zio. Je n'entends que des bruits de savon, de brosse à dents, de gargarisme, de miction, de défécation et de chasse d'eau. Il fait noir noir noir. On ne me délivrera que lorsque j'éprouverai quelque repentir sincère au sujet de ma conduite. Il n'y a rien que je regrette moins que ce que l'on me reproche. Je ne m'excuserai pas d'avoir essayé de sortir de mon mal. Je ne piperai mot. Je m'occupe comme je peux, mue par un vague espoir d'évasion, contente de n'avoir pas imploré, me jurant de ne jamais implorer. J'ai entrepris de déloger les treize tuiles du rectangle de carrelage de mon petit royaume. C'est une tâche aussi difficile et absorbante, je le dis sans exagérer, que la mise en bouteille d'un bateau. Je ne suis armée que d'une épingle de nourrice, et les tuiles sont cimentées ensemble si parfaitement que j'ai peine, au toucher, à distinguer les joints du reste. Je n'ai pas encore réussi à déloger ma première tuile. Mais c'est toujours la première tuile qui est la plus difficile. Quand je l'aurai eue, les douze autres viendront toutes seules. Ensuite, je m'attaquerai aux plantes, aux poutres, à la cheminée. Qui n'a pas rêvé de débâtir un columbarium de dix cages avec rien qu'une épingle de nourrice ? Il y a toujours, où qu'on soit, quelque chose de grand à entreprendre, quelque chose d'impossible à faire. Soutenue par le désir que j'ai de ne pas demander grâce, je suis prête, avec mon épingle de nourrice, à débâtir toute la terre. Et puis j'y pense, quand le columbarium sera tout débâti, je ne serai plus prisonnière de mon armoire. De toute façon, dans un an, je ne serai plus, certainement, prisonnière de mon armoire, de ma belle armoire fortifiée avec des lambourdes. Il faut dire aussi que je suis toute nue, que, de peur que je ne me suicide avec l'un ou l'autre de mes vêtements, ils ne m'ont rien laissé sur le dos. Toute nue, je ne peux pas me faire de strip-tease, et mes loisirs (il ne faut pas que travailler, il faut aussi se distraire) en souffrent à mort. Quand Zio s'introduit la main dans le guichet pour me donner ma ration de brouet noir, je l'apostrophe de belle façon :

— Je me moque de toi, Zio ! Je me moque de tout ce que tu fais pour m'avoir ! Même, je m'en prélasse chattement ! Tu ne viendras jamais à bout de moi ! Il faudrait que tu me tues pour me soumettre, et tu n'as ni le courage ni l'esprit de le faire !

Je pense beaucoup à Constance Exsangue. Quand je subis mes pires secousses de désespoir, je prends son spectre dans mes bras et je le serre très fort, et je sens ses os plier. Finie l'époque où je me frappais la tête contre les murs ! Pour me calmer, m'adoucir, me rassurer, j'ai un spectre. Aucun être vivant n'a autant de chaleur humaine que ce spectre, ne m'incline plus au repos et au sommeil que ce spectre. Même, quand je lui parle, ça compte.

— Je ne t'ai pas trahi, beau spectre. Je ne te trahirai pas, beau spectre. Car c'est toi, n'est-ce pas, l'objet de la trahison qu'ils veulent m'arracher ? Car c'est pour que je te perde qu'ils veulent que je les supplie et me traîne à leurs pieds, n'est-ce pas ? Car c'est toi, ton innocence, ta douceur et ta beauté que je suis en train de défendre dans cette armoire, n'est-ce pas ?

Je pense aussi à Christian. Je pense à lui par habitude, parce que je me suis entraînée à le faire. Il n'a rien dans le ventre. Je pense à Constance Exsangue. Je me souviens de tout, clairement, geste par geste, mot à mot. Et quelle vengeance c'est ! Quelle belle vengeance ! Par toi, Constance Exsangue, par nos cinq-six souvenirs, je suis vengée d'avance, je suis vaincante d'avance, je suis resplendissante d'avance. Merci ! Merci ! Merci ! Je me souviens de chaque mangue que nous avons volée, de chaque carambole que nous avons volée, de chaque bout de bougie que nous avons allumé. Si seulement je pouvais me souvenir de plus de choses ! Si seulement je pouvais me souvenir plus violemment ! Nous dessinions des petits bonshommes et des petites bonnes femmes sur l'asphalte avec des bouts de graphite. La neige ! Combien de premières neiges avons-nous reçues ensemble ? Deux ? Quatre ? Quel bel œuf tu as déposé en moi avant de partir ! Je pense à toi et c'est beau, beau, beau. Un soir qu'il faisait froid, en riant et en frissonnant, tu t'es serrée contre moi, tu t'es cramponnée à mon dos avec toute la force de tes bras. Tu disais que tu étais bien. « Comme je suis bien. Comme on est bien ensemble quand il fait froid comme ça dehors. Comme on est bien dans notre lit. Je suis si bien. C'est comme si je dormais les yeux ouverts. » Tu m'as raconté que, lorsque tu étais petite, tu avais un gros chien saint-bernard et que tu dormais avec lui. Tu m'as raconté qu'il ne voulait pas entrer avec toi sous les couvertures, qu'il aimait mieux dormir par-dessus les couvertures, qu'il ne se fâchait jamais. J'ai dit quelque chose·que je ne trouvais pas drôle. Mais tu l'as trouvé drôle et tu t'es mise à rire. Tu étais si serrée contre moi que je te sentais rire jusqu'à travers moi. Tu t'es endormie. Dans ton sommeil tu t'es peu à peu éloignée de moi, vers ton côté du lit. Peu avant que je m'endorme, tu as lancé une jambe sur les miennes. Quand je me suis réveillée au milieu de la nuit, ta jambe était encore sur les miennes et encore froide.

59

Les choses se présentent, d'une certaine façon, d'une façon inquiétante souvent. Si on les laisse passer de peur de s'empoisonner, c'est fini, on a manqué son coup. Les choses ne se représentent pas. Il faut prendre les choses, absolument, de quelque façon qu'elles se présentent. Il faut empaumer la braise, saisir le feu dans le vif de son sujet. Il ne faut pas rester là, à regarder les choses passer, à rester stupidement intact, à se rassurer en se disant que, si on avait pris les choses qui viennent de passer, on se serait fait brûler à mort. Quand quelque chose passe, quelqu'un passe, c'est pour moi. L'avion qui passe au-dessus de la ville frappe à ma porte. Je ne me suicide pas parce que j'ai envie de partir. Quand on a envie de quelque chose on est sauf. Je ne pars pas parce qu'une fois partie je n'aurais plus envie de rien et qu'il faudrait que je m'extermine. Ma logique m'effraie.

Le mufle humide et les pieds froids de Constance Exsangue crient de plus en plus fort, appellent d'une façon de plus en plus brutale. Me promenant dans la rue, je vois venir une petite fille blonde. Je m'y intéresse, morbidement, comme je m'intéresse à toutes les petites filles blondes. Je la regarde s'approcher, comme si j'étais un tigre. Elle a les bras maigres et les jambes maigres de Constance Exsangue. Arrivant à ma hauteur, elle me regarde avec les grands yeux noirs de Constance Exsangue, avec comme les mêmes pensées que Constance Exsangue dans la tête. Mes muscles s'ankylosent. Ma respiration s'alourdit. Je me retourne, la vois disparaître dans une rue transversale. Je l'ai laissée passer ! Des engrenages se déclenchent dans mon âme, sourds et violents. Sans issue, les énergies qu'ils produisent s'accumulent, me gonflent, me tordent. C'est l'envie de mourir, de délivrance. Où ces mouvements m'entraîneraient-ils si je les laissais faire ? Je distingue des formes de meurtre. Je n'aurais jamais dû laisser passer cette petite fille. J'aurais dû la prendre. J'aurais dû lui dire de rebrousser chemin et de venir avec moi.

« Viens être mon amie ! aurais-je dû lui dire. Viens vivre avec moi. Nous nous cacherons quelque part. Je ne permettrai à aucun adulte de porter son ombre sur ta joie d'enfant. Je protégerai pour toi ta joie d'enfant. Rien ni personne, aussi longtemps que je vivrai, ne pourra l'assombrir. Je m'armerai jusqu'aux dents pour sauver ta joie d'enfant. Je me battrai jusqu'à la dernière goutte de mon sang pour qu'aucune adulterie ne te touche. »

Pourquoi donc ai-je laissé passer cette petite fille qui parlait tant à mon âme et à laquelle mon âme avait tant à dire ? Que je suis bête ! Quand serai-je libre de faire ce que je veux ? Malade de l'âme pour mourir, je décide de faire l'école buissonnière. En souvenir de Chamomor, j'entre dans un cinéma polonais. La petite salle presque vide sent le moisi et le froid. Pour être seule avec l'écran, je prends place à la première rangée. Détendons-nous, laissons-nous inspirer. Beaux et sans parapluie, une femme et un homme se promènent sur une grève sous une pluie diluvienne. Ils marchent lentement, comme en titubant, enlacés, comme s'ils marchaient dans une enivrante richesse, comme s'ils marchaient sur les bijoux d'un immense coffre de pirate. Ils poussent des galets du bout des pieds, les yeux pâmés, comme si c'étaient des rubis et des émeraudes. On entend gratter tristement une guitare. On est transporté dans une rue. On voit des toits de tôle luire blanc dans l'ombre grise de la pluie. On voit une rigole se lover autour d'un trou d'homme. Ces images m'ont mise en émoi. Que fait-on quand on est en émoi ? Est-ce qu'on écrit des poèmes, qu'on peint, qu'on sculpte ? Dans quel but cette belle femme et ce bel homme se sont-ils promenés sous la pluie sans parapluie, ont-ils poussé des galets du bout des pieds comme s'il s'agissait de rubis et d'émeraudes ? Je suis très intriguée. Que va-t-il se passer maintenant ? On est dans une chambre. J'aurais dû m'y attendre. On voit un lit, l'amour dans toute sa splendeur. Ils sont nus, les chers petits ! On voit une bouche escalader un sein remplissant tout l'écran. La jolie pluie et les beaux galets ont trouvé leur conséquence. Tout devient logique. Me voilà instruite et dégoûtée. Je sors du cinéma en claquant les portes. Ce qu'on appelle beau avec des anhélations, des éraillements de paupière, des « oh ! » et des « ah ! » m'a découvert son vrai visage. Le beau est un déhanchement aphrodisiaque pire que la danse du ventre. Que sont l'art et la poésie ? Du phénol ! Qu'est-ce que le phénol, Bérénice Einberg ? Qui transformera tous ces musées en casernes, tous ces trombones en tromblons, tous ces bucoliques en hoplites ? Monsieur, à quelle heure le train du Messie arrive-t-il, le train du fils du Dieu des Armées ? Et jusqu'au soir j'erre tout de travers sur la terre, chantant inlassablement : « Le beau est un déhanchement aphrodisiaque pire que la danse du ventre » sur l'air

276

d'*Il était un petit navire*. On se soûle d'écœurement.
« Ma mie, cultivons nos rancœurs » (Nelligan).

A ma nouvelle école, une fois par semaine, le
mercredi, je suis monitrice de gymnastique. Je suis
chargée des petites filles de cinquième. Je ne manque
jamais l'école le mercredi. Avec ces petites filles, je suis
comme en extase. Elles aiment. On dirait que, pour
elles, aimer, aimer de tout son cœur, est incoercible.
Même moi, qui n'ai rien d'aimable, elles m'aiment,
elles m'ont aimée tout de suite. Elles viennent se
masser autour de moi aussitôt que je parais, me
pressant de leurs rires, de leurs yeux clairs, de leurs
visages grands ouverts, de leurs âmes avides. Elles me
font la cour. C'est à celle qui saura le plus me plaire. Je
me sens timide, humiliée, maladroite, bouleversée,
comblée. Il y en a une qui me fait hurler à la lune, et
c'est à elle que je pense en courant pour ne pas être en
retard. Son seul nom suffit à me faire débattre le
cœur : Constance Kloür. Je pénètre en sueur dans la
salle de basket-ball. J'ai l'impression d'entrer dans un
sanctuaire. Mes petites courtisanes sont toutes là.
Comme j'ai chaud à l'âme ! Je sens mon âme déborder
de richesses. Voilà qu'elles m'ont vue. Constance
Kloür en tête, elles s'élancent à ma rencontre. Je
plonge dans des yeux profonds comme des puits. Je
prends, autant que j'en veux, des petites mains humi-
des et vives comme des poissons. J'embrouille des
cheveux plus doux et plus souples que de l'herbe. Mes
bras se chargent de grappes de bras. J'aime comme
j'aime aimer et je suis aimée comme j'aime être aimée.
Comme je suis heureuse. Comme il est beau le monde

sans art, sans littérature, sans politique, sans affaires, sans automobiles et sans coucheries où ils m'emmènent. Je prolonge la récréation. Elles en ont tant à dire, et tout ce qu'elles disent est si doux, si inoffensif, si facile à comprendre. Je ne parle pas. De toutes mes forces, je les écoute. Je ne me sers de ma bouche que pour mieux les entendre, comme d'une troisième oreille. Après la gymnastique proprement dite, je prends Constance Kloür à l'écart et lui dis qu'elle a été tellement gentille avec moi que je ne peux que lui donner congé pour le reste de la journée.

— Et je t'emmène avec moi.

— Ouaou ! Ouaou ! C'est vrai ? Que je suis contente ! Tu es la monitrice la plus gentille.

— Mais viens que je te peigne et que je te débarbouille un peu. Tu ne veux pas te promener sur Fifth Avenue avec les cheveux dans le visage et le visage tout en sueur, n'est-ce pas ?

Je lui rafraîchis le visage, lui lisse soigneusement les cheveux. Qu'ils pensent ce qu'ils veulent ! Cet après-midi, Constance Kloür est à moi, rien qu'à moi, toute à moi, comme ma propre enfant.

Nous traversons Central Park, pas par les sentiers, mais dans l'herbe, allant d'un arbre à l'autre. Je propose que nous jouions à celle qui trouvera le plus gros caillou. Ce jeu nous passionne. Un gros caillou aperçu au loin fait l'objet d'une course sans merci et de disputes à n'en plus finir.

— C'est moi qui l'ai vu la première. C'est à moi qu'il revient.

— Le principal ce n'est pas de le voir, mais de le prendre.

Nous nous attablons au comptoir d'une pharmacie. Elle veut une glace au chocolat et moi, une glace à la vanille. Elle met son gros caillou dans son cartable de peur que je ne lui vole, prend sa glace au chocolat à deux mains et, à toute bouche, comme si ça valait un million, savoure. Aux étalages rotatifs de cette pharmacie, il y a une dague qui, depuis fort longtemps, me fait envie. Me servant de Constance Kloür pour me couvrir, je la vole. Constance Kloür s'en trouve toute scandalisée, toute triste, toute renfrognée. Je hais tellement ma belle dague que je la mangerais. Nous entrons dans toutes les boutiques et tous les magasins de Fifth Avenue. Elle veut tout acheter. J'aimerais être millionnaire. Fascinée par l'ombre qui règne dans le tunnel Lincoln, elle veut que nous le traversions. Bien que sachant par expérience que le tunnel Lincoln est défendu aux piétons, je veux accéder à son désir. N'ayant pas fait vingt pas dans le noir tunnel Lincoln sans trottoir, nous sommes arraisonnées par une voiture de police. Tard dans la nuit, je vais reconduire Constance Kloür à sa vie, à ce à quoi elle appartient, à ce à quoi j'ai dû l'emprunter. Sa mère tout en larmes et son père tout en cris me promettent de faire rapport aux autorités scolaires. Je deviens grossière, les injurie, les traite de mauvais faiseurs de monde, les menace de la dague volée. Je vois, par ma colère et ma haine, le cœur de Constance Kloür se briser. Je connais par cœur tous les visages de la nuit. Je sais que cette nuit je ne pourrai ni dormir, ni lire, ni supporter l'âcreté de mes pensées. J'allume une allumette. Il fait tellement silence que, soufflant sur la flamme, je l'entends claquer comme un drapeau mouillé, vrombir comme une motocyclette. J'ai très soif. Mais je ne me lève pas, de peur de troubler l'engourdissement qui, à force d'immobilité, m'a gagné. Cruellement, ma soif augmente, devient intolérable. Je me lève, mais bien décidée, pour me venger, à boire autre chose que de l'eau. La carafe pleine de manzanilla que Zio tient dissimulée derrière les tomes d'une encyclopédie en prévision des fêtes de la Délivrance est faite d'un épais cristal incrusté de vermiculures d'opale. Je reviens dans mon lit en serrant dans mes bras cette carafe donnée par un Bragance, il y a quatre siècles, à une gitane aïeule de la première femme de Zio. Je laisse la fenêtre ouverte depuis la mort de Constance Exsangue, pour laisser aller et venir à sa guise son fantôme. Une chauve-souris entre, tout à coup. Les cheveux droits sur la tête, je la regarde, entendant battre ses ailes, faire trois fois le tour du plafond, voler en rase-mottes au-dessus de mes couvertures et ressortir. Quand nous nous réveillions, Constance Exsangue et moi, j'avais toujours la bouche pleine de ses cheveux. Quand j'avais un morceau de gravier dans mon soulier, j'aimais m'appuyer sur elle pour me lever le pied. La nuit, elle avait peur d'aller toute seule aux cabinets : il fallait que j'y aille avec elle, que je m'assoie sur le bord de la baignoire et attende qu'elle ait fini. J'éveille un à un nos souvenirs. Maintenant que j'ai de la manzanilla plein les bras, il n'y a pas de danger à m'exciter à avoir envie de me soûler. Je me relève. Buvons debout ! Je contemple la carafe à peine en vidange. Boire, c'est faire comme Chamomor. C'est moi qui bois mais ce sont les lèvres de Chamomor qui ont pris le goulot. J'ai sorti toutes les bougies qui nous restaient, les ai disposées comme des petits soldats de plomb sur le plancher et les ai allumées. Debout au milieu des bougies, les jambes écartées comme pour un duel, j'avale le liquide noir. Je bois aussi vite que le vin peut descendre dans mon ventre. Je ne m'arrête que lorsqu'il faut que je m'arrête pour reprendre mon souffle. L'ivresse s'en vient. Je commence à hoqueter, à me mettre à rire sans m'en rendre compte, à chanceler. Je dis en me pâmant des bribes de la *Romance du Vin.* « O si gai que j'ai peur d'éclater en sanglots ! » Pour encourager l'ivresse, je titube plus que je ne tituberais naturellement. Bientôt je perds contrôle. Je marche sur les bougies sans m'en rendre compte, je vomis comme un égout. J'ai peur, à chaque spasme, de vomir mon cœur. J'ai peur de mourir. Je pleure. Je lance la carafe vide contre le calorifère. Elle explose en miettes. Je ris. Je n'ai plus peur de mourir : je veux mourir. Je cherche la dague, ma belle dague. Je me dégoûte et j'entends y mettre bon ordre, vivement et gaiement. Je vois une grande flamme grimper aux rideaux. Je trouve la dague et, lentement, systématiquement, en tous sens, me laboure la peau.

— Je suppure ! M'entendez-vous ? Je suppure ! Je suis pleine de merde !

Voilà que Zio et tous les saint-je sont là qui me regardent, bouchée bée. Est-ce qu'il y a longtemps

qu'ils sont là ? Les pompiers arrivent, maîtrisent
l'incendie.

60

Donc, je suis fatiguée d'être seule. Mais qui irais-je
voir que je ne connais pas encore, dont je ne connais
pas déjà l'immonde ennui ? L'idée saugrenue d'aller
voir mon pornographe favori me vient ; et, avec force,
je consens à cette idée. Je vais, de ce pas, le voir. S'il
est à Oklahoma City, je marche jusqu'à Oklahoma
City. S'il est en Yakoutie, je me rends en Yakoutie.
Qui sait ? C'est peut-être une sorte de thaumaturge. Il
élève peut-être des animaux d'espèce inconnue. Il me
donnera peut-être un écureuil hippopotame pour me
remercier de ma charmante visite. Je trouve le numéro
de téléphone de son éditeur dans le bottin et appelle.
Mon nom est Bérénice Einberg. Je suis reporter au
Saturday News. Je me demande où je pourrais joindre
Blasey Blasey. Un instant ! me dit-on.

— Blasey Blasey à l'appareil. Je vous écoute.

— Écoutez, monsieur Blasey ; je ne suis pas reporter. Je suis seule sur cette terre et je veux vous voir. J'ai
besoin de vous voir. J'ai besoin de voir quelqu'un que
je ne connais pas, comme vous. Ne raccrochez pas ! Ce
n'est pas une blague. Je suis désespérée. J'ai lu presque
toutes vos œuvres et j'aimerais que nous en parlions
ensemble.

— D'accord. Soyez chez moi, ce soir, vers six heures. Je vous invite à souper.

Il me fait prendre son adresse en note, me dit au revoir et raccroche. J'en suis tout excitée. Un pornographe ! Si Zio savait ça ! Si Chamomor savait ça ! Je suis contente de ce rendez-vous de toute façon. Au moins, pour aujourd'hui, ce que j'avais à faire de ma vie est fait. Que faire ? Où aller ? Voilà, au moins, pour aujourd'hui, ces questions réglées.

Le columbarium au sous-sol duquel est située la cage de Blasey Blasey est tout aussi parallèle et perpendiculaire que celui de la cage de Zio. Pas la peine d'être pornographe ! me dis-je, navrée. Cependant, regardant ce columbarium de plus près, j'y sens plus d'art, plus de délicatesse. Par exemple, le vestibule est rempli de fausses plates-bandes remplies de faux joncs. Aussi, sur les murs des corridors, sont pendus des chefs-d'œuvre de peinture abstraite. Comme il pleut à plein temps, avant de sonner à la porte de la cage 3456, je m'essuie soigneusement les pieds. Je suis accueillie par un Blasey Blasey en peignoir et parfumé.

— A entendre votre voix, je vous avais crue plus vieille, plus mûre. Mais la valeur n'attend pas le nombre des années. C'est de Rabelais, je crois. De toute façon, ne vous effrayez pas. Je ne suis pas un ogre. Je suis célibataire et ce qu'il y a de plus bourgeois. Entrez ! Entrez ! Mettez-vous à l'aise. N'ayez pas peur. Je ne mange pas les jeunes filles. J'ai une femme et quatre enfants, et j'adore ma femme. Enlevez-moi ces souliers. Donnez-les-moi que je les mette à sécher sous le calorifère. A cause du genre un peu spécial de mon œuvre, ils me prennent tous pour un obsédé. Mais, encore une fois, ne craignez rien. J'écris comme d'autres vont à l'usine. Il faut que je fasse vivre ma petite famille.

Il ne s'arrête pas de parler. Il ne s'interrompt même pas pour me laisser le temps de dire oui. J'en prends mon parti. Sur la petite table éclairée par un faux candélabre, il y a une bouteille de champagne dans une chaudière, un faisan avec toutes ses plumes, du pain, des fruits en quantité et des pâtisseries en quantité. Voilà de quoi boire et manger ! Sans attendre son invitation, je me mets à table et me mets à manger. Voyant que je me suis mise à table et me suis mise à manger, sans s'arrêter de parler, il se met lui aussi à table et se met lui aussi à manger. Je suis bien. Je suis… ailleurs, je suis merveilleusement dépaysée. Je soupe chez un pornographe ! Demain, il faudra que j'aille souper chez un taxidermiste.

— Bonsoir, monsieur le pornographe. Et merci. Le faisan était très très excellent.

— Bonsoir, mademoiselle Einberg. Je suis sûr que maintenant vous ne croyez pas un mot de tous ces commérages qui ternissent ma réputation. Vous l'avez vu : je suis un papa sur-dévoué et un célibataire sur-endurci, tout ce qu'il y a de plus carré. Ne craignez pas de revenir. J'ai été enchanté. Vous m'êtes très sympathique. Etc., etc.

Dans ma tête, avec le temps, le jardinier est devenu aussi beau que son suicide. Il ne disait pas : « Non, ventrebleu ! » Non ! Il disait : « Non, ventregris ! » Il n'appelait pas son chien « Fido ». Non ! Il l'appelait

« Zéro ». Il n'aimait pas parler des guerres qu'il avait faites en Afrique et en Belgique. « Vous avez beaucoup voyagé. Parlez-moi de vos voyages ! — Non, Ventregris ! Je n'aime pas ça. Ça me donne le cafard. » Il portait son sempiternel chapeau marron à la façon halieutique, les bords rabattus. Il roulait ses propres cigarettes. Il buvait comme un trou. Il y avait toujours une centaine de bouteilles de bière vides d'alignées contre l'embasement de l'appentis. Il me parlait souvent de son fils Renaud, mort à l'âge que j'avais, renversé par un camion. Il me parlait de la prodigieuse agilité de Renaud. « Renaud pouvait rejoindre une belette à la course et sauter haut comme le treuil de carrier. » Ce jardinier n'a jamais touché à une bêche. D'ailleurs, Chamomor n'a jamais eu que de l'horreur pour les plantes cultivées. Je me demande ce qu'il faisait sur l'île. Est-ce qu'il existe des jardiniers faits pour regarder les pissenlits pousser ?

Jerry de Vignac est beau comme un chou. Nous sommes toutes d'accord. Mais il zézaie. Il zézaie et c'est ce défaut de prononciation qui a provoqué le schisme qui divise les élèves des cours de ballet « Krostyn » depuis son arrivée. J'aime son zézaiement. Il me semble que, sans son zézaiement, il ne serait pas aussi timide, aussi délicat, aussi doux. Pour le défendre, moi et les autres qui sont de son côté, soutenons qu'il zézaie comme Alcibiade. Les autres, celles qui sont contre lui, soutiennent qu'il zézaie comme un perverti. Il est cousin de notre maîtresse de classique. J'ai failli ne jamais le connaître. Un vote a été pris, à savoir si *Le Lac des cygnes* serait monté avec ou sans participation masculine. Et j'ai gagné. Les Krostyn projettent de présenter notre *Lac des cygnes* dans un grand théâtre, d'en faire une bombe pour que se remplisse l'école qu'ils viennent de construire. Nous répétons quelquefois jusqu'aux petites heures du matin. Durant les relâches, Jerry de Vignac m'apprend les danses sud-américaines. Et, par où qu'elles me prennent, ses mains m'éblouissent. Sous ses mains, je me sens me réveiller, comme un crocus aux premières lueurs du soleil. Je coucherai avec lui, ne serait-ce que pour me faire davantage horreur. Je coucherai avec lui. Je le paierai s'il faut.

61

Les langues humaines sont de mauvaises langues. Elles ont trop de vocabulaire. Leurs dictionnaires les plus abrégés comptent mille pages de trop. Cette superfluité donne lieu à de la confusion. On reconnaît les sentiments au toucher. Tout ce qui se décrit dans mon œil, mon ventre et mon cœur par un seul et même phénomène devrait porter un seul et même nom. Ces états d'oppression viscérale qu'on peut aussi bien appeler chagrin que peine, douleur, haine, dégoût, angoisse, remords, peur, désir, tristesse, désespoir et spleen ne témoignent au fond que d'une seule réalité. Je les ai toujours, sans vergogne, confondus. Les philologues et les bavards devraient faire de même.

L'homme est seul et son agressivité vient de cette solitude. Quand j'étais enfant, j'appelais peur ce même échec douloureux que je rencontrais chaque fois que je m'en prenais à ma solitude. Pasteur a pu guérir la rage parce qu'il a su voir le même agent pathogène partout où la rage se manifestait. Si les êtres humains s'obstinent à croire à des lions, des raies, des loups, des anguilles, des hyènes et des tricératops où il n'y a qu'un pou, ils ne pourront jamais trouver de remèdes aux maux dont ils souffrent. C'est Bérénice Einberg qui vous le dit.

Voici l'histoire d'une égoïne. Un matin de septembre assez froid, à deux endroits distants d'un pied, la croûte terrestre remua, saillit, se fendit, et deux têtes pointèrent. Virent alors le jour deux êtres humains de quinze ans à qui la coïncidence de leurs sorties des marais souterrains inspira une réciproque amitié. Ils vécurent ensemble. On les voyait aller main dans la main de pays en pays. Mais, bien qu'animés tous deux d'une ardente intention de communiquer, Grisée et Eésirg ne s'étaient jamais compris. Il manquait de transparence entre eux. Cette carence se manifestait surtout dans leurs dialogues. Grisée disait : « J'ai très faim, mangeons du poivre. » Eésirg répondait : « Coraux en thé. » Grisée disait : « Cette montagne est si petite qu'elle ne s'élève même pas au-dessus de la surface de la plaine. » Eésirg répondait : « Emaux en mai. » Grisée disait : « Ce ver est acide, pouah, méchant, pouah. » Eésirg répondait : « Anneaux en nez. » Grisée disait : « Ce prince qui courait n'était pas un prince charmant, c'était un prince haletant. »

Eésirg répondait : « Vitraux en fée. » Grisée se fâchait et disait : « Je n'entends rien à tes propos ! » Imperturbablement, Eésirg répondait : « Taureaux en dé. » Grisée se rendit à l'évidence : il fallait agir. Il y avait un mur entre elle et son compagnon de naissance : il fallait percer ce mur. Grattant ce mur avec les ongles, elle put en déloger quelques molécules qu'elle donna à examiner à un homme de haute technique. « Il s'agit d'un métal malléable et résistant. — Que suggérez-vous ? — L'emploi d'une égoïne. » Grisée acheta une égoïne dans une librairie et s'en fut retrouver son compagnon. Elle le fit parler pendant quelques instants pour s'assurer que l'obstacle les séparait encore, traça dans l'air un cercle, prit son égoïne et, se guidant d'après ce cercle à la craie, se mit à scier. Le sciage fini, elle enleva la petite lune ainsi découpée et introduisit son coude dans le trou. Eésirg se mit à rire comme un cheval et, enfin, prononça quelque chose de sensé : « Tu me chatouilles ! » Scandalisée, Grisée fondit en larmes, se trancha le cou avec l'égoïne et mourut. Cette histoire m'a été racontée par Jerry de Vignac. Lorsque, chez un être humain, l'angoisse atteint une certaine intensité, on assiste à une diarrhée de mots. On peut le remarquer en particulier chez le pornographe, appelé aussi écrivain, auteur, romancier et poète. Étant donné que l'angoisse diffère si peu du rhume de cerveau, je m'étonne qu'on ait écrit si peu de chose sous l'inspiration du rhume de cerveau. Le malentendu vient de ce qu'on se sert de l'intensité de l'angoisse, et non de celle du rhume de cerveau, comme critère pour mesurer la beauté et définir les coups qu'on reçoit du monde. En effet, qu'appelle-t-on « beau » sinon ce qui produit de l'angoisse, et « plus beau » ce qui produit plus d'angoisse ? Qu'est-ce qu'un ciel, qu'un coucher de soleil qui fait rêver ? C'est un ciel ou un coucher de soleil qui font tellement mal qu'il faut s'arrêter à sa douleur, y réfléchir. Que fait-on quand on a très mal à la tête ? On s'arrête et on y pense. Qu'est-ce que l'angoissse, le mal, la douleur à l'âme ? Guérissez-les ! C'est Bérénice Einberg qui vous le demande.

Le théâtre est plein, si plein que ses murs en sont renflés comme les flancs d'une femme enceinte, comme les douves d'un tonneau. C'est l'entracte. Nous avons très mal dansé, nous avons été très applaudis et nos maîtresses, bondissant dans la coulisse comme des kangourous ayant l'encéphale truffé de cénures, nous congratulent. L'une d'elles, une chaude Slave, vient nous trouver, Jerry de Vignac et moi.

— Vous vous couvrez de gloire. Bravo mes enfants !

— Mais j'ai chuté deux fois.

— Qu'importe ! Qu'importe ! Comme dit le proverbe chinois : Tomber sur le nez c'est aller de l'avant ! Continuez !

— Et tomber sur le derrière ?

— Bravo ! Bravo ! Continuez ! Tendez vos beaux visages que j'embrasse vos bouches sucrées ! Hmmmmm ! Hmmmmm ! Que c'est bon ! Que je suis fière de vous !

J'entraîne Jerry de Vignac dehors. Il pleut comme dans cette tapisserie du moyen âge représentant le déluge. Il pleut en filets blancs, droits, parallèles, serrés, aussi gros que des chaînes. De la sorte de patelle

289

dont l'ampoule électrique fixée au-dessus de la porte est coiffée, pend un cône de clarté jaune dans laquelle les grosses gouttes de la pluie s'aurifient. Je tourne autour d'une tour invisible, les yeux fermés, les bras en l'air comme un danseur de flamenco, martelant la boue de mes pauvres chaussons de satin. Pendant que, comme Danaé, je sens mes entrailles s'épanouir, ma mise en plis et la grosse couronne de tulle de mon tutu se dissolvent.

— Qu'est-ce qui te prend? répète Jerry de Vignac, grelottant et se couvrant la tête de son imperméable. Qu'est-ce qu'il y a?

Je m'arrête de tourner, viens le trouver sur le perron et lui réponds :

— Il faut tout mettre dans tes souvenirs avec ton œil droit : les ombres grises et déliquescentes de ces postérieurs de maisons, le treillis noir de cette clôture de fer-blanc, la couleur rouge des briques de ce postérieur de théâtre, le contour mal ovale de cette flaque de pluie rendue brune, tout. Ferme l'œil gauche et apprends tout par cœur.

Soudain, de proche en proche, le ciel est ébranlé. Regarde! Regarde! Juste au-dessus de nous, les feux vert et rouge d'un aérobus quadrimoteur clignotent.

— Folle! Folle! Vas-tu enfin prononcer quelque chose de sensé?

Je m'agenouille, prends une de ses jambes dans mes bras et la baise, du genou au pied.

— Oui, mon chéri, tout de suite. Allons-nous-en! Allons-nous-en d'ici sans perdre une seconde de plus! Je ne peux plus danser. C'est absurde, trop absurde!

290

Pourquoi tous ces détours, tous ces méandres, toutes ces périphrases, tous ces entrechats ? Pourquoi nous soumettre à de telles sottises ? Filons droit au but ! Pourquoi attendre, jour après jour, pendant soixante ans ? Voici ce que j'ai dans la tête. J'ai un peu d'argent. Nous louerons une chambre d'hôtel et là, nous ne ferons pas l'amour, mais la tendresse ; et là, nous ferons la tendresse jusqu'à ce que nous soyons vidés, desséchés, délivrés, morts. J'en ai assez de tourner autour du pot. C'est un peu de tendresse et la mort... C'est tout. Il n'y a rien d'autre à attendre. Allons-y et, en une nuit, finissons-en !

Me hissant le long de lui, je me relève, renverse la tête, lui ouvre la bouche, laisse, pour qu'il les prenne, mes lèvres pendre entrouvertes entre ciel et terre. Le déclic que j'attendais ne se fait pas attendre. Il ne veut pas m'embrasser ! Il ne m'aime pas ! Il me repousse. Livide, Jerry de Vignac balbutie quelques paroles d'excuse, se dégage et prend la poudre d'escampette. Hi-han ! Hi-han ! Hi-han ! Hi-han ! Hi-han ! Hi-han ! Je me retrouve dans la coulisse. C'est Mme Krostyn elle-même qui m'y reçoit. Elle n'en croit pas ses yeux. Elle refuse de croire à mes chaussons pleins de boue et à mon tutu dissous. Elle en hurle. Tu peux toujours hurler.

— Imbécile ! Incroyable ! Mon Dieu ! Mon Dieu ! Voyons ! Mais... ! C'est bientôt à toi, à toi ! Va vite te changer... Viens ! Vite ! Suis-moi !

— Je rentre chez moi.

— Tu... Quoi ? Où vas-tu de ce pas ?

— Je rentre chez moi.

Je me dirige du côté de la scène, mon interlocutrice à mes trousses

— Bérénice Einberg ! Bérénice Einberg ! Reviens ! Ou vas-tu de ce pas ?

— Je rentre chez moi. Tu peux toujours hurler, ma colombe. Je rentre chez moi. Je passe par l'intérieur du théâtre parce que c'est plus court. J'en ai assez de contourner des ombres !

Au pied du rideau, Mme Krostyn me rattrape, s'accroche à moi.

— Tu te mutines, comme ça, sans un mot ? Prends au moins le temps de t'expliquer. Que t'a-t-on donc fait ? Qui donc t'a fait du mal ?

— Je n'ai rien à dire. Je me mutine, comme ça, sans raison. Pourquoi faut-il toujours avoir des raisons de se mutiner ? Est-ce que les motifs changent quelque chose aux actes ? Je me glisse sous le rideau. Je franchis la scène en ne ménageant pas courbettes et génuflexions. Je traverse l'orchestre en donnant des coups de doigt sur le crâne des musiciens chauves. Je passe au travers de l'auditoire en marchant tantôt sur les chevilles, tantôt sur les genoux et tantôt sur les mains. Je fais la drôle. On rit plus ou moins. Je hèle un taxi. Je lui donne l'adresse du columbarium, comme si c'était tout naturel. Je me dis, regardant la nuque bouffie du chauffeur, que les chauffeurs de taxi sont bourrés de tuyaux. Chauffeur, chauffeur, connaissez-vous quel-qu'un qui, pour vingt dollars, accepterait de faire la tendresse jusqu'à ce que mort s'ensuive avec une chienne savante au tutu mouillé ?

62

Zio met les pouces. Zio m'abandonne aux acides qui me rongent. Zio me fait basculer par-dessus le bastingage, par-dessus les batayoles, par-dessus la margelle.

— Tu gagnes ! Je ne peux plus te souffrir ! Je ne peux plus t'endurer ! Je ne peux plus te supporter ! Fais vite ta valise ! Évacue vite cette chaste demeure !

Je ne sais laquelle de mes dernières chinoiseries a allumé l'étoupille. Hier encore, il disait : « Je te dresserai, dussé-je y perdre mon âme ! La vermine qui circule dans tes veines au lieu de sang, je la materai ! »

J'ai quitté l'île il y a presque cinq ans. Je ne l'ai pas vue depuis cinq ans. Je n'ai pas vu Christian depuis cinq ans. L'île ne m'a pas vue depuis cinq ans. Demain, de nouveau, je me roulerai dans son chiendent doux et dru. Ai-je encore l'âge du chiendent ? Je n'ai pas vu de chiendent depuis cinq ans. Ai-je encore le sens du chiendent ? Le chiendent me reconnaîtra-t-il ? Chamomor a-t-elle encore Trois, le chat abyssin ?

Il était cinq heures quand il m'a dit de faire ma valise. Il est six heures vingt, et mes valises sont faites, prêtes. Mon avion décolle à huit heures vingt-deux. Il m'est impossible de me faire à l'idée de ce qui m'arrive. Je vis au même rythme qu'avant cinq heures. Malgré le silence suffocant des cousins, malgré l'ardente émotion que je respire, le temps continue de progresser avec son habituelle lenteur de crabe.

Christian... Christian, au terme de cet exil, je t'appelle, tout bas, d'une voix blanche, sans trop y croire. Je suis trop folle et trop vorace pour puiser moi-même de la terre mes sels ; je me greffe à toi comme l'orobranche à la luzerne. Je mangerai dans ta main comme une corneille savante. Je ne mangerai que ce que tu me donneras à manger. Je te donne désespérément ce qui me reste d'envie. Entretiens-le. Je te donne ma bouche. Garde-la de ce qui est amer. Christian, me trouveras-tu jolie ?

Je réalise tout à coup que je ne suis plus une enfant. Je retrouve dans les cahiers de Constance Exsangue, joliment calligraphiés et soigneusement colligés, la plupart de nos « dialogues subreptices ». Ils m'émeuvent jusqu'aux larmes.

BÉRÉNICE. — J'ai de la fumée plein les bottes. (Je renifle.) Ma parole, mes mains puent ! D'où viens-je ? Du sommeil ? (Je secoue la tête comme le barman secoue le shaker.) De plus, ma parole, j'ai la tête pleine d'eau. Quelle affaire ! Suis-je seule ?

MOI. — Oui, Brisebille. Tu es complètement seule. Ici comme ailleurs, tu es seule.

BÉRÉNICE. — Cela alors ! Alors cela ! Comme les murs sont noirs ! Comme le plafond et le plancher sont noirs ! Quelle histoire ! Mais je ne vois personne ! Même, je ne vois rien ! Suis-je bien seule, complètement seule ?

MOI. — Oui, Brisebille. Tu es seule, ici comme ailleurs. Et laisse-moi tranquille !

BÉRÉNICE. — Comme l'air est noir lui aussi ! Tiens tiens... Enfin, je vois quelque chose. Un trait rouge court en l'air, formant des cercles, des carrés, des triangles, des rectangles, des trapèzes, des parallélogrammes... Qu'est-ce ?

MOI. — C'est la géométrie et la trigonométrie d'hier, d'avant-hier et de tous les autres jours d'avant.

BÉRÉNICE. — Je croyais en avoir fini avec la sale géométrie et la malodorante trigonométrie.

MOI. — Elles te sont revenues. Elles sont fidèles fidèles fidèles fidèles.

BÉRÉNICE. — Sont-elles fidèles pour si longtemps ?

MOI. — Pour quelques années.

BÉRÉNICE. — Dans un dictionnaire qui soudain s'est ouvert sous mes yeux, je lis ceci : « Caligula vécut pendant vingt-neuf ans. Il régna pendant trois ans, dix mois, huit jours. » Est-ce ce que tu veux dire ?

MOI. — Oui, Brisebille. C'est exactement ce que je veux dire.

63

Partir, ce n'est pas guérir, car on demeure. Revenir, c'est pareil. Il est l'heure que je m'y mette. Il est l'heure que je me mette à tuer des hommes blancs, des femmes blanches et des enfants blancs avec un tisonnier. Demain, il sera trop tard. L'heure de broyer des mains et des pieds avec des étaux lents et de recueillir le sang exprimé dans une chope sonne. Boire du sang. C'est si chaud du sang. C'est comme du lait au sortir de la vache. Je veux une goutte d'eau-forte sur ma langue pâteuse. Je veux brûler jusqu'aux racines le goût de banane pourrie qui s'est incrusté dans mes muqueuses. Je veux d'autres versants à la colline, dix autres versants, mille autres versants. Les marguerites ne poussent pas assez vite, ça me fait macérer ; il est l'heure que leurs boutons éclatent avec foudre et que leurs pétales s'élancent vers le ciel comme les gerbes d'une bombe qui explose. S.v.p., pas toujours le même petit tressaillement au niveau de mon nombril, un autre tressaillement, dix autres, mille autres. Être seul, c'est n'être pas dix, pas mille, pas différent de son invariable visage. Y a-t-il autre chose que la saumure au travail de limace ? Y a-t-il autre chose que cet amollissement graduel très lent qui me prend âme comme corps et qui m'amène à la paralysie ? Pendant ce temps, de ma tête, le premier des cheveux qui tombent pour ne jamais plus repousser tombe. *Meanwhile at the ranch...*

Je me sens engoncée dans ce qui a été ma chambre, disproportionnée. Ma chambre a rapetissé. A côté de ce qu'elle était, elle a l'air d'une chambre de poupée. Ma chambre ne me fait plus, comme les robes et les chaussures que j'ai retrouvées dans le grenier. J'ai quinze ans. Tout à l'heure, j'aurai trente ans ; et, si ma vitesse n'augmente pas, je n'aurai pas fait un seul pas au-delà de moi-même. A mon âge, Roméo et Juliette avaient épuisé leur réserve de flèches et de bombes et se rendaient au titan, à la terre, au roi des minéraux.

Mon arrivée à l'aéroport de Dorval est triste. Comme je parais au sommet de la rampe, aucun régiment de grenadiers impériaux ne se met à jouer une marche de cavalerie. Il vente, et des feuilles de journal patinent sur le macadam en crissant. Je mets le pied sur le sol de Montréal comme un astronaute met le pied dans une carrière lunaire. Personne n'est venu m'attendre au bas de la rampe, pas même Christian, pas même Chamomor, pas même Einberg. J'aboutis sur une banquette sans fin dans une salle de pas perdus. Dans cette salle dont le plafond est haut comme celui d'une cathédrale, personne ne bouge. Le moindre soupir déclenche une avalanche de sons assourdissants. Au milieu de cette salle, sur une scène rotative, une automobile blanche, enrubannée comme un cadeau, brille. Le jeune soldat assis en face de moi me vise les genoux avec une tristesse écœurante. Son uniforme kaki est un miroir qui me renvoie mon image avec la force d'un scalpel. Comme je hais la tristesse ! Soudain, une batterie de haut-parleurs m'adresse la parole. « Mlle Bérénice Einberg est priée de se rendre au ministère des bagages. » Debout devant le ministère des bagages, Mme Glengarry m'attend. Elle ne me reconnaît pas. S'avisant que je la regarde, elle m'enveloppe de haut en bas de ce froid regard de maquignon que doit avoir un être humain bien élevé pour un être humain qui, sans le connaître, ose le regarder. Même dans sa poitrine d'adolescente et son visage fin, Mme Glengarry n'a rien de féminin : elle est tout secours, tout dévouement. Lui ayant révélé mon identité, elle ne fait qu'un bond. Elle ne tarit pas d'étonnement, de compliments, de démonstrations affectueuses. Je demeure roide et muette sous ses

297

transports, aussi cruellement indifférente que possible en dépit de ma douloureuse tristesse.

— C'est vous, le comité de réception, le ministère de l'immigration ?

J'ai charbonné mes paupières. Dans la certitude que j'avais d'être accueillie par Christian, j'ai fait des frais. Je me suis savonnée jusqu'à la moelle, poudrée et parfumée jusqu'au fond des narines. Je me suis coiffée à la Bovary. Je porte un beau suroît de canepin et un bel imperméable noir orné de boucles d'or aux épaules, aux poignets et aux poches. J'ai envie de dire à la svelte Mme Glengarry : « Assez, ma grosse colombe, assez ! », mais je ne lui dis pas. Je la laisse m'étreindre jusqu'à ce qu'elle s'éteigne, puis lui dis : « Conduisez-moi chez un fleuriste ! » « Et juste où fut le corps s'élève une ancolie... » (Nelligan). Les fleuristes qui vendent des ancolies sont rares. Je dois sortir bredouille de vingt échoppes avant d'en trouver.

— Conduisez-moi au cimetière de la Hêtraie.

— Quelle idée ! Pourquoi ? Pour qui ?

— Pour cueillir des hêtres. Et puis vous n'êtes que mon chauffeur, ne posez pas de questions. Le mot d'ordre des chauffeurs est : « Je me ferme la gueule et je vais où ils veulent. » Au pied du tombeau de Constance Exsangue Cassman, avec une truelle, je fiche mes trois douzaines d'ancolies en terre. Je les fiche en terre pétales en bas et racines en l'air, pour qu'elle puisse bien les sentir.

Ils ne m'ont pas dit où est passé Christian. Il faut dire que je ne leur ai pas demandé. Chamomor est malade. Depuis une semaine, elle garde le lit. Malgré

298

les prières, les serments et les injonctions d'Einberg, je n'irai pas la voir. Elle a vécu sans moi ; qu'elle meure sans moi. Que voulez-vous ? Un verre d'eau à l'espagnole.

65 [1]

Je connais une femme appelée Kimberley Ann Jones. Hier, je ne la connaissais pas. Aujourd'hui, je suis joyeuse. L'espérance m'est revenue. Comme la douleur, l'espérance va et vient. Comme la douleur, aussi, l'espérance est une chute. La douleur est se briser les dents en tombant d'un orme. L'espérance est se briser le cœur en tombant vers le haut, dans les nuages. Tous les événements du jour, comme s'ils avaient conspiré, s'accordent avec ma bonne humeur. Par exemple, j'ai l'occasion de faire enrager Einberg. Je le fais se tordre de colère, excite tous ses tics.

Chamomor a attrapé la fièvre aphteuse, maladie que les vaches attrapent des vaches. Mon refus d'aller la voir y contribuant largement, ses éruptions, à un moment donné, se sont compliquées d'une apnée d'une durée de vingt-quatre heures au cours desquelles on l'a crue morte. Maintenant qu'elle est de nouveau en état de recevoir des visiteurs compatissants, Einberg revient à la charge. Il ne comprend pas qu'il lui suffit

1. Il n'y a pas de 64 (N.D.A.).

de vouloir que je fasse quelque chose pour que je perde, tout à coup, toute envie que je peux avoir de faire cette chose.

— Je t'ordonne de monter voir ta mère !

— Non !

— Monte aussitôt la voir ! Et tu lui demanderas pardon de ne pas être allée la voir plus tôt !

— Non, ventregris ! Non !

Il se rapproche de moi. Il veut me saisir pour me contraindre par la force. D'un seul bond, dans la meilleure tradition des ruses obsidionales, je passe de l'autre côté de la table.

— Viens ! Attrape-moi si tu peux ! Viens donc ! Saute par-dessus la table si tu peux !

Frénétiquement, comme si c'était un tambour de guerre, je bats la table. Aussi, comme les soldats d'Hamilcar Barca, je fais des grimaces de tigre et je pousse des cris de tigre. Einberg m'admoneste. Einberg m'abomine. Pour que je monte voir Chamomor, il aura, s'il faut, recours à toutes les ressources de la manutention moderne !

— Je t'ai ordonné de monter voir ta mère. Mon ordre sera exécuté, dussé-je avoir recours à un escalier roulant, à un transporteur aérien à monorail !

Ce que je veux, c'est le faire courir. Je veux qu'il coure après moi. Me juchant sur la table, sautillant comme un boxeur, je vais le braver à portée de main. Il a l'air de vouloir remuer. Il esquisse un pas. Il lance ses bras comme si c'étaient des lassos, brandit une chaise comme s'il se prenait pour un dompteur de lions en spectacle. Il est vraiment en colère. Son thorax se tord et se détord. Sa peau se bariole. Ses yeux pendent sur ses joues. Il lui pousse, sur la nuque, des loupes extraordinaires et éphémères. Mais il ne veut pas courir, pas sauter sur la table. Poussant à la limite l'intrépidité, je saute de la table, juste à ses pieds, nez à nez avec lui.

— Cours donc ! Cours donc, infirme ! Cours donc, boiteux ! Cours donc, infâme claudicateur !

Il ne veut pas courir. Non ! Il s'obstine. Non ! Il ne courra pas ! Étant si près de moi, il s'imagine qu'en se laissant tomber face contre terre, à la façon d'un mur, il pourra, avec son poids, me fixer et me retenir. Il se projette et échoue. Cet échec provoque en lui de si puissantes convulsions de haine que toute retenue cède. Il se met à courir, bravement, actionnant avec ses mains sa cuisse atrophiée. Tu peux toujours courir. Je jubile.

— *I, the jury !*

Je prends quelques longueurs d'avance et m'accroupis pour rire de lui.

— Regarde-toi ! Il suffirait de te secouer un peu pour que tu tombes en poussière. Regarde-moi ! Je suis si agile qu'un lièvre ne pourrait me rattraper ! Vive la jeunesse ! Désormais, c'est moi, la jeunesse, qui commande ici ! C'est à moi qu'il faut se fier pour ne pas que le monde sombre !

Je reprends mon haleine et ensuite lui crie, citant le Larousse classique : « Les ais de ce vaisseau sont en train de se disjoindre ! La haine délivre ! La bonté et l'humilité ne sont que connivence ! Elles ne font que protéger les rois vieux, malades et infirmes. Elles permettent aux vieux, aux infirmes et aux malades d'imposer, en toute sécurité, le vieux, l'infirme et le malade à la terre ! »

Des colonnes de moustiques semblables à des colonnes de fumée tournent au-dessus du marais. J'ai sommeil. Je m'abrite de sable. Je ferme les yeux et je cherche en vain à me représenter, au son de leurs voix, les oiseaux que j'entends chanter. Seulement à sentir attentivement, Constance Exsangue pouvait me dire le nom des insectes qui se promenaient bras dessus bras dessous entre les pieds de l'herbe que nous foulions. Elle reniflait bien attentivement et disait : « Il y a une cicindèle aux environs de cette marguerite. » Elle essayait de m'apprendre, mais je n'avais pas de talent et pas son âme. Elle n'a jamais pu m'apprendre à identifier qu'une plante laide à petites fleurs jaunes appelée rue puante. J'aime le plantain parce que je le connais depuis longtemps, aussi longtemps que je connais Christian. Quand je vois une feuille de plantain, je peux me dire avec assurance : « Cette feuille est une feuille de plantain. » Les plantes dont je ne sais pas le nom sont comme les êtres humains dont je ne sais pas le nom. Je dors sur la grève. En rêve, je vois le magnifique château de Thurandt, château fleuri de mille tours, poivrières, salières et vinaigriers, château se dressant sur une haute colline. Je marche sur la colline, et je vois qu'il n'y pousse que du plantain. Une rue puante m'ouvre la porte du château. Avec la voix de Constance Exsangue, elle me raconte sa vie. « Je suis une rue puante. Je suis emménagogue, anthelminthique, soporifique et sudorifique. Je hante les officines. C'est dans une officine qu'en prenant un verre d'acide sulfurique j'ai rencontré mon premier mari. Avec Barnabé, la vie est devenue peu à peu insupportable. Étant une rose il soutenait que c'était lui qui sentait bon... » Je dors sur la grève, dans le soleil du soir. Je suis, tout à coup, éveillée par une baigneuse. Elle se mouche en se pinçant le nez. Elle tord ses cheveux comme un torchon, pour les essorer. Elle me dit qu'elle a faim.

— J'ai faim. N'as-tu pas de quoi manger ?

Je cours à l'abbaye et reviens avec une corbeille pleine de pain, de viandes et de fruits.

— J'ai soif. N'as-tu pas quelque chose à boire ?

Je retourne à l'abbaye et trouve dans le cellier rien de moins qu'une bouteille centenaire de châteauneuf-du-pape. Je demande à la baigneuse d'où elle vient.

— De Port Hope, sur le lac Ontario.

— A la nage ?

— Yes.

— Où allez-vous ?

— En Finlande.

— A la nage ?

— Yes.

— Que ferez-vous là-bas ?

— Je n'y arriverai pas. C'est trop loin.

— Comment vous appelez-vous ?

— Kimberley Ann Jones.

Il ne faut pas que j'oublie ce nom.

66

Un jour, « Zéro », le chien du jardinier, est revenu du continent la tête basse, le museau en sang et les oreilles arrachées. Le jardinier, ivre, le considéra avec mépris et lui dit, je m'en souviens comme si c'était hier : « Tu t'es fait battre, vieux ventregris, hein ! » Je pénètre dans la chambre de la grande malade, les yeux bien fermés. Je ne veux pas la voir laide. C'est une idée comme une autre de ne pas vouloir voir sa mère laide.

— Couvre-toi le visage. Je ne veux pas te voir laide.

— C'est fait, petit singe. Approche. Viens prendre soin de moi.

Je continue de garder les yeux fermés. Je ne veux pas la voir se tordre de sanglots.

— Est-ce que tu vas pleurer comme une idiote ? Est-ce qu'il y a des larmes dans tes yeux ? A t'entendre parler, on dirait que tu as le cœur gros.

— Non, petit singe. Rassure-toi. J'ai le cœur petit, tout petit. Toi aussi, j'espère.

Je m'ouvre les yeux. Elle ne s'est pas couvert le visage. Le visage d'un immonde jaune et hideusement tuméfié, elle me sourit comme si de rien n'était.

— Je t'ai joué un tour.

— En effet, tu m'as joué un tour. Tu es affreuse ! Où est Christian ?

Christian est à Vancouver. Il participe là à des compétitions d'athlétisme. Puis la grande malade, consciente que je ne veux rien dire, pour ne pas que le silence nous gêne, me raconte de sa voix rauque et riante une histoire à m'en faire déborder les oreilles.

— Christian n'a passé qu'une nuit ici. Il ne semblait plus se sentir chez lui. Il n'a pas dormi de la nuit. Il a marché, marché, fumé, fumé. Il est reparti au petit jour. Il n'a pas même pris le temps de manger. Il m'a tout juste embrassée. J'avais pourtant préparé son retour de longue date. J'étais pourtant sûre de mon coup. Je ne sais pas si tu as été dans les caves... Assois-toi, Bérénice. Viens t'asseoir près de moi ? Je ne te donnerai aucun mal. Je me charge de toute la conversa-tion. Tu n'auras pas un mot à dire. Et je ne dirai rien de personnel. Je ne te dirai pas combien je te trouve belle et bien faite. Viens donc t'asseoir près de moi. Si tu as vu les caves, tu les as certainement trouvées changées. C'est mon œuvre. J'ai tout fait moi-même, seule. L'aquarium du requin, je l'ai installé toute seule. Et le requin, j'ai trouvé le moyen de le mettre toute seule dans l'aquarium. Il y a quarante aqua-riums ; j'ai dessiné le plan de chacun. As-tu vu l'aquarium des amibes ? J'ai eu toute seule l'idée des lentilles jumelées qui les grossissent deux mille fois. Tu ne peux pas dire que ce n'est pas bien pensé. Tu ne peux pas dire que ce que j'ai fait dans les caves n'est pas un chef-d'œuvre en son genre. Tu ne peux pas dire que tu n'as pas, au moins, aimé le coup d'œil, toi qui comme lui aimais tant les animaux aquatiques. As-tu remarqué l'éclairage ?... On dirait que c'est l'eau qui éclaire, n'est-ce pas ? Des idées que j'ai prises dans ma tête encore une fois... Et l'eau salée, qui, crois-tu, est allé la puiser dans l'océan Atlantique ? Toujours moi, toute seule. Et Christian n'est pas resté deux secondes dans les caves. J'ai travaillé comme un nègre pendant toute une année, rien que pour le surprendre. Il est remonté des caves aussitôt, me disant qu'il était enchanté de voir que je m'intéressais aux poissons. J'ai senti mon cœur se briser comme un œuf dans ses mains. Il n'a que son satané javelot en tête. Je crois qu'il n'étudie la biologie que pour se donner un genre. Il n'aime certainement pas autant la biologie qu'il prétend. Enfin !... Au début, une amibe, je ne savais même pas ce que c'était. J'avais entendu dire, par un de ses professeurs, que Christian s'intéressait aux amibes ; c'est tout. J'ai lu des ouvrages inabordables de milliers de pages, j'ai consulté des biologistes de toutes sortes ; tant et si bien que j'ai réussi à élever une florissante colonie d'amibes. Il y en a qui ont de la difficulté à élever un chat. Imagine : trois millions d'amibes !

La grande malade éclate de rire. Je n'ose pas rire, de peur de me mettre à pleurer en ouvrant la bouche. Pourquoi la présence de cette maudite femme me donne-t-elle toujours, plus ou moins, envie de pleurer ? Il faudrait que je me ferme les yeux. Car quand je la vois, je suis cuite. Il faudrait que je me ferme les oreilles. Car si je succombe à la tentation de l'écouter, elle me pénètre, et je suis finie, morte, vaincue.

— Il ne vit de poulpes blancs, tout à fait blancs, vraiment immaculés, que dans les eaux de l'archipel Amani, au sud du Japon. Et les pêcheurs de perles qui peuvent seuls attraper ces poulpes blancs sont des

Aïnos encore barbares qui les ont déifiés et qui n'acceptent à aucun prix d'en attraper d'autres que ceux auquels ils rendent leur culte. Tu vois à quel point mon entreprise m'a rendue savante !... Donc, j'avais envie d'un couple de poulpes blancs. Je ne reculerais devant aucune difficulté, devant aucun barbare. J'ai nolisé la jonque pleine de trous de deux jeunes pirates d'un faubourg de Kagoshima, je me suis embarquée avec eux, et nous avons fait voile vers l'archipel Amani. Mes deux petits Nippons ne parlaient que le japonais et je ne parle pas un mot de japonais. Souvent j'ai eu l'impression qu'ils faisaient voile vers un autre archipel Amani, mais je travaillais pour Christian : mes intentions étaient pures, je n'avais pas peur. Et puis la mer s'est déchaînée. Et, moi qui n'ai jamais pu supporter le moindre roulis, j'ai dû faire face au géant des mers lui-même : Adamastor. A environ un mille des plages de l'archipel, mes deux pirates se sont dégonflés. Ils ont jeté l'ancre et m'ont fait signe de me débrouiller, de faire mon possible. Si tu les veux, tes poulpes blancs, va les chercher toi-même ! J'ai attendu la nuit. Je n'avais pas nagé depuis des années. Je me suis jetée à l'eau et j'ai nagé mon mille comme si de rien n'était. J'avais la foi : je nageais pour rendre mon enfant heureux. Mes deux petits pirates m'avaient bien dirigée. Je me suis ramassée dans l'île qu'il fallait. Au sommet d'une falaise, un grand bûcher flamboyait. Je me suis rendue sur les lieux ? Les Aïnos dansaient comme des fous autour du bûcher. Devant le bûcher, sur un autel de pierre, trônait un grand chaudron. Dans ce chaudron, je le savais (par érudition...), mes deux poulpes blancs, le père et la mère, m'attendaient tranquillement. Je me suis confortablement installée dans mon fourré et j'ai attendu que mes Aïnos aillent se coucher. Mes Aïnos ayant été se coucher, ç'a été facile. J'ai pris les poulpes, les ai mis dans mon sac, ai mis le sac sur l'épaule, me suis remise à la mer et ai renagé mon mille. Comment ai-je pu me procurer une méduse à ombrelle noire ? Je ne sais plus. Comment me suis-je procuré les corynacties, les cribella oculata, les nephthys hombergii et toutes ces espèces rares que personne ne voulait me céder ? Je ne sais plus. Je me demande même souvent comment j'ai pu seulement retenir leurs noms. Pendant un an, j'ai lu les livres illisibles, suivi les cours impossibles, voyagé en tous sens, sué sang, eau et matière grise. Et tous mes efforts n'ont abouti à rien.

Folle montagne qui veux accoucher d'une souris ! Folle souris qui ne veux pas d'une montagne pour mère.

— Je voulais montrer à mon enfant qu'une mère n'est pas qu'une poupée qu'il faut embrasser bon gré mal gré. Je voulais dire à Christian que j'étais bonne, brave, forte, vaillante, industrieuse, ingénieuse, intrépide, digne d'intérêt et, peut-être même, d'étonnement. J'ai voulu lui dire qu'une mère est l'esclave enchantée de ses enfants. Et, pour lui prouver que je n'étais pas une esclave aux mains pleines de pouces, j'ai essayé de l'éblouir. J'ai essayé de vous éblouir, comme un bateleur qui cherche de l'emploi. Et ça n'a pas abouti. C'est ça, être femme, mère, et c'est merveilleux. Ça donne la foi, Bérénice. Et je sais que tu sais ce que je veux dire. Tout ce qu'on fait avec la foi est merveilleux.

— Assez ! Assez !

Il est temps que je la fasse taire. Comment lui dire ?

— Je ne veux pas que tu m'aimes ! Christian ne veut pas que tu l'aimes ! Nous ne voulons rien de toi. Nous n'avons besoin de rien. Nous ne voulons rien accepter de toi. Nous ne voulons rien te devoir. Nous ne voulons rien devoir à personne. Nous n'avons pas besoin de toi.

— Si je ne vous suis pas utile, petit singe, à quoi suis-je donc utile ? ?

— A toi-même. C'est-à-dire à rien, comme moi, comme tous les autres. Suis-je utile à quiconque, moi ? Est-ce que je me plains ? Ce n'est pas si grave. On s'y fait ; tu verras. Ne dis plus rien. Ne fais plus rien. Fiche-moi la paix.

Ma glande d'angoisse s'est mise à sécréter. Je suis prise au piège, encore, toujours. Je soulève d'un pied le lit de la grande malade et le laisse retomber. Je répète machinalement ce geste. Machinalement, l'haltérophile soulève son haltère et le laisse retomber avec fracas. Pâles, immobiles, ses bras ont l'air de poissons morts. Je fixe l'endroit de la courtepointe sous lequel son ventre est. Si je laissais tomber ma tête à cet endroit, je pèserais moins lourd que l'air. Si je laissais tomber ma tête à cet endroit, ces poissons morts me flatteraient les cheveux. Je sens mes cheveux raidir, un profond sommeil m'engouffrer. Je ne peux plus me contenir. Je sors en claquant la porte. Je fuis.

« Tu t'es fait battre, vieux ventregris, hein ! » me dis-je.

67

Chamonor est guérie. Le médecin vient de lui dire qu'elle peut recommencer à se nourrir *sub utraque specie*. Maman. Petite maman. Moumouchka. Mamaninha. Stop ! Stop ! Stop ! Je sais que pour quelques minutes tu pourrais prendre mon fardeau sur ton ventre. Je ne veux pas. Merci quand même. Puisque de toute façon il faudra que tu me le rendes, j'aime autant porter tout le temps mon fardeau, j'aime autant lui rester fidèle. J'ai envie d'embrasser Chamomor. Je ne le ferai pas ; je le ferais pour rien. Si tu t'es engagé dans un cul-de-sac, il faudra que tu reviennes sur tes pas. A qui que tu donnes ton angoisse, elle te revient. Où que tu caches ton angoisse, elle te retrouve. Même si tu cours aussi vite qu'une belette, ton fardeau te rattrapera. Il faut vivre sans relâche, résolument, dans un état de confrontation avec son angoisse. On se nuit à essayer de tromper, d'oublier ou d'étourdir son angoisse. On a juste le temps qu'il faut pour se rendre son fardeau supportable, pour entraîner ses os à ses pressions. Qui se décharge de son fardeau sous prétexte de se reposer risque d'être écrasé quand son fardeau, de lui-même, se replacera sur ses épaules. Quand deux paillards ont atteint le septième ciel, il faut qu'ils reviennent sur leurs pas. Et on ne peut revenir sur ses pas du septième ciel qu'en tombant. Le retour annulant l'aller, l'ascension jusqu'au septième ciel est toujours, au moins, stérile. Les sociétés qui condamnent l'opium devraient aussi, si elles étaient logiques, condamner l'orgasme, les religions et autres voyages vers le haut. Je crois que si les êtres humains s'habituaient à vivre sans rêves, sans leurres, sans faux-fuyants, se décidaient à prendre leur angoisse à bras-le-corps, ils finiraient par produire des individus capables de les guérir. Stop ! Stop ! Stop ! Arrêtez tous les trains, toutes les usines, toutes les turbines ! Je vois la chose comme si j'y étais. Tout est arrêté. Et il se lève, le véritable Adonaï. Il parle. Il nous parle.

— Ce n'est pas aux reins que nous avons mal, mais à l'âme. Quelqu'un a-t-il un remède à proposer, quelqu'un qui ne pouvait être entendu à cause des sifflements des moteurs à réaction et des tonnerres des marteaux à vapeur ? Personne ? Dommage ! Il est vrai qu'il fallait s'attendre que seuls des facilement abrutis aient pu s'accommoder au tintamarre, aient pu survivre au tintamarre. Mais il y a un remède. Il y a un remède. Il y a un remède. Il y a une façon, inconnue encore, de se sentir, perpétuellement, beau et bon. C'est une certitude sine qua non. Il y a un remède. Il s'agit de le trouver. Il ne s'agit que de le trouver. Déblayons ces ruines et mettons-nous-y. Mettons-nous aussitôt à quatre pattes et cherchons. A l'œuvre ! A l'œuvre ! Au travail ! Nous savons tous quoi faire maintenant.

Les animaux qui se sont le mieux adaptés à la vie sur

terre sont ceux qui ont renoncé une fois pour toutes à la vie en mer. Les amphibies marchent mal et nagent mal. Les crocodiles et leurs semblables sont veules, passent leur temps à dormir, ne font rien que manger, dormir et se reproduire. Seuls les êtres humains qui ont renoncé une fois pour toutes à vivre dans le doux noir des yeux fermés pourront s'adapter quand, la terre étant devenue surpeuplée, il faudra aller vivre dans la lumière. Il faut murer les impasses, brûler parapluies, parasols et lunettes fumées, combler terriers et anfractuosités, mettre la hache dans les nids, les lupanars et les lits conjugaux. Quand les maisons n'auront plus de toits et les montagnes plus de cavernes, les êtres humains, n'ayant plus le choix, vivront tous dans le soleil, dans la lumière, dans l'univers, auront tous, comme seule assurance et seul repos, le néant. C'est Bérénice Einberg qui vous le dit. Et Bérénice Einberg, la voilà grosse Bérénice Einberg comme devant.

68

Il arrive cette nuit, à on ne sait quelle heure. Je m'endors, difficilement en diable. Je m'endors, avec toutes les difficultés du monde. On ne s'endort pas facilement sur terre. Quelques heures plus tard, je m'éveille en sursaut : je sais qu'il est arrivé. Sa présence, comme une pluie, a imprégné les pierres de l'abbaye. Je me suis mise au lit toute nue, pour m'amuser avec mon clitoris en attendant de m'endormir. On s'amuse avec ce qu'on peut sur terre. Il est ici ! Il est arrivé ! Enfilant ma chemise, je cours. Je m'élance à âme perdue dans le corridor, me jette à âme perdue contre sa porte. Mon cœur cogne si fort sur mes côtes et mes tempes que je n'entends pas mon poing cogner sur la porte.

— Ouvre ! Ouvre ! Ouvre !

La vermine qui circule dans mes veines au lieu de sang se change en poix bouillante : s'il n'ouvre pas aussitôt, je fais tout sauter. Je suis impatiente en diable.

— Ouvre, infâme, ou j'enfonce !

Je suis impatiente en diable. Je me débats contre moi-même comme une truite dans une épuisette. Le pêne claque. Les gonds grincent. L'ouverture lumineuse de la porte s'élargit lentement, jusqu'à encadrer la forme d'un être humain comme on peut en voir passer des milliers, tous les jours sur les trottoirs de New York. C'est un jeune homme en pyjama rouge. Il a l'air assommé et les joues ombragées d'une barbe de deux jours. L'un de ses pieds est casqué d'un énorme plâtre sale. Sous ses bras s'enfoncent deux béquilles qui ont l'air trop grandes pour lui, qui ont l'air de lui faire mal. C'est bien Christian. Cette hostile élongation de Christian, c'est bien Christian. Tout petit chien devient grand si Dieu lui prête vie. Ce grand chien qui me déçoit, ce chien aux grandes pattes et au grand museau, c'est bien Christian. Je le reconnais par une sorte d'instinct. Tout en lui, sauf peut-être ses yeux, me semble suspect, faux, dégrossissage, pressage, polissage, étirage, remplissage, découpage. Pendant une heure, sans bouger, les yeux dans les yeux, glacés l'un par l'autre, nous nous regardons franchir un abîme de cinq ans.

— Eh bien! Laisse-moi au moins passer, espèce d'empêcheur d'entrer en rond!

Il a un beau geste : il lance ses béquilles dans un coin et, pour se porter de la porte au lit, il s'appuie sur moi. Nous nous asseyons sur le lit. Son plâtre est barbouillé de signatures. Je me penche pour lire les signatures. Relevant la tête pour rire avec lui d'une signature originale, je vois que ses yeux se sont embués, et nous tombons dans les bras l'un de l'autre. Je le serre de toutes mes forces. Mon thorax s'est rempli d'électricité. J'attends que toute cette électricité s'en aille avant de cesser de le serrer.

— J'ai été renversé par une bicyclette. J'en ai encore pour un mois à traîner ce plâtre.

Maintenant que son accident n'a plus de secrets pour moi, qu'est-ce qu'il faut que je lui demande? Maintenant que je sais qu'il portera son plâtre pendant une trentaine de jours encore, que faut-il que je lui dise? Parlerons-nous de la température maintenant? Le temps qu'il fait n'intéresse personne. Lui dirai-je que j'ai quinze ans, pas toutes mes dents et pas tous mes cheveux? Que pourrais-je lui apprendre? Rien. Je lui dis n'importe quoi.

— Le vinaigre qu'il y a dans les vinaigriers sert à donner un petit goût de vinaigre aux salades qu'il y a dans les saladiers. Empédocle se jeta dans la bouche du volcan Etna et on ne le revit plus se promener bras dessus bras dessous avec sa femme le soir sur le trottoir quand il faisait beau.

Je veux que nous nous fermions la gueule, qu'il se recouche et se rendorme. Je veux le regarder dormir. Je veux que nous nous fermions la gueule et le regarder dormir.

— J'éteins la lampe... D'accord ? Dors !... O.K. ? Ne dis plus rien. Je te regarderai dormir. Te regarder dormir me dira quelque chose. Tu as l'air mort de fatigue. Dors...

Ronflant, il dort. Pour ronfler, il faut être vieux ou très fatigué. Entre ses yeux, pend, en guise de ferronnière, un épi de cheveux noir, très noir, noir comme un revolver noir. Pour rien, pour rien du tout, je prends cet épi de cheveux et le range avec les autres cheveux. Je me suis étendue près de lui. Droite comme un cercueil droit, les mains croisées sur le ventre comme Henriette d'Angleterre, les pieds perpendiculaires à la surface de la terre, les talons joue à joue comme la voiture appelée vis-à-vis et comme un soldat qui a de l'ambition, les yeux grands ouverts comme tout ce que vous voudrez, je suis un gisant du sexe féminin. Je suis, donc je pense, et je regarde, le plus calmement possible, revenir l'aube d'hier, d'avant-hier et de tous les autres jours d'avant. Éblouie, une mésange se heurte contre la fenêtre. « C'est signe que quelqu'un va mourir dans la maison ! » se serait exclamée Constance Exsangue. Je m'étais assoupie. Je regagne ma chambre sur la pointe des pieds. Le soleil, tout feu tout flamme, se dresse à l'horizon. Sa lumière, pourtant resplendissante, me semble si pâle que je la prends pour celle de la lune.

69

Erratum : Ce n'est pas un goût de banane pourrie qui s'est incrusté pour toujours dans mes muqueuses buccales. Non ! Pas du tout ! Pas le moins du monde ! C'est un goût de tête de poisson-chat mort depuis deux cent trente-neuf jours !

Chamomor, tôt cet après-midi, s'est enfermée dans sa chambre avec un horloger de race nègre. Il est plus tard que minuit et ils ne sont pas encore ressortis. Quelles affaires fait donc ma mère à cette heure de la nuit dans sa chambre à coucher avec un horloger de race nègre qui n'est pas son mari ? Je me demande d'une façon obsédante ce que la mère de mon frère et de la sœur de mon frère fait dans sa chambre à coucher à cette heure de la nuit avec un horloger noir qui n'est pas notre père qui êtes aux cieux que votre nom soit sanctifié que votre règne s'en aille. Je colle mon oreille droite au creux de la porte. Je n'entends presque rien. J'entends mal. Je peux entendre rire, mais je ne peux pas entendre parler. L'horloger noir rit comme tous ceux de sa race, comme un enfant. Je réussis à faire taire ma respiration. L'acoustique demeure mauvaise. Par des moyens vraiment extraordinaires, je réussis à faire taire mon passé. Mon passé s'étant tu, j'aspire profondément une gorgée de ténèbres (la nuit, on ne sait si ce qu'on respire est de l'air ou des ténèbres), et j'applique de nouveau mon oreille droite contre le creux de la porte. La même friture brouille le son des voix. Je cours au grenier, entre par effraction dans toutes les valises centenaires, trouve deux stéthoscopes. Je réveille Christian et lui tends un stéthoscope.

— Ce laid horloger est encore dans la chambre de notre mère. Et il est plus tard que minuit.

J'aide Christian à prendre place dans son fauteuil à roues et, pendant que je le pousse le long du corridor, je lui fais un brin de cour.

— Je t'aime, tu sais. Je suis bien avec toi. Veux-tu que je passe ma vie avec toi ? Ce que je ressens pour toi est difficile à dire. Avec toi, si je veux, je peux me sentir bonne, facile, tranquille. Prends soin de moi. Si seulement tu voulais faire les trois quarts de notre amitié ! Les cent autres quarts, je les ferais avec enchantement. Et puis zut ! Je suis prête à n'importe quoi, pourvu que ce ne soit pas fait à moitié. Imagine : une amitié de cent trois quarts ! J'ai l'air d'une idiote stupide avec mes quarts, n'est-ce pas ? Zut !

Nous fixons les ventouses de nos stéthoscopes aux environs de la serrure. La conversation continue de faire des siennes de l'autre côté de la porte. Malheureusement, même avec des stéthoscopes, nous ne pouvons rien comprendre. Si le trou de la serrure n'était pas bouché, nous pourrions tout comprendre et tout voir. Malheureusement, il est bouché. C'est ainsi. Que voulez-vous qu'on y fasse ? Qu'est-ce donc qui obstrue le trou de la serrure ?

— C'est peut-être la clé, suggère Christian, fort intelligemment.

J'ai une idée. Les roues du fauteuil de Christian sont semblables aux roues de la bicyclette qui l'a renversé dans une rue menant au stadium de Vancouver, semblables aux roues de n'importe quelle bicyclette. Je dévisse un des rayons d'une des roues du fauteuil de Christian, introduis cette tige dans le trou de la serrure et pousse. L'objet qui obstruait le trou de serrure tombe comme si de rien n'était. La voie est libre ! La lumière de la chambre coule librement par le trou de serrure. Christian ne veut pas regarder. Je ne me fais pas prier pour regarder. Merveille ! Je me demande d'où l'horloger a sorti toutes ces horloges. Il est arrivé les mains vides, j'en suis sûre. Je n'en crois pas mes yeux. Si on mettait bout à bout toutes les horloges de toutes couleurs qui sont disposées comme des petits soldats de plomb sur le plancher, le plafond et les murs de la chambre de Chamomor, on pourrait encercler la terre. Je vois, de mes propres yeux, l'horloger noir sortir d'une poche de son pantalon une horloge plus haute que la porte, puis une autre, pas plus haute que mon petit doigt. Chamomor lui demande s'il en a d'autres. Non, il n'en a plus ; mais il a autre chose. Il éclate de rire et sort d'une poche intérieure de son veston un mât plus grand que la tour de Radio-Canada au bout duquel flotte un drapeau suisse. Assise sur le plancher, Chamomor tient une petite horloge transparente à quatre cadrans. C'est celle qu'elle préfère.

— Je crois que c'est votre plus belle, monsieur l'horloger. Cependant, je crains qu'elle ne marche pas.

Les pendules oscillent très bien, mais les aiguilles n'avancent pas. Il doit y avoir une heure que je la surveille et, sur ses quatre cadrans, elle marque encore minuit. Mais, si vous pouvez me la réparer, c'est celle que je vous achète.

— Si elle marque minuit depuis que vous la surveillez, madame Einberg, c'est tout simplement parce que vous ne la surveillez pas depuis tout à fait une heure, malgré ce que vous prétendez, si j'ose m'exprimer ainsi. Quand il sera une heure, elle marquera une heure. Cette horloge marche très bien, malgré ce que vous prétendez, si j'ose m'exprimer ainsi. Les aiguilles ne tournent qu'à chaque heure. Ce n'est pas bien malin pourtant, madame Einberg.

— Oh! Ah! Ah! s'écrie Chamomor. Elles tournent! Voyez!

Les aiguilles tournent si vite qu'elles font du vent. Elles ont fait tellement de vent en tournant que Chamomor s'en trouve toute dépeignée, tout échevelée. Et c'est les cheveux dans les yeux qu'elle compte à l'horloger les quelques sous qu'il lui a demandés contre sa bizarre horloge. L'horloger noir est en train de remettre ses horloges dans ses poches.

— Vite, Christian! Allons-nous-en! Sauvons-nous! Ils s'apprêtent à ressortir.

Seule, je recrée, à cheval sur le treuil de carrier, les folles prouesses que nous y exécutions, Christian et moi, quand nous n'étions pas de sales adultes. J'ai été cueillir des branches d'érable sur le continent, et Christian, avec une hachette et un coutelas, les transforme en javelots multicolores qu'il lance dans le fleuve au fur et à mesure. Avec un grand amour, je le sens, il redresse les branches, les dégrossit, les polit, les ébiselle, les empenne. Il fait des javelots sur son fauteuil à roues, comme un peintre en bâtiment qui n'est pas syndiqué peint un bâtiment, en sifflotant. J'ai réappris à parler avec Christian. Avec lui tout est merveilleusement facile : il se laisse faire. Si on veut, on peut tout faire avec lui. C'est une argile : si l'on est artiste, on peut lui faire prendre la forme qu'on veut. On pourrait faire n'importe quoi avec lui, même des miracles. Il est gentil, doucement passif. Assis là, il attend qu'on se serve de lui. C'est l'être humain qu'il me faut. C'est moi les mains, et lui la matière. Il faut qu'il y ait mains et matière, et je ne suis pas matière. Quand il y a mains et mains, on en vient aux mains, on se bat, ça n'aboutit pas, ça ne marche pas, on ne cesse de se quereller. En plus, c'est mon frère, et le mot frère est le plus beau mot du monde.

— Ça te va bien...

— Qu'est-ce qui me va si bien ?

— Faire des javelots avec mes branches. Sais-tu de quoi j'ai envie en te regardant faire ?

— De quoi as-tu donc tellement envie ?

— J'ai envie que tu demeures... que toute ma vie tu restes assis sur ce fauteuil à roues à faire des javelots avec mes branches. Je suis si tranquille...

Les trottoirs sont bondés. Je vois un homme-sandwich et je pense à un sandwich au jambon. Un feu de circulation change du jaune au rouge. Au lieu de me demander si j'étais heureuse, Constance Exsangue me demandait si j'avais envie de rire. L'air que je respire est si dru, si désaltérant, que je n'en serai jamais rassasiée. Christian tourne vers le mien son visage farci de deux yeux aussi petits et aussi noirs que des baies d'empêtre.

— Alors ! tu es en panne, Bérénice. As-tu oublié de faire le plein ?

Sans m'en apercevoir, peut-être pour attendre qu'un feu de circulation change, je me suis arrêtée, me suis accoudée au dossier du fauteuil à roues, me suis mise à bayer aux corneilles. Je n'ai plus besoin de rien. Je suis comblée. Je ne vois pas d'intérêt à rembrayer, à aller plus loin sur ce trottoir, à continuer de pousser sur ce fauteuil. Les êtres humains pleins de haine et de méchanceté qui passent en vitesse et en rangs serrés de chaque côté de nous sont excessivement fâchés d'avoir à nous contourner. Ils me signifient impérativement de circuler. Circule, espèce de Bérénice Einberg néo-zélandaise australienne !

— Circule toi-même, espèce de paranoïa ambulatoire !

Je suis fière de Christian, sûre de nous. Je suis prise d'une écrasante et vertigineuse sensation d'abondance et de liberté. C'est vrai ; je vous le jure. Encore une fois, je vois un homme-sandwich. C'est peut-être le même que tout à l'heure. Il me fait penser aux milliers d'hommes-sandwichs de New York et Newark. Si j'avais du cran comme les hommes-sandwichs, je deviendrais aussitôt homme-sandwich. Sur mes deux panneaux, en paillettes d'argent, je ferais écrire : « C'est mon frère qui est dans le fauteuil à roues. »

Nous rentrons. Au passage, Einberg m'intercepte, le

321

regard torve, et m'emmène dans son officine. Il ferme la porte. Il tire un porte-documents débordant d'un des tiroirs d'un de ses classeurs vert foncé à quatre tiroirs à poignée d'argent. D'un geste haineux, il lance le porte-documents sur la table recouverte d'une nappe de chrome, sous mon nez.

— Il y a là-dedans quelques-unes des quelque six cents lettres que tu as écrites à ton frère durant ton séjour à New York. En toute conscience, et tu comprendras sans doute, je n'ai pu les laisser parvenir à leur destinataire. Je veux que tu les relises tout de suite, et réfléchisses. Va ! Tu peux disposer !

— Disposer ? Disposer ? Que vient faire disposer là-dedans ? Dis ce que tu as sur la conscience ! Parle ! Exprime-toi clairement ! Qu'est-ce que tu trouves tant à ces lettres ? Parle ! Tu les trouves anticléricales ? Tu les trouves antipatriotiques ? Tu les trouves cochonnes ? Parle donc !

70

Einberg m'emmène encore une fois dans son officine. Et, soudain, comme par magie, la métalepse d'hier s'éclaire. L'ostracisme ! Encore l'ostracisme ! Toujours l'ostracisme !

— Ta soi-disant amitié pour Christian passe les bornes. Au-delà des bornes, il n'y a pas de limites. Tu pars pour Israël, demain, à l'aube. Tu trouveras là-bas de quoi te mettre du plomb dans la tête. Que Yahveh te bénisse !

— Je vais t'en mettre du plomb dans la tête, moi, Mauritius Einberg ; et pas avec un fusil ! Tu es un misérable ! Tu es pire que tout ce qu'a imaginé le pauvre Victor Hugo ! Tu es une sale poule cochinchinoise ! Tu me fais mal à la queue de la grande thyroïde !

J'appelle Christian à ma rescousse. Entre-temps, j'ai pris un quotidien de Montréal (*La Pressée*) et j'ai parcouru les quelques colonnes des annonces classées spécialisées dans les chambres à louer.

— Christian, mon chéri, si notre amitié n'est pas qu'un mot, aide-moi à débarrasser ma vie de ce fou furieux qu'est notre cher père !

— Non ! répond-il, imperceptiblement mais rigidement.

— Si tu es mon frère, véritablement, viens partager avec moi la misère dans laquelle je veux me réfugier pour échapper à l'impitoyable angoisse de ce fou furieux !

— Non ! répond-il, imperceptiblement mais rigidement.

— Nous louerons un meublé crasseux et truffé de cafards, dans un sous-sol, dans le quartier de Montréal où les pires taudis sont !

— Non ! répond-il, imperceptiblement mais rigidement.

— Je t'entretiendrai, comme dans les films français la péripatéticienne parisienne entretient son Jules. Tu verras ; je trouverai vite un emploi. J'ai la langue bien pendue ; je suis débrouillarde et courageuse. Je sais danser. Je sais jouer du cor anglais, du clairon et du trombone. Je suis capable de donner des leçons de karaté. Pour augmenter mes revenus, j'apprendrai la dactylographie et la sténographie. Les pornographes s'arrachent les dactylographes qui sont sténographes ! Je parle toutes sortes de langues. J'ai un diplôme de mécanique ; entre cinq heures et sept heures, je réparerai des pneus crevés, huilerai des joints Cardan, remplacerai des bougies, changerai des balais, servirai de l'essence. Je travaillerai jour et nuit ; j'amènerai tant d'eau au moulin que tu pourras t'acheter une voiture sport européenne. Nous mettrons de l'argent de côté et, chaque année, nous ferons les touristes : nous irons à Cunaxa. A Cunaxa, nous courrons parmi les ruines de la défaite de Cyrus, nu-pieds et nu-jambes comme quand nous étions tout petits. Je nous vois à Cunaxa comme si j'y étais. Je nous vois nous baisser pour ramasser le fer qu'a perdu le cheval de Tissapherne quand il se mit à poursuivre les Dix Mille...

— Non ! répond-il, imperceptiblement mais rigidement.

— La plume de Xénophon elle-même ! La plume d'oie qu'il trempait dans son sang pour être historien !...

— Non ! répond-il, imperceptiblement mais fermement.

— Quand tu seras guéri, tu pourras, à ton choix, te remettre à lancer le javelot ou achever tes études de biologie. Je paierai pour tout ce que tu voudras faire. Mettons que tu étudies la météorologie. Tu reviens fourbu de l'Université. Que fais-je ? Je recopie tes

notes, soigneusement, de tout mon cœur. Si tu aimes
les femmes, je ferai s'agenouiller à tes pieds les plus
belles femmes d'Égypte.

— Non ! répond-il, imperceptiblement mais fermement.

— « Par les eaux d'or des vases d'Égypte... » chan-
tait Nelligan.

— Non ! répond-il, imperceptiblement mais rigidement.

— Parfois nous nous soûlerons. Pour ne pas que
mon sexe m'empêche de fréquenter avec toi les taver-
nes, je porterai un pantalon et me ferai couper les
cheveux en brosse. Pour ne pas que ma féminité
excessive nous mette des bâtons dans les roues, je
porterai un chapeau melon et une cravate à pois, je
porterai une barbe artificielle à mort.

— Non, Bérénice ! Cesse de faire l'idiote ! Cesse de
dire des imbécillités !

— Nous dormirons dans le même lit, comme quand
nous étions petits.

— Non ! répond-il, imperceptiblement mais rigidement.

— Nous mourrons tragiquement, comme Thisbé et
Pyrame, par exemple, comme Castor et Pollux, si tu
veux, comme la reine Elizabeth et le prince Philip, si tu
préfères.

— Non ! répond-il, imperceptiblement mais rigidement.

— Vivons ensemble. Vivons ensemble. Allons vivre
ensemble.

— Non ! répond-il, imperceptiblement et rigidement, sachant bien que je n'ai pas envie de rire.

Non ? Encore non ? Toujours non ? Soit ! Va pour Israël !...

L'avion marche, mais on dirait qu'il est arrêté. Il est comme pris dans cette nuée aussi blanche et aussi consistante que de la mie de pain. D'où je suis assise, l'aile de l'avion me fait songer à une rapière plongée dans une crème de champignons. Et la crème de champignons me fait lever le cœur.

Son uniforme malseyant de major d'aviation ne fait qu'ajouter à sa maigreur d'épouvantail. Il n'a plus de joues, plus de chair au menton. Une cicatrice rose et fendillée fend sa main gauche, presque de part en part. Il ne reste plus du rabbi Schneider que les beaux grands yeux de vache du rabbi Schneider. Nous longeons le lac Tibériade, dans une poussière rouge et or qui semble faire partie du train du crépuscule... plutôt que de celui de la jeep qui précède la nôtre. Au détour de la route, des jeunes femmes en chemise kaki et en jupe kaki, béret noir sur l'oreille et fusil en bandoulière, marchent en rangs d'école au pas de l'oie. Le rabbi Schneider amène la jeep dans le fossé et attend qu'elles soient passées.

— Saluuuuez !

Toutes en même temps elles tournent la tête en direction du rabbi Schneider, toutes en même temps elles se donnent un raide coup de main sur la tempe. Mollement, le rabbi Schneider leur retourne leur salut. Elles ont l'air d'avoir à mort ce que Chamomor appelle la foi.

— Elles vont garder une frontière indiquée par quelques barbelés. Elles passeront la nuit dans le désert, disséminées, dans des postes de trois ou quatre, nez à nez avec un ennemi rusé, sournois et haineux.

— Est-ce que tout ennemi n'est pas haineux ?

— Je ne suis pas haineux. Certaines de ces jeunes femmes ne sont pas plus vieilles que toi. La nuit dernière, quinze sont tombées dans un guet-apens et ont été violées, cruellement torturées et tuées.

« Cruellement torturées et tuées… » Je sens que ce pays me réussira. Le major Schneider commande une escadrille de reconnaissance et une école de pilotage.

— J'entraîne des pilotes de chasse. Je n'entraîne que des Israélites autochtones ; pour assurer une bonne Garde Nationale, c'est nécessaire. Tu arrives en un Israël infesté d'aventuriers.

— Je veux apprendre à piloter. M'apprendras-tu à voler, major Schneider ?

Il glousse doucement.

— Quelle idée ! Grosse petite apache comme devant, n'est-ce pas ? Toute personne qui débarque en Israël ces jours-ci est considérée comme aventurière ; et les majors d'aviation ont l'ordre de ne pas apprendre à voler aux aventuriers.

71

Ici, la guerre a rendu l'être humain à lui-même. Ici,
l'âme de l'être humain reprend ses droits. Ici, l'être
humain, délivré, déclenché par la foi et la violence,
éclate et se répand comme la lave d'un volcan, éclate et
déferle comme un million d'aigrettes épouvantées. Ici,
on meurt en faisant quelque chose de drôle ; on meurt
en se battant. Ici, la vue a été rendue à l'être humain ;
grâce à l'éclat du fer et du feu, il peut enfin voir des
ennemis, il peut enfin voir où faire porter ses coups.
Ici, on peut souffler de toutes ses forces dans le cor.
Ici, on peut enfin vibrer de toutes ses orgues. Je
m'emballe comme un mustang près duquel un train
passe. Je suis juive, juive, juive ! Ce pays est mon pays ;
sa poussière or est de celle qui circule dans mes veines.
Donnez-moi vite un fusil ! Donnez-moi au moins,
comme à Judith, un couteau ! Je croyais flotter au-
dessus de la surface de la terre, folle comme une
fumée. Je croyais n'appartenir à rien, n'avoir à répondre de rien. Je me sens, ici, des racines qui me
plongent jusqu'au cœur de la terre, jusqu'au noyau du
nifé. Le quartier général de la Milice étudiante, que j'ai
contacté à plusieurs reprises, interprète mal mon
enthousiasme, ne répond que par des moues à mon
impétuosité. J'ai beau leur dire que j'ai entendu l'appel
de Moïse, de Josué, des Juges et des autres. J'ai beau
leur dire que j'ai entendu les entrailles de la terre crier

et que ces cris ont déchaîné en moi des grandes colères. Ils ne veulent pas me croire, pas du tout. Qu'il est merveilleux d'être juive, après n'avoir rien été ! Que n'ai-je pensé plus tôt à être plantée dans le passé ?

72

Mlle Bovary était amoureuse des bombes et des grenades. On allait boucler une ceinture de grenades autour des reins de Mlle Bovary. Il lui restait un instant pour se faire une raison : elle devint mystique. Mlle Bovary, c'est moi.

Aujourd'hui, sur la terre, il faut qu'une arme t'ait pénétré avant qu'il y ait crime, il faut que le sang coule avant que tu aies le droit de riposter. Aujourd'hui, les chartes ont tellement obnubilé l'être humain qu'il n'ose même plus jouir du privilège de se défendre (verbe passif) appelé « droit de vie et de mort ». Quand un autre être humain te fait mal à l'âme, essaie de te tuer l'âme, tu as autant le droit de le mettre en capilotade que s'il essayait de faire couler ton sang, de te tuer les jambes. Demain matin, demain à l'aube, l'Égalité, la Fraternité et l'autre auront rendu l'être humain tellement timoré, tellement timide, qu'il n'osera même plus (il ne se bâtit plus de châteaux) posséder une seule acre de cette terre dont jadis il pouvait tout prendre. Je croyais être juive ; c'est fini, il va sans dire. J'ai cru à Yahveh pendant deux jours et j'en ai eu plein mon casque. Avec moi, les illusions ne sont pas têtues. Si le fusil dont m'a chargée cet Israélite m'avait été donné par un Syrien, je humerais avec autant de volupté l'odeur âcre que la balle arrache au canon en s'élançant. Raser une mosquée pour ériger une synagogue, c'est du va-et-vient giratoire rotatif tournant. Tous les dieux sont de la même race, d'une race qui s'est développée dans le mal qu'a l'homme à l'âme comme des bacilles dans un chancre. Se battre pour une patrie, c'est se battre pour un berceau et un cercueil, c'est ridicule et faux, ça sent l'excuse pourrie. Le seul combat logique est un combat contre tous. C'est mon combat. C'est, sans qu'ils s'en rendent compte, le combat de tous ceux qui font la guerre. Moi, par exemple, je raffole des jéjunums frais, des jéjunums encore chauds de sang et frémissants de vie. Cette passion me dresse contre tous les autres humains... Car quel humain me laissera lui ouvrir le ventre pour y cueillir son jéjunum ? Tu ne peux te réaliser pleinement en tant qu'individu qu'en soumettant tous les êtres humains. Cet homme s'est fait tromper par sa femme et il veut lui couper le cou. S'il veut, à la fois, couper le cou à sa femme et ne pas se faire pendre par la justice, il faut qu'il se rende maître de tous les maîtres d'échafaud du monde, donc, tous les êtres humains. O.K. ? Qui ne veut pas d'une ville au lieu d'une hutte, d'une jungle au lieu d'un chat, d'un harem au lieu d'une épouse ? Quel être humain ne passe sa vie à attendre des choses que les autres humains ne veulent pas lui donner ? Quel être humain n'aime pas mieux dominer qu'être écrasé ? Qui ne se sent pas appelé à régner ? Combien osent se lever ?

La Milice étudiante, maintenant que j'y ai goûté, me déçoit, me porte à rire même. Je l'imaginais en train de tenir ses boyaux dans ses mains. Je l'ai trouvée grasse et en train de s'ennuyer. En un mot, mes impressions, après une semaine de vigile au front, sont déprimantes. Un gouffre bée entre nous et l'ennemi. Un traité de paix a été signé. Le moindre acte d'agression rend le responsable passible de cour martiale et rend l'État passible de cour internationale. Je ne comprends pas grand-chose là-dedans d'ailleurs.

— Vos armes sont symboliques. Une trêve a été signée, et l'État, très lié par ses alliés, ne peut se permettre de la rompre. Si vous demeurez de ce côté-ci des barbelés, vous êtes protégés par l'O.N.U., vous êtes invulnérables. Il n'y a, théoriquement, aucun danger : vous pouvez apporter des livres et lire, vous pouvez apporter de la laine et tricoter.

Les Arabes, moins peureux semble-t-il, veulent à tout prix que reprennent les hostilités. Mais ils ne tireront pas les premiers. Ils ne veulent pas se mettre l'O.N.U. à dos. Pour que ce soit nous qui tirions les premiers, ils nous traitent de lâches.

— Ils sont rusés, pleins d'astuce. Ils vous lanceront des tessons et des cailloux. Ils vous insulteront. « Lâches ! » vous crieront-ils. Laissez-vous faire. Ils vous tendront toutes sortes de pièges. Ils essaieront de vous faire croire toutes sortes de choses. N'ouvrez pas le feu. N'ouvrez pas le feu. N'ouvrez pas le feu. Selon les termes de la trêve, seul un cadavre peut être considéré comme un acte d'agression. Cependant, ce n'est pas n'importe quel cadavre qui peut être considéré comme un acte d'agression. S'il se produit un cadavre, n'appuyez pas sur la détente ! Contactez votre lieutenant et attendez.

A faire damner un saint. Pourtant, je ne désespère pas. La guerre dort : la guerre est là. Un fumeur finira par la réveiller pour lui demander du feu. Si on tarde trop à le faire, je le ferai moi-même. J'ai besoin de savoir. Que voit-on quand on se trouve dans la guerre, au bout de la guerre ?

Je connais mes premiers instincts grégaires. J'aime qu'on m'entende : je parle haut et ris fort. J'aime qu'on me suive. Je vais trouver celui qu'on suit et je le brave. Je fréquente surtout la colonie canadienne d'une trentaine de jeunes qui s'est groupée autour du major Schneider et qui se réunit dans la cave de son pavillon le lundi soir et le mercredi soir. C'est un cercle très lié et très nerveux. Les contacts y sont fréquents, féconds et dangereux. Graham Rosenkreutz est notre vedette. Je l'observe de près, l'épie âprement, lui cherche sa faille. Je me défends de l'admirer, de me laisser vaincre par lui comme mon angoisse m'inspire de le faire. Gloria (« Lesbienne » de son surnom) trouve que Graham Rosenkreutz a du panache, non comme un paon, non comme un paradisier, mais comme un renne, c'est-à-dire sans qu'il ait besoin de le déployer, sans qu'il l'empêche de courir. Graham Rosenkreutz n'a pas encore vingt ans, mais on sent qu'il s'est trouvé et s'est suivi, qu'il s'est imposé à lui-même et pourrait s'imposer à n'importe qui sans effort. On ne sait presque rien de lui. Arrivé ici de nulle part, maigre et sans papiers, au plus épais de la guerre, il est arrêté et emprisonné comme aventurier par le colonel auquel il est venu demander un uniforme et un fusil. Il s'évade, court au front, prend l'identité et l'habit d'un soldat qui meurt à ses pieds, se bat et s'illustre. Il est de nouveau arrêté. Il refuse de dire qui il est, d'où il vient. Une fois encore, il échappe à ses geôliers. Et cette fois, en une seule nuit, dans le feu d'un combat d'une rare violence, armé d'un revolver et d'une baïonnette, il détraque deux chars d'assaut et détruit quatre nids de mitrailleuses. Il est remarqué par le lieutenant Schneider d'alors qui le défend en cour martiale et offre de se porter garant de lui. Le mystère de Graham Rosenkreutz, ce qu'il y a en lui de trouble et de si troublant, on l'a pris pour acquit, on ne cherche plus à le sonder.

Je dois rester fidèle à Constance Exsangue et à Christian ; je me le dois. Je sais que c'est important pour moi, nécessaire, capital ; mais je ne comprends pas très bien pourquoi. Que je consente à les trahir, à tromper ce devoir, et je perds pied. Je dois rester à ces deux visages de mon passé : je me le répète sans arrêt, comme on se répète pour la retenir quelque chose qui n'a aucune prise sur la mémoire, une citation en langue étrangère par exemple. Je dois leur rester fidèle ; c'est mon salut. C'est ma clé et, depuis que le temps passe, comme une anguille toujours plus vive et plus visqueuse, j'ai toutes les misères du monde à la garder dans ma main. L'éternité est une sorte d'heure qui n'en finit pas. Je refuse de mourir. Si je me cramponne à ce morceau de temps pendant lequel je croyais à

Constance Exsangue et à Christian, je ne serai jamais vieille que d'une heure et ne mourrai pas. Il faut s'accrocher là, dans le temps, où on a souhaité que les choses stoppent ; il faut s'accrocher là, dans le passé, où on croit avoir été beau. Il faut s'accrocher quelque part. Mais je ne comprends pas grand-chose là-dedans. Être opiniâtre contre le titan, acharné et féroce contre le titan... Souviens-toi, Bérénice Einberg ; souviens-t'en, énorme tourte ; n'oublie pas, gros rognon. T'obstiner. Nier l'évidence. T'ancrer, visser le couvercle à la marmite pour ne pas que la vapeur s'échappe, y demeurer enfermée jusqu'à coction totale. Étreindre le beau dans toi et dans ta vie comme Tarcisius étreignait son ciboire, comme un naufragé étreint sa poutre. Je songe à tout ça après avoir lu ce que Lesbienne a écrit sur la page de garde du roman qu'elle m'a prêté. « Si on fait le vide autour d'un souvenir, il ne reste plus rien que ce souvenir dans l'infini qu'on a, et ce souvenir devient infini. » Est-ce que je ne suis pas en train de tout échapper ? « L'échappons-nous ? » se demandait ce cher Rimbaud.

Le major Schneider a une manie : les autochtones. Tout doit être autochtone : les soldats comme les violons, les violons comme les légumes. Un vrai autochtone, si j'ai bien compris, est un être humain qui naît dans sa tombe : il bouge peu, pas plus qu'une racine ; il se tord dans un sens, se tord dans l'autre sens, puis ne se tord plus du tout. Je suis agressive-ment apatride, follement heimatlos. Je n'ai de nostalgie que pour un lieu. Et ce lieu, on y pénètre par la crevasse d'où j'ai bondi. Qu'est-ce que ça veut dire...

334

Je reviens de la cave du pavillon du major. Tout le monde était en verve. L'O.N.U. fut maltraitée en diable. J'ai poussé ma petite tirade. Pas assez ultrasioniste, elle fut huée.

— J'irai à cette sorte de Congrès de Troppau, et, d'abord, j'y serai aimable. Je me lèverai, demanderai la parole, prendrai la parole et, comme tous ces vieillards bons et sans défense, plaiderai pour l'armistice et l'amnistie, pour le statu quo et le calme plat de la mer, pour le désarmement et le dégonflement. Puis, quand tout le plomb aura été fondu en cuillers et en cordes de violon, je me relèverai, sortirai ma mitraillette, brandirai ma mitraillette. Je dirai : « Oh ! Oh ! » J'ajouterai : « Haut les mains ! » Je tirerai sur les manchots, pour édifier ceux qui n'auront pas l'intention de lever haut les mains, pour donner aux autres une idée juste de ce qu'avec moi obéissance veut dire. Lentement, je dirai : « Oh ! Oh ! » J'ajouterai : « C'est moi désormais qui commande ici. » J'aurai ainsi atteint par effraction à la royauté universelle. Je me ferai appeler Caligula, comme celui qui déploya ses soldats face à la mer et leur ordonna de charger. Tenant l'humanité en joue avec la seule arme à feu qui restera, je pourrai enfin m'adonner à l'aise à ma passion pour les jéjunums frais. Je serai assise sur un trône, ou encore sous un trône. Une chaîne sans fin d'enfants, de femmes et d'hommes se déroulera devant moi. Deux grands vizirs au doigté impeccable palperont les ventres. Ils mettent de côté pour moi, à un rythme de un par mille, l'être humain qui a le ventre le plus prometteur. J'ouvre, avec une lame au fil de diamant, un châssis dans les ventres les plus prometteurs. Pour donner à l'eau le temps de me venir à la bouche, j'admire, avant d'en extraire le précieux jéjunum, la fressure mise au jour.

73

L'adulte est mou. L'enfant est dur. Il faut éviter l'adulte comme on évite le sable mouvant. Un baiser qu'on met sur un adulte s'y enfonce, y germe, y fait éclore des tentacules qui prennent et ne vous lâchent plus. Rien ne pénètre un enfant; une aiguille s'y briserait, une francisque s'y briserait, une hache s'y briserait. L'enfant n'est pas mou, visqueux et fertile, il est dur, sec et stérile comme un bloc de granit. Les cuisses de l'adulte sont flasques. La peau de l'adulte pend à ses os comme des masses de blanc d'œuf. Le front de Constance Exsangue me renvoyait ma bouche. Les joues de Constance Exsangue me renvoyaient mes lèvres sans les avoir souillées, comme les deux joues plates et or d'un arbre qu'on vient juste de scier de sa souche. Ce qui est visqueux et mou salit. Ce qui est laid enlaidit. Il faut ne pas toucher à ce qui est laid.

Je prends la terre dans ma main, comme on prend dans sa main un dix de carreau. Que fait la terre? Comment réagit-elle? En la secouant à mon oreille, est-ce que j'entends sonner des cloches, comme on entend sonner des galets quand on agite une colonne creuse? Si je la lance contre un mur, est-ce qu'elle rebondit comme une balle, comme ma bouche aurait rebondi de la bouche de Constance Exsangue, ou est-ce qu'elle se rompt comme se rompraient une boule de cristal, une rosace de cathédrale ? Si je pouvais prendre dans ma main une mosquée, comme on peut prendre dans sa main un valet de trèfle...

Je hais tellement l'adulte, le renie avec tant de colère, que j'ai dû jeter les fondements d'une nouvelle langue. Je lui criais : « Agnelet laid ! » Je lui criais : « Vassiveau ! » La faiblesse de ces injures me confondait. Frappée de génie, devenue ectoplasme, je criai, mordant dans chaque syllabe : « Spétermatorinx étanglobe ! » Une nouvelle langue était née : le bérénicien. J'ai fait des emprunts aux langues toutes faites, de rares. Deux amis qui se sont éloignés l'un de l'autre en forêt ne se voient plus et cherchent à se retrouver, répondent à l'appel l'un de l'autre par un autre appel. « Nahanni » est un appel à un appel. Quand Constance Exsangue m'appelle, je réponds : « Nahanni ! », prolongeant les syllabes, isolant les syllabes. Le bérénicien compte plusieurs synonymes. « Mounonstre béxéroorisiduel » et « spétermatorinx étanglobe » sont synonymes. En bérénicien, le verbe être ne se conjugue pas sans le verbe avoir.

Je me baigne avec Lesbienne dans la piscine de l'Université. Les anches des instruments de musique que nous avons vibrent aux chocs de l'air. Les colosses de Memnon, d'une conception mystérieuse, chantaient aux chocs de la lumière. Les poissons vivent dans l'eau, et en meurent. Les êtres humains vivent dans l'air, et en meurent. Il y a l'eau, l'air et la lumière.

L'eau et l'air sont vénéneux. La lumière reste, seule. Le bérénicien a comblé une lacune. Il appelle « dions » les êtres humains qui vivront dans la lumière, il appelle « granchanchelles » les anches de demain. Enlevez l'air qu'il y a dans la lumière. Enlevez l'air qui se dresse entre les êtres humains et leur habitacle de demain : la lumière, l'air qui garde les êtres humains en deçà de l'état de dion. Rataplan ! Rataplan !

J'ai du talent pour la guerre. Une arme, toute arme, n'alourdit pas mon bras, ne pèse pas à son bout. Elle le prolonge, comme ma main. Il me suffit du seul contact épidermique d'une arme pour jouir d'une connaissance parfaite d'elle. C'est comme si mon appareil proprioceptif l'avait absorbée d'avance. Elle s'articule d'elle-même, comme les phalanges de mes doigts, comme si mon sang circulait dedans comme il circule dans ma main. Le sergent qui entraîne notre compagnie, une grosse vache que rien n'émeut, a pleuré quand, après une seule démonstration, elle m'a vue démonter et remonter un mousqueton Lebel en criant lapin. Il y avait un char d'assaut au centre du manège, un engin archaïque déboulonné surnommé « Toupie » parce qu'il ne pouvait plus répondre à sa traction que par un laborieux pivotement. Une nuit, entre deux heures et demie et trois heures et demie, je me levai et j'allai prendre place dans l'abdomen de « Toupie ». Assise devant les manettes et les cadrans avec tout cet acier entre moi et le monde, je me sentais merveilleusement bien, je me sentais en sécurité, j'étais confortable comme tout. Le jour, quand je le pouvais, je volais un gobelet d'essence et j'allais le vider dans le réservoir de

Toupie. Avec de l'essence, elle me semblait plus vivante que sans essence, plus vulnérable, plus chaude. Une nuit, la tentation devint insupportable : j'actionnai le moteur à explosion (c'est peu dire) de Toupie et, chantant un poème de Nelligan, lui fis faire deux cent trente-neuf girations. Quand, pour sortir, j'eus soulevé le hublot, je vis l'armée dont j'avais interrompu le sommeil m'encercler, hostile. J'eus juste le temps de sauver ma peau : truffée de mélinite, Toupie sauta. L'armée m'avait prise pour un de ces chiens d'Arabes.

Au manège, cet après-midi, son fusil a éclaté dans les mains d'une fille, et elle en a eu les deux bras arrachés. Le recul de nos vieux fusils est puissant. Pour les exercices de tir, les petites natures se rembourrent le creux de l'épaule avec des morceaux d'éponge. Dans la cave du pavillon du major Schneider, la rage provoquée par le partage en deux de Jérusalem bat son plein. « Sus à la mosquée d'Omar ! » Pour hurler de plus haut et plus fort que les autres, je suis debout sur la table. « Sus à la mosquée d'Omar ! » Il y a des lupanars. Pourquoi n'y a-t-il pas d'autres endroits clos appelés, par exemple, « croisades », où un être humain pourrait, contre quelques billets, tuer quelques-uns de ses semblables ? Dans la cave, Lesbienne et moi, peu à peu, nous entichons l'une de l'autre. Si on ne veut pas se souiller la réputation, il ne faut pas trop sourire à Lesbienne. J'aime être vue avec elle, être considérée comme son amie. J'aime les entendre parler à voix basse dans notre dos. Rien ne m'est plus doux que de les voir s'imaginer que je suis comme elle et que je suis sa maîtresse, si j'ose m'exprimer ainsi.

Une lettre adressée à Christian à l'abbaye m'est
retournée avec cette mention : « Inconnu ici. »

74

Voici une coupe à laquelle personne n'a jamais bu.
Elle est remplie d'un vin violet clair comme un miroir.
Si l'ange s'en approche, il boira le vin et jettera la
coupe. Si l'humble s'en approche, il essuiera la coupe
avec sa manche après avoir bu le vin, et boira avec cette
coupe jusqu'à ce que l'épaisseur de la crasse en ait
rendu l'emploi problématique. Un seigneur ne se lave
pas les mains. Un pacha ne lave pas un calice de
diamant ; il l'écrase quand il l'a vidé, du talon. L'ange
ne cautérise pas la plaie qu'il a, il la laisse le dévorer.
Qui a bu boira. Qui a cru croira. Qui s'est lavé les
mains se les relavera.

Il pleuvait. L'asphalte réfléchissait, les attachant à
nos pas, des images bizarres dont les développements
imprévisibles, d'une souplesse gracieuse et inouïe,
étaient une sorte de mise en valse triste de nous-
mêmes. Dans l'asphalte, nos ombres, en couleur, se
déformaient au fur et à mesure de nos pas, comme si
elles étaient tombées sous un autre empire que le nôtre,
comme par l'effet d'un jeu de lentilles, comme si elles
étaient devenues des drapeaux de nous et soumises à
un vent souterrain. Désignant l'asphalte du médius,
Constance Exsangue a dit : « Nous serions bien, là-

dessous, sans bruit, sens dessus dessous, à toujours flotter dans le vent de l'intérieur de la terre comme aux rideaux de mousseline. »

L'ange ne mange pas deux fois dans la même maison, pas deux fois à la même table. Pour lui, une maison dans laquelle il a mangé, une table à laquelle il a mangé sont finies. Le satrape ouvre la bouche une fois, puis se tait. Si on est resté sourd, il ne répète pas : il se met en colère et frappe. Il pleut, et nous marchons côte à côte, Gloria et moi. Mon premier pas côte à côte avec elle sous la pluie m'a mise en état de trahison, de répétition. Je vais faire pire. Je vais pousser la trahison jusqu'au sacrilège, la bassesse dans la chute jusqu'à une exactitude fidèle dans la parodie. J'indique à Gloria, du médius de Constance Exsangue, les mirages qui se déroulent à nos pieds comme des péripéties sur un écran de cinéma. Les mots du passé me sont remontés à la gorge et me tourmentent, incoercibles, comme une envie de vomir. Je n'y tiens plus. Je parle. Je viole le cercueil.

— Nous serions bien, là-dessous, sans bruit, sens dessus dessous, à toujours flotter dans le vent de l'intérieur de la terre comme deux rideaux de mousseline.

— « Le vent de l'intérieur de la terre ! » s'exclame Gloria, se moquant.

Je me résigne à la répétition. Je me fais à la répétition. Je me laisse mourir de mort naturelle. Je flanche. Je m'aplatis. Je rampe. Le sommet appelle l'abîme. Plus on escalade, plus l'air se raréfie, plus c'est abrupt, plus c'est difficile, plus l'attraction du gouffre sous soi est grande. J'ai développé, peu à peu, pour tout ce que j'ai nié et méprisé, un appétit boulimique. Je voudrais, par exemple, qu'un homme tel que Graham Rosenkreutz me dise que je suis belle et qu'il le fasse d'une façon descriptive, avec une profusion de détails, en flattant ma vanité jusque dans les moindres aspects de mon corps.

« Tu as de petites dents, bien blanches, bien égales et bien carrées. Tu as les ailes du nez très mignonnes ; elles me font penser aux versants d'une vieille colline. Tu as les jambes des femmes de Praxitèle. Ton haleine est tiède et parfumée comme la brise d'un soir d'août au Canada. La ligne de tes bras a quelque chose de charmant, mais je ne trouve pas les mots pour dire quoi. Fais remuer tes doigts de pied. Fais remuer ton nez, tes sourcils. Fais remuer tes yeux. Tu as une façon extraordinaire de faire remuer ton nez. »

J'ai besoin qu'on me rassure, qu'on me berce, qu'on me bichonne. Je ne suis pas faite pour mourir vierge et martyre. Je suis une ménade en transe. J'ai un besoin de tendresse surhumain et monstrueux. Cependant, le rire que j'ai qui rit de la tendresse que je veux est encore plus surhumain et plus monstrueux. Je ne pourrai jamais plus me permettre, sans la noyer de cynisme, de donner ou recevoir la moindre caresse. Je réagis à une goutte de miel par une mer de fiel.

Tout à l'heure, avec Gloria, je me suis permis d'oublier mes devoirs envers Constance Exsangue. J'ai aimé, tout à l'heure, sous la pluie, que Gloria soit avec moi. J'ai cherché et trouvé, en m'ouvrant à elle, du réconfort, du calme. J'ai trahi. Maintenant, je paie.

Maintenant, je suis assise sur le bord de mon lit comme sur le bord d'un gouffre, dégoûtée, me méprisant, me battant avec moi-même comme deux chats ensemble, mes orteils recourbés sous mes pieds crispés, avec dans la bouche l'envie d'ouvrir de bas en haut le ventre que des fourmis rouges rongent et que des hippopotames blancs piétinent. Je suis en train de commettre la même douloureuse erreur qu'avec Dick Dong et Jerry de Vignac : essayer de rejouer, comme on rejoue une pièce, le bonheur qu'il me semble avoir eu avec Constance Exsangue. Voici un damné qui essaie de s'extraire de l'enfer. Voici un criminel qui essaie de s'arracher à son crime. Voici un manchot qui se débat au centre de l'océan. Ce qu'un être humain peut faire de plus insultant pour son âme, c'est de se répéter, c'est de lui faire entendre ce qu'elle a entendu, c'est de lui faire assister deux fois à un même spectacle. Ma pauvre âme !

75

Constance Exsangue, la petite reine, a pris pour mausolée une de ces églises où son poète, fou de paroles, passait ses nuits. Devenue deux, je montais la garde de chaque côté du grand portique de l'église, aussi debout que je le pouvais, en pourpoint de soie et en grègues barrées, pointant un revolver de deux de mes mains, tenant captif contre chacun de mes ventres avec mes deux autres mains un lion enragé. Mûre, la citrouille tombe de l'arbre. Je me suis écroulée tout à coup, me suis endormie et depuis, comme un poulailler, le mausolée de la petite reine est habité par des coqs et des poules. Ce souvenir d'elle qui pend sur ma poitrine, pourquoi, malgré le mur d'os, ne projette-t-il pas une ombre plus puissante sur mon âme ? Comme une sainte, je renonce aux biens de ce monde. J'aurai une gloire ovale quand je serai morte. Je deviens une servitatrice bien obédéissante du titan. Je ne me révolte plus que par habitude. Tout à l'heure, j'ai poli et verni mes chaînes ; bien polies et bien vernies, elles ont grand air au soleil. A la vrouch que vrouch...

Gloria rêve d'un doctorat en chiffres. Elle m'a d'abord plu parce que, pour exprimer que rien ne vaut qu'on s'y attarde, elle a l'habitude de dire : « C'est décimal. » Le recteur de l'Université de Tel-Aviv est une décimale. Les professeurs de l'Université de Tel-Aviv sont des décimales. Les lieutenants, les sergents et les caporaux de la Milice sont des décimales. Le major Schneider est une décimale. Graham Rosenkreutz est une décimale. Comme système philosophique, c'est facile à apprendre par cœur et à appliquer.

— Major, je suis venue vous voir pour vous rappeler, une fois encore, que je meurs d'apprendre à voler et que votre rôle de père exige que vous m'appreniez à le faire.

— Tu n'es pas assez vieille. Tu n'es pas homme. Tu n'es pas autochtone.

— Graham Rosenkreutz n'est pas autochtone.

— Tu n'es pas un héros.

— Il ne me manque du héros que l'acte héroïque.

— De faux père à fausse fille, je te conseille de te méfier de Gloria.

— Plaît-il ?

— Tu es apache, idéaliste. Tu seras une proie facile pour elle. Tu as raccourci tes beaux cheveux ?

— J'aime Gloria comme une sœur. Je vous interdis ce genre d'allusions. Vous m'insultez. Vous me décevez !

— Si tu veux que je te conserve mon amitié, je te conseille de ne plus t'afficher avec cette ordure.

— Conseil pour conseil, je vous conseille de vous mettre une fois pour toutes dans la tête que je ne suis pas que mon sexe, que j'ai une fois deux bras et une fois deux jambes, comme Bellérophon, comme Achille d'Oïlée, dit le petit Achille.

— Sors, Bérénice. Tu reviendras lorsque tu auras plus de plomb dans la tête.

« *Exeunt* », comme dit souvent Shakespeare dans ses pièces de théâtre.

Histoire et théorie de la musique dans l'Antiquité. Tel est le titre du livre que Gloria souhaite que je lise. Si je ne lis pas l'ouvrage colloïdal de ce Gervaert, Gloria s'en trouvera offensée. Lire un livre prêté lie. Lisons et lions-nous. Docilement, je lis trois fois les pages en tête desquelles m'est apparu un train de points d'exclamation impératifs. Chère Anne ! Dans ma tête, Anne est le féminin de âne. Elle a, laborieusement, d'une spirale d'encre à huit étages, encerclé : « Les jeunes filles dansaient ensemble. » Chère petite mère ! Comme elle se dévoue ! Comme elle est attentive ! Entre les pages cent trente-neuf et cent quarante, je trouve le poème de Verlaine où l'on voit deux collégiennes jouer ensemble au monsieur et à la madame. Entre les pages deux cent trente-neuf et deux cent quarante, je trouve le poème où l'on voit deux commères de la mythologie grecque jouer au monsieur et à la madame ensemble. A combien de jeunes filles avant moi, ô inconstante Gloria, as-tu fait lire ces poèmes si touchants ? Pâturage et labourage sont les deux mamelles de la France... Gloria se pique d'être la femme la plus vicieuse que la terre ait jamais portée. Elle dit qu'où elle le trouve, elle ne peut lire l'article indéfini « un » que sens devant derrière. Dans sa tête, une femme a six vulves : celle entre les cuisses, celles que sont les aisselles, celle qu'est la bouche et celles que sont les yeux. Elle dit qu'elle voit dans l'article défini « le » une señorita dans son bain. Elle dit qu'elle fume des niñas parce que, pour elle, fumer un niñas, c'est comme embrasser une Suissesse appelée Niña.

Comme la main du guitariste bondit du pouce d'une corde à l'autre, le major Schneider descend, en bondissant du coccyx d'un degré à l'autre, l'escalier haut, abrupt et dénué de rampe de la cave. Étonné, tout le monde se tait et se retourne. Le major Schneider se relève, fort digne, sa cravate jaune à l'envers sur l'épaule. Puis, après avoir hoqueté, parlant vers la trappe, il commande à quelqu'un de venir. Lancés avec force, deux souliers écaille d'œuf, sifflant pardessus les têtes, vont s'écraser sur le soupirail. Deux pieds nus dépassent de l'ouverture de la trappe, suivis de deux mollets trop en chair. La robe jaune de la femme colle à sa peau comme sa peau colle à un serpent. La grosseur des genoux et la largeur du postérieur sont accueillies par des huées. Puis le scandale éclate.

— Mes enfants, hoquette le major Schneider, je vous présente ma maîtresse, je vous présente, plus en chair qu'en os, la maîtresse d'un rabbin.

Elle n'a pas l'air autochtone. Elle partage un air de famille avec « nos » pilotes français. Titubant comme le diable, il la prend par le bras et s'apprête à la présenter à chacun.

— Allons-nous-en ! Fichons le camp d'ici ! Le major a perdu le nord !

On se donne le mot. On baisse la tête, on se lève et, en bloc, on se dirige vers l'escalier. Aux tables, il ne reste plus, tout à coup, que Gloria, Graham Rosen-kreutz et moi. Les deux amants, voulant nous rendre grâce de notre support, nous font, à la façon de deux comédiens, une gracieuse courbette. D'abord, la chose me laisse tout à fait indifférente, m'apparaît tout à fait étrangère. Soudain, la chose change et prend le visage d'une opportunité inespérée de déménager du bara-quement de la Milice. J'interpelle cavalièrement le major Schneider.

— Maintenant que vous n'avez plus rien à cacher à personne, je pourrais peut-être faire ma valise et venir loger ici.

Il prend la chose sentencieusement.

— T'ai-je jamais refusé une faveur, à toi qui comme Thyeste a deux fois une oreille ?

— Non, major Schneider.

— Bon ! Demande à Céline chérie si elle est d'accord.

Je demande à Céline chérie si elle est d'accord. Céline chérie éructe une sorte d'affirmation.

— Bien ! s'exclame le major Schneider. Demande maintenant à Graham s'il est d'accord.

Car son état de locataire rend Graham Rosenkreutz sujet à démocratie.

— Oui, Graham Rosenkreutz ?

— Oui, puce.

Dissertation française de trois cents mots à remettre demain, à la première heure. Le sujet en est facultatif. Je choisis de démontrer la supériorité du point d'interrogation sur le point d'ébullition. Inversé, « le » devient « el », l'article espagnol. Abou-Djafar EL Mançour, c'est-à-dire l'Invincible. D'où, je pense, la señorita à ses ablutions. Si je continue à bien oublier comment Constance Exsangue m'a appris à me conduire, je serai certainement décorée par l'Académie hollandaise. Peut-être même, l'Académie luxembourgeoise me donnera-t-elle la croix Danebrog. Et quand je serai morte, les prêtres du titan orneront mon image d'une mandorle, gloire ovale, gloire en forme d'amande.

Je reste seule avec Gloria, avec Gloria et son gros visage huileux, avec Gloria qui pue à plein nez. Elle se vante de ne jamais se laver. Quand on lui reproche de puer, elle ne se met pas à pleurer. Elle a le sens de l'humour.

— Quand j'ai envie d'uriner, j'enlève mon caleçon,

348

j'urine dessus et je le remets. Le résultat tient les décimales comme toi éloignées.

Je n'ai jamais compris pourquoi, dans son histoire, elle ne fait tout simplement pas qu'uriner sans s'occuper de son caleçon.

76

L'automne tard, le long de la route de gravier du continent, il y avait des cadavres de petits papillons jaune soufre. Ils avaient été fauchés, en même temps que les blés. Ils avaient tous les ailes fermées, les ailes jointes. Quand j'essayais de rouvrir leurs ailes, elles s'émiettaient.

Mon sang, ainsi que du lait dans une terrine, s'évaporait. Où j'étais, il faisait trop chaud pour que mon sang se conserve. Je nolisai une banquise d'un beau bleu, d'un bleu mouche à viande, et la propulsai. A un hémisphère au nord du démarrage, l'accostage s'accomplit. Je me trouve au plus antarctique de la Terre Adélie. J'ai deux cent trente-neuf ans maintenant. Une cigarette à chaque coin des lèvres, je me porte comme un charme. Tout mire blanc ici, même les insectes, les arbres eux-mêmes. Mais mes cheveux mirent rouge, rouge betterave. Je suis mâle maintenant. Chacune de mes nombreuses femmes met bas, annuellement, une baleine. Les dents de ceux du sud tombent, pourries. Mes dents ne tombent pas, pourries. Elles s'allongent, s'acèrent et se multiplient. J'ai autant de dents que d'ans maintenant.

« Veurf ! veurf ! veurf ! veurf ! veurf ! veurf ! veurf ! veurf ! » dit à qui veut l'entendre le terrier blanc d'Écosse. Les Grecs appelaient cyniques ceux qui vivaient à la façon des chiens *(kuôn, kunos)*. La félicité (Felix the Cat) vient de la caresse des chats.

Je me réveille dans ma nouvelle chambre en ronronnant. Je me lève de mon nouveau lit en miaulant. Les aboiements d'hier, je les ai oubliés. Je me trouve comme délicieuse. Une senteur de pain qui cuit monte de mon corps. Voici comment je descends l'escalier : sur la rampe, sur le derrière. J'ai atteint la dernière profondeur de ma solitude. Je suis là où la moindre erreur, le moindre doute, la moindre souffrance ne sont plus possibles. Je suis là où, dépourvue de tout lien, de toute assise, de tout air, ma vie, par son seul fleurissement miraculeux, m'enivre de puissance. Je suis là où est l'aiglon quand, après avoir failli succomber au choc du néant qu'est le ciel, étourdi par son immensité il reconnaît dans ce néant le vrai domaine, trouve fort morne l'aire où il était jusque-là demeuré figé. On n'ose s'aventurer dans le néant. En s'y aventurant, on constate que toute crainte devient impraticable, qu'on est invulnérable. Le néant est ce dont on a le plus peur. De quoi pourrait-on avoir peur quand on y est, quand on a franchi le décor qui le masquait ? Quand on a tranché toutes ses racines, il n'y a plus matière à incisions douloureuses, il n'y a plus qu'un ébahissement sans cesse renouvelé. Il n'y a pas de mort, la mort m'enlevant par l'action qu'on lui suppose, tout moyen de vérifier qu'elle existe. Un sourire force mes lèvres, comme la vie force mon cœur, incoercible, victorieux. Je pénètre dans la pièce où, assis autour d'une table circulaire et verte, le major Schneider, Céline et Graham Rosenkreutz mangent. L'incongruité de ces personnages me saisit. Incapables de contribuer comme de nuire à mon état de grâce, ils sont absurdes, un vice de raison. Leur vue me repousse. Je sors aussitôt de cette pièce. Je fredonne une valse de Strauss, narguant cette autre en moi-même qui a toujours méprisé les valses de Strauss. Je cours d'un bord à l'autre d'une rue. Je cours en zigzag entre deux rangées de maisons crevées de bombes. Soudain, derrière une vitrine sale, je vois mon reflet. Je suis aussi bouleversée aujourd'hui par la sereine beauté de mon visage que je l'étais hier par le vacarme de sa cacophonie. Comme tout est calme et harmonieux ! Je flotte dans le néant !... Je suis sans souvenirs et sans personne !... J'aperçois Gloria au bout de la rue. En toute hâte, je disparais de son champ de vision. Je prends mes jambes à mon cou. Si nous nous parlons, tout sera à recommencer. Je suis dans le néant. Je n'ai ni Constance Exsangue, ni Christian, ni Chamomor. Que de vide à remplir ! Quel soulagement ! Il n'y a rien ni personne. Pourquoi ai-je cessé de croire à cette lapalissade ? Que j'ai été bête ! Rien et personne ! C'est comme si, à cet instant même, cette moitié du monde qui est devant mes pas tombait dans un abîme invisible, un peu comme d'un coup de couteau tombe une moitié de pomme. Comment avoir peur ou douter de quoi que ce soit lorsqu'il n'y a encore rien, lorsque tout est à faire ? Faire…

Je ne cesse de harceler le major Schneider. Avec lui, je suis un véritable moulin à prières. Il faut que tu m'apprennes à piloter ! Il faut que tu me prennes à l'entraînement !

Rien n'existait avant moi. Je peux le prouver. Par exemple, la plus longue lettre jamais écrite n'existait pas avant moi. J'ai écrit à Christian, avec l'aide de Gloria, une lettre d'une page de plus que la lettre qui, avant moi, comptait le plus grand nombre de pages. Cette lettre ne contient qu'une phrase répétée un nombre incalculable de fois. « Je ne sais pas pourquoi, monsieur mon frère, mais j'espère en vous. » Une ruche ne contient bien que des abeilles.

77

Les joues gourdes raides comme des assiettes, j'entre en retard dans la classe. Dame Ruby, m'ignorant insolemment, continue sans s'interrompre sa leçon d'histoire.

— Chargé de cet important parchemin pour Lord Selkirk, l'intrépide trappeur métis sortit, rechaussa ses raquettes et, sans perdre un instant, s'attaqua à sa destination. C'était en novembre 1893. La neige, dure comme fer, drue comme sable, était lancée avec une telle force par le vent qu'il semblait s'abattre sur les maisons de véritables vagues d'océan. Lagimonière rabattit les oreilles de son casque de poil et s'engagea comme si de rien n'était dans cette tempête à faire grelotter les pierres, à disloquer les montagnes et à faire perdre son chemin au soleil. Guidé par son seul flair, fort de son seul courage, mû de ses seules jambes, il lui fallut enfoncer de sa large carrure, seconde après seconde, jour après jour, une jungle de tourbillons métalliques, des murs battants de grêlons où tout autre que lui n'aurait pu avancer qu'en se taillant une voie à coups de hache. Il faisait si froid qu'il n'osa desserrer les lèvres de tout le parcours, de peur que sa salive se gèle sur sa langue, de peur que ses dents se fendent comme des bouteilles dans le feu. Lagimonière arriva à Montréal au début de janvier, moins de deux mois après son départ de Winnipeg. La bouche noire, les paupières soudées, il se montra heureux de s'être acquitté avec succès de sa mission.

Je jurerais entendre de nouveau l'exacte voix de dame Ruby, ses exactes paroles. Mais j'invente sans doute. Car dame Ruby ne brodait pas sa matière, elle la sabrait. Un souvenir germe, pousse son arbre dans la tête. Seules les pierres ont une mémoire fidèle. L'esprit élimine tout ce qu'il ne peut nourrir, développer par sa laborieuse industrie. Il n'y a pas d'hiver par ici. J'éprouve une nostalgie plus impérieuse chaque jour du parfum âpre, presque acide, de cette saison. J'ai un mal de plus en plus fiévreux de ces nuits où, ouvrant les paupières dans le silence de l'abbaye, je sentais le froid me marcher sur les yeux.

Il court, depuis le matin, des rumeurs d'agonales.

Mais ce n'est pas parce que c'est la fête de saint Honorat. Pourquoi n'est-ce pas la fête de saint Honorat ? Cette question est une question parfaitement inutile. Pourquoi cette question est-elle une question parfaitement inutile ? Cette autre question est elle aussi une question parfaitement inutile. La nourrice de saint Honorat ficha en terre sa pelle à pains et, merveille, des rameaux lourdement chargés de feuilles et de fruits s'en élancèrent, comme des rayons d'un soleil qui s'allumerait tout à coup. Christian, sagement, s'étant mis au lit, Chamomor, fidèlement, allait l'embrasser et lui raconter une histoire. L'hiver, les effusions se prolongeaient, se prolongeaient, se brodaient de jeux savants. Je les espionnais, analysant chacune de leurs paroles, disséquant chacun de leurs gestes, exploitant à fond l'abondante pâture offerte à mon insatiable colère, me nourrissant de crimes à venger. Née violente, croyant que la haine devait être justifiée, j'attisais froidement ma jalousie, j'attisais jusqu'à rendre la douleur insupportable, inique par son atrocité. J'étais si petite qu'il me fallait me pendre à la poignée de la porte pour maintenir mon œil en face du trou de la serrure. Suivie de son chat, son missel de vélin incrusté d'améthystes sous le bras, Chamomor avait pénétré dans la chambre de Christian et doucement refermé la porte. Elle tenait Christian coincé entre ses bras et sa poitrine. Elle lui massait la poitrine et les jambes pour le réchauffer. Elle sortait du placard dix couvertures de laine de couleurs différentes et elle les entassait sur lui avec douceur. Elle riait. Elle rôdait sur son visage avec sa bouche. Ils se battaient. Le calme revenait. Pendant qu'il se recouchait, elle s'avançait une chaise et s'asseyait à son chevet. Elle ouvrait sur ses genoux son énorme missel à tranche de cinabre et se mettait à lire, de sa belle voix rauque, la légende du saint du jour. Christian l'interrompait pour poser des questions parfaitement stupides.

— Il s'appelait Honorat comment ?

Moi, pour faire l'amour, j'avais, comme saint Honorat, une grosse nourrice laide. Fermons aussitôt cette parenthèse intempestive. Revenons aussitôt à ce matin.

Il court, depuis ce matin, des rumeurs d'agonales. Je ne sais pas pourquoi. Ce n'est pas la Saint-Honorat. Car Israël n'est pas catholique. Car en Israël, à la Saint-Honorat, un vol de communiantes blanches jointes deux à deux par la main ne dégringole pas une pente. Soudain, un caporal couvert de boue descend dans la cave. Il porte sur les épaules deux fûts de bière enveloppés de drapeaux, deux fûts dont chacun me fait penser à un cercueil. Tous, nous buvons immodérément. Bientôt, tous, nous sommes soûls. Pour ma part, j'ai absorbé tant de bière que j'en ai le ventre rempli de boules de billard et le crâne rempli de bulles de savon. Nous sommes une trentaine. Nous rotons et nous crions les uns plus fort que les autres. Nous voulons être compris, mais ne voulons rien savoir. Nous ne nous entendons plus. Pour ma part, c'est pendue des bras à une solive que je vocifère.

— Re ! Rex ! Roi ! King ! Des monosyllabes ! Rien que des monosyllabes ! Ce furent les premiers cris de l'homme ! Qui y répondra ? Qui ? Qui ?

A quatre pattes sous un escabeau, Gloria discourt à

l'emporte-pièce, forçant l'éloquence jusqu'au fin fond des voyelles et des consonnes.

— Il n'y a plus de dangir ! Depuis qu'Urlysse, ce laid, cette décimale, a tué le Cycloque, il n'y a plus de dangir ! Il n'y a plus de Johanne d'Arc parce qu'il n'y a plus d'Onglais, plus un seul, pas le mohaindre ! Tu pux durmir sur tes deux aroilles ! Depuis que Harcule, ce laid, cette décimale, a tué le singlier d'Erymanthe, il n'y a plus de dangir !

Le major Schneider prêche, ayant arraché une draperie et s'en étant ceint comme d'un tallith.

— Moi, j'en ai marre ! chante Céline à la ronde. Moi, j'en ai marre marre marre !

— Maman ! appelle un inconnu. Maman ! Maman !

Doué d'une voix de tonnerre, celui-ci groupe autour de lui une dizaine de fanatiques, dont moi, et nous entraîne jusqu'au pied de l'escalier. Si nous pouvions gravir ce satané escalier, c'en serait fait de la mosquée d'Omar. Nous la prendrions et nous l'incendierions ! Graham Rosenkreutz demeure immobile, distant et coi. Après quelques jours de cohabitation, le charme qu'il exerçait sur moi s'est brisé, de lui-même, sans tambour ni trombone. Je m'approche de Graham Rosenkreutz avec le ferme propos de l'achever.

— Voyez comment on détrône un imposteur ! Voyez comment on renverse une statue !

Joignant la parole au geste, je saisis par le dossier la chaise où le nouveau Josué siège, et je la fais basculer. On se retrouve sur le derrière, les quatre fers en l'air ; et ma charge, par sa folle audace et l'embarras de sa grave victime, provoque un cataclysme de silence.

Graham Rosenkreutz tente de se réfugier dans son habituelle hauteur, mais en vain ; elle ne lui sied plus.

— Va poudrer ton nez, puce ; il brille.

— Ne te laisse pas insulter par cette décimale, Rébénice ! Relève le gant ! Depuis que le Nomitaure est mort, il n'y a plus de dangir !

Les spectateurs saluent cet encouragement de Gloria avec des huées unanimes.

— Je te crache à la figure, Graham Rosenkreutz Rosenkreutz Rosenkreutz ?

Une fois encore, je joins la parole au geste. Mais, cette fois, l'âme de ma victime se soulève comme les Français se sont soulevés contre Louis XXXIX en 1789. Graham Rosenkreutz se lève, me fait face tout à coup et, les os lui craquant d'ire, d'une seule main, d'un seul geste, serre comme pour m'étrangler. Il lâche prise, comme par pitié, et me lance violemment au pied de l'escalier. Il me reprend à la gorge, me redresse et, dents serrées, parle.

— Va te coucher, puce ! Monte ! Gagne ton lit ! Frotte un peu ta vulve avant de t'endormir ; ça te soulagera, ça te calmera les nerfs.

Je voudrais vomir sur lui. Comme par miracle, je suis tout à fait dégrisée. Je prends ainsi l'avantage sur mon adversaire, qui est si ivre qu'il ne tient debout que par l'appui qu'il a pris sur moi. J'éprouve un violent bondissement de toutes mes forces, je l'applique sur Graham Rosenkreutz, et il va donner du crâne contre le béton. Il se secoue, visiblement enragé. Il se relève avec la souplesse d'un chat, dresse les poings, m'applique violemment uppercut après uppercut. Il a perdu toute pitié, tout contrôle.

— C'est ce que tu souhaitais, n'est-ce pas ? On veut être traité d'égal à égal, d'homme à homme... Je serai bon prince. Attrape, lion ! Attrape, gorille !

M'envolant sous chaque gourmade, la langue sectionnée, les mâchoires fendues, le thorax enfoncé, je saute de table en table, je bondis de chaise en chaise. Le martèlement cesse tout à coup. Face contre terre, rompue de pied en cap je peux à peine bouger. Gloria m'aide à me remettre debout. Les paupières ouvertes, je ne vois rien. J'ai du sang plein les yeux. Si j'avais un revolver et si je voyais Graham Rosenkreutz, je le tuerais. Je pleure comme une folle. Sur mon visage le sang et les larmes ruissellent.

78

Gloria est dans ma chambre avec une paire de ciseaux. Pour y accéder, elle a dû escalader le mur, à l'instar de Roméo. Gloria se déchausse et s'assoit sur le lit. Ses pieds sont enrobés jusqu'à la cheville d'une couche granuleuse de crasse. Ses orteils sont longs et crochus comme des doigts de singe. Elle veut que je lui coupe les cheveux, aussi près de la peau que possible. Pendant que je coupe aussi près de la peau que possible ses cheveux pourris de pellicules, s'humectant le bout d'un doigt avec la langue, elle trace de petits cercles de rose propreté sur le dessus de ses pieds.

— Tu pourrais au moins te décrotter les oreilles, ça me fait lever le cœur.

Gloria hausse les épaules et émet des bouts de rire. Mais qui suis-je pour lui dire quoi faire ? Tu es bien ainsi, Gloria. Tu impressionnes ma galerie. Tu ne les feras jamais assez endêver. Elle me demande si je veux qu'elle me coupe les cheveux. Je lui demande de ne pas me raser d'aussi près que je l'ai rasée. Je ne veux pas avoir l'air d'un garçon. Elle me dit de ne pas avoir peur. Et, pendant qu'elle cisaille, je lui parle de mon néant.

— Je suis seule. Il n'y a donc personne. S'il n'y a personne, que sont ceux que je me rappelle, que je vois et que j'anticipe ? Ils sont illusions, mirages, imaginaires. Ce sont des points d'application imaginaires dociles du peuple de forces qui me hante. Prenons toi, Gloria. Tu n'es que l'image projetée par une force de mon âme. Est-ce clairement exposé ?

— Si tu veux, répond Gloria. Continue.

— On m'a lancée à la surface de l'univers dans une felouque percée. Cinq milliards d'ombres s'agitent dans mon champ visuel. Que fais-je de ces ombres ? Je leur impose la seule forme que je connaisse : la mienne. Comment pourrais-je les imaginer autrement que moi ? J'ai coloré une de ces ombres en jaune, la plus belle couleur, et, comme par hasard, je l'ai appelée Constance Exsangue, exactement comme je m'appelle Bérénice Einberg. J'ai pris l'ombre que tu étais et je t'ai colorée en bleu, le contraire du jaune. J'avais un peu de blanc au fond d'un bocal, et j'avais laissé le bocal ouvert. Une ombre est tombée dans le bocal ; je l'ai appelée Chamonor. Christian, c'est mon ombre verte. J'ai un plein puits de rouge ; je ne sais pas quoi en faire... J'ai un plan : je le viderai dans le lac où, l'été, les quelque cinq milliards d'autres ombres viennent se baigner. Toutes mes ombres m'obéissent au doigt et à l'œil. Elles ne sont que ce que je leur ordonne d'être. Une ombre que j'ai colorée en bleu reste bleue jusqu'à ce que je la recolore. Si j'avais envie de te voir en rose, je n'aurais qu'à te colorer en rose. Est-ce assez précis comme façon impérative de voir les êtres ? Je suis seule ; je suis prête à le jurer. Est-ce assez clair ?

— C'est bien clair, bien clair.

— Souviens-toi ! Nous avons rencontré une vieille femme dans la rue. A moi, elle faisait penser à Melpomène. A toi, elle faisait penser à Thalie. Qu'avons-nous rencontré ? Était-ce bien une vieille femme ? N'était-ce pas plutôt une ombre, une surface réfléchissante, un miroir à nous renvoyer nos âmes ?

— Laisse faire tout ça, Bérénice. Laisse-moi être. Laisse-toi être avec moi.

— Miasme ! Chyle ! Chyme ! Moi seule peux éprouver le goût qu'a la soif dans ma gorge ! Moi seule peux sentir dans ma main l'humidité froide d'une grenouille ! Seule je sais comment ma voix résonne à mes oreilles !

— Comme toi, j'ai faim, j'ai chaud, j'ai soif. Cesse de dire des idioties.

— Que tu sois comme moi, c'est ce que j'imagine ; rien ne me le prouve. Tes douleurs sont autres que les miennes, tout à fait. Les miennes sont impératives, criardes. Les tiennes sont virtuelles, muettes, d'aucun effet coercitif sur mon système nerveux, sur mon système digestif, sur mon système solaire. Tes douleurs me font penser à celle de la duchesse de Langeais, l'héroïne de Balzac, de Zola, de Cyrano de Bergerac, du barbier de Séville. Je suis seule dans l'espace que j'occupe, où que j'occupe cet espace. L'espace dans lequel je suis, où que je sois, personne ne peut y pénétrer. Je suis seule ! Est-ce assez clair maintenant ? Te l'ai-je assez prouvé, maintenant ? Et puis, que justifie cette idée qu'il ne faille croire qu'en ce qui a été prouvé et éprouvé ?

— Moi, répond en riant Gloria, je ne crois qu'en ce qui est désapprouvé. Trouves-tu tes cheveux coupés à ton goût ?

Je me tâte un peu les cheveux. Ça peut aller. Va-t'en maintenant, Gloria ; je suis fatiguée de tes mains dans mes cheveux et de ton odeur dans ma chambre. Je me déshabille, me glisse sous les couvertures et lui tourne le dos. Si Gloria se glissait sous les couvertures avec moi et essayait de me peloter, comme son regard trouble le laissait prévoir, qu'est-ce que je ferais ? Je la laisserais faire. Je lui dirais : « Amuse-toi, Gloria... Écœure-moi comme il faut. » Je me suis tellement servie d'elle, il ne serait que juste qu'elle se serve un peu de moi. Et puis je voudrais la voir en action. Je suis presque sûre que ses belles théories vicieuses ne sont que bluff ; à tel point que j'ai envie d'essayer de la séduire, rien que pour la voir se dégonfler. J'ouvre les yeux et me retourne, pour voir si elle est encore là. Elle n'est plus là. Constance Exsangue, vois-tu dans mes pensées ? Si tu y vois, n'as-tu pas honte de m'avoir ainsi laissé tomber ?

79

Mes otaries dorment. Quand les otaries cousues dans mes doigts se dégèlent et s'aperçoivent du piège, de la supercherie, elles se débattent. Et les cicatrices suturales saignent. Quand je presse ma main contre mon oreille, j'entends les cœurs de mes otaries battre, et j'ai peur. Quand l'aigle d'énormes proportions planté dans ma poitrine écume, quand il secoue à grands coups d'envergure blanche ses liens enracinés dans la pierre, le cyclone sans issue me gonfle, me secoue, me fait souffrir et suer comme une femme en gésine. Je suis marécageuse, ravineuse et arboricole ; ma place n'est pas ici, parmi ces mammifères. Je suis une andrène funèbre ; j'ai choisi toutes les fleurs, tous les champs. Je n'ai rien à faire dans ce nid. Les préoccupations des êtres humains sont sexuelles. Seules mes préoccupations sont afro-morales. Sexuel est français. Afro-moral est bérénicien et d'une signification qui est et qui demeurera obscure.

Gloria, je ne le dirai jamais trop, est d'une merveilleuse grossièreté, d'une sainte irrévérence. Elle ne se lave ni ne lave ses vêtements. Elle dégage une riche odeur de lait pourri. Nous sommes assises sous cet olivier, et nous philosophons. Deux caporaux frais émoulus tournent quatre fois autour de notre arbre et viennent se brancher de chaque côté de nous.

— Qui d'entre vous deux, soldats, pue ?

— Moi, capitaine ! s'exclame Gloria, visiblement flattée.

Toute souriante, elle tend son aisselle au caporal et l'invite à sentir. Gloria ne pue pas passivement. Elle pue sciemment, à bon escient et consciemment. Elle expose les termes de son éthique au caporal.

— Être repoussante pour repousser. Repousser pour qu'on s'éloigne de moi, pour qu'on ne m'approche pas, pour qu'on ne vienne pas m'induire en erreur, pour qu'on ne me dérange pas pendant que je cuve tranquillement ma misère.

— Aux Apothètes, les infirmes ! Au cimetière, les cadavres ! A la potence, les pauvres, les vieillards, les hommes qui ont cinq enfants et qui sont sans emploi !

Ainsi parle Gloria, après avoir étalé une feuille communiste sur ses genoux.

— Le portefaix n'ira pas loin avec son faix sur les épaules. Où ira l'humanité qui porte un lépreux sur chaque épaule ? Essoufflée, elle s'effondrera au premier obstacle.

Faut-il prêter une oreille sérieuse aux propos de cette soi-disant lesbienne dont le père, la mère, les frères et les cœurs furent incinérés vivants par la Gestapo ?

— A la mosquée d'Omar, les autres ! Au plus haut minaret ! Décapitons les nains, les grévistes, les eunuques, les ivrognes ! Les nains pèsent inutilement sur l'estomac de la terre ! Les grévistes nous sauront gré de les crucifier ; ils nous remercieront de donner ainsi aux grévistes de l'avenir une excuse pour faire d'autres grèves ! Les eunuques, se prenant pour les mignons de Dieu, chanteront dans le feu où nous les jetterons ; comme tant d'autres, ils riront et danseront dans le supplice ! Ne privez pas les ivrognes de leur seule gloire possible ; brûlez-les ; faites-en des martyrs !

Le sentiment d'être soi-même, d'avoir été et de se continuer, cette âme dont on parle, ne pourrait-elle pas, plus simplement, s'appeler mémoire ? La conscience, la science du bien et du mal, est-ce que ce n'est pas qu'une mémoire morte, qu'un instinct de direction fondé sur des souvenirs dégénérés en un réseau inextricable de réflexes conditionnés ? En naissant, un homme n'a pas d'âme ; il n'en aura une qu'après l'enfance. Un être humain né à l'âge de quinze ans serait une chose comme moi sans mon passé, sans phoques dans les artères, sans condor dans la cavité pulmonaire. Cha cha cha !

Je lis mon dictionnaire. Je ne lis que les mots. Je ne lis pas leur signification.

« Chénopodiacées. Chensi. Chenu. Chenyang. Chéops. Chéphren. »

Six pyramides ! Six pyramides dont quatre de mon invention ! C'est trop ! Quelle émotion ! Je lance le dictionnaire au plafond. Le dictionnaire frappe le plafonnier et, se brisant, le plafonnier s'éteint. Je suis étendue de biais sur le lit, la tête au pied du lit et les pieds sur le traversin, les yeux fixés sur ce point de ce coin de la chambre où les deux murs et le plafond confluent. La chaussée des pharaons, j'imagine, s'enfonçait entre deux rangées de sphinx debout s'appuyant sur les pattes l'un de l'autre pour former arche. Je vois des sphinx de métal rouge grands comme des séquoias. Au milieu du plancher, gît le télégramme reçu d'Einberg. « Tu écris au fils de cette femme en pure perte ! Toutes tes lettres sont interceptées et détruites ! » Quand j'applique mon front sur un miroir, mes yeux se fondent en un gros œil brouillé, et je me fais penser à un Cyclope. Je continue de fixer ce point vers lequel les deux murs et le plafond s'avancent en pointes. J'ai reçu une carte postale de Chamomor. « Vergiss mein nicht escogriffe. Ne m'oublie pas escogriffe. Maman. » Ce point, au fond de ce coin, j'y applique toutes mes forces ! Il y a quatre de ces coins en haut de ma chambre, et quatre de ces coins en bas de ma chambre. Je pense que si je coupais ce coin au fond duquel mon regard est fixé et le posais sur le bonheur-du-jour, j'obtiendrais une pyramide. Ce serait une pyramide vide mais, posée sur le bonheur-du-jour, personne ne s'apercevrait qu'elle est vide. O horreur ! Soudain, à partir du point que je fixe, une pyramide naît, s'emplit, se développe, descend, s'avance vers moi. Je vois la section de la pyramide grandir, grandir, grandir. Je sens la pyramide fondre sur moi, m'écraser, m'englober, croître à la vitesse d'un train, pousser au-delà du plancher, au-delà du sol, au-delà de l'univers. Me mordant les poings, je crie. Graham Rosenkreutz, que j'ai réveillé, martèle méchamment le mur. Je crie plus fort ; le sang gicle. Graham Rosenkreutz apparaît au-dessus de moi, pavé de bonnes intentions. D'une violente poussée, je l'envoie choir. Je ne mange plus.

Je n'ai jamais faim. Manger me dégoûte. Pour tenir, il faut manger. Les araignées qui marchaient sur l'eau des marais s'appellent argyronètes. Les crustacés dont nous ne pêchions qu'un couple par printemps et dont l'aspect mythologique nous déconcertait s'appellent cyclopes. Argyronète et cyclope ! Il a fallu qu'il s'écoule dix années entre la découverte des deux petites bêtes et la découverte de leurs noms. Je ne sais toujours pas comment s'appellent les petits mollusques bruns qui vivaient accrochés aux tiges des joncs noyés et dont la coquille se broyait avec des bruits d'écaille d'œuf entre le pouce et l'index.

80

A table, chacun barricadé derrière son verre de jus d'orange, Céline et Graham Rosenkreutz se battent.

— Et moi, ma grosse fleur, quand j'ai une idée dans la tête, je ne l'ai pas dans les pieds.

— Je suis bien contente pour toi, mon gros trésor ! Dommage que tu n'aies dans la tête que des idées sinistres ! Si tu avais une idée drôle dans la tête, une fois de temps en temps, ça aiderait. Si tu avais une idée drôle pour ce soir, par exemple…

Piqué au vif, le regard méchant, Graham Rosenkreutz relève le gant.

— Le strip-tease, est-ce que tu trouves ça drôle ?

— C'est assez drôle, oui…

— Eh bien, ma grosse fleur, je te parie que je peux faire faire du stip-tease à toutes les femmes qui se trouveront ce soir dans cette maison, sauf Bérénice bien entendu, la pauvre...

— Tu as déjà perdu ton pari, mon gros trésor ! L'entêté qui a envie de me faire faire du strip-tease a besoin d'être encore plus entêté que toi !

— Faisons une affaire, ma grosse fleur. Je m'engage à faire faire, sur cette table, du strip-tease à toutes les invitées. J'y mets une condition : que tu t'engages à les imiter si je remplis mon engagement.

— Et de quoi te servirais-tu pour les convaincre, mon gros trésor ? D'une mitraillette... ?

— Je ne menacerai personne. Je n'userai, ne t'en déplaise, que du seul charme de ma personnalité.

— C'est un marché, mon gros trésor ! Si tu arrives à faire se déshabiller la femme de l'aumônier, sur cette table, devant tout le monde, sans la menacer, tu pourras me faire faire tout ce que tu voudras !

On passe la journée à l'Université. On passe la soirée à se frapper la tête contre les murs. On se glisse sous les couvertures en se demandant jusqu'à quelle heure on restera étendu là, les yeux grands ouverts, à entendre son âme se tordre de peur et d'ennui. Soudain, Graham Rosenkreutz entre avec fracas dans ma chambre. Un sillage de rires et de chansons le suit. Il titube et, exceptionnellement, il a l'air d'avoir l'alcool serein cette nuit.

— Est-ce que je t'ai réveillée, puce ? me demande-t-il affectueusement, la voix éraillée.

— Non ! Mais je n'aime me faire réveiller en aucun temps, même quand je ne dors pas !

— Ce n'est pas très clair ce que tu dis, tu sais... Ce n'est pas très très clair du tout, tu sais... C'est compliqué à mort ce que tu me racontes là, tu sais... Allez ! Viens ! Surprise ! Surprise ! Graham t'a réservé une belle surprise ! Tu sais, je ne te hais pas. Tu sais, j'ai comme de la tendresse pour toi. Tu es un peu comme ma petite sœur et je suis un peu comme ton grand frère. Allez ! Viens avec moi ! Je n'en peux plus de te laisser t'ennuyer dans ton grand trou noir. Viens rire un peu, ma vieille. Surprise ! Surprise ! Debout ! Debout !

D'un grand geste, d'une seule main, il prend toutes mes couvertures et se les passe par-dessus la tête. Il se penche pour toucher le plancher. Il le trouve froid.

— Trop froid ! Beaucoup trop froid ! Je ne te laisserai pas t'aventurer nu-pieds sur ce plancher. Où sont tes pantoufles, tes chaussettes, tes souliers, tes bottes ?

— Je n'ai ni pantoufles, ni chaussettes, ni souliers, ni bottes !

— Ne fais pas la dure. C'est inutile. Je te connais. Je te connais. Je te parie que je pourrais te faire pleurer, rien qu'à être gentil avec toi, rien qu'à être bon garçon avec toi. Je te connais. Tu es comme moi : tu as le cœur sensible, tu as du cœur. Tu n'as pas de pantoufles, pas de chaussettes, pas de souliers, pas de bottes ? Ce n'est pas un problème. Quand on a un ami, ce n'est pas un problème.

Il retire ses souliers, me les met, me les lace.

Désarmée, attendrie, je laisse faire. M'ayant bien chaussée, il me prend sur ses bras, me soulève du lit, m'emmène.

— Mais j'y pense. J'y pense tout à coup. De quoi vais-je avoir l'air, moi, à faire du strip-tease sans souliers ?... Mais shhhhhhhhhh, c'est une surprise. Surprise ! Surprise !

Dans le vivoir, il y a l'aumônier protestant du quartier général français et sa femme, le colonel Schlyt et sa femme, l'aide de camp du colonel Schlyt et sa femme, deux inconnus et leurs femmes. Graham Rosenkreutz m'installe dans le fauteuil le plus confortable du vivoir et me chuchote à l'oreille de bien ouvrir l'œil.

— Regarde bien, puce. Tu vas rire ! Tu vois les grosses vieilles étalonnes... Eh bien, elles vont toutes monter sur cette table et se déshabiller ! Regarde bien, ma vieille. Tu vas rire ! Elles vont toutes se jucher là-dessus et se déculotter, les grosses vieilles étalonnes !

Céline me met au courant de la situation. Comme tout le monde, elle est soûle.

— Il a gagné son pari, tu sais, ce salaud ! Il leur a dit : « Si je me strip-tease, mesdames, allez-vous vous strip-teaser ? » Et elles ont dit oui, les vieilles saloperies !

Et, se juchant sur la table l'un après l'autre, sous des salves de rires, comme dans un cauchemar, Graham Rosenkreutz, les cinq grosses vieilles et Céline se déshabillent.

La nuit, tous les chats se ressemblent. C'est bien connu. La nuit, quand le major Schneider en a fini avec Céline, il l'envoie chez Graham Rosenkreutz. Quand Graham Rosenkreutz en a fini avec Céline, il l'envoie se faire pendre ailleurs. Céline dort toujours seule. Céline, quelquefois, entre sur la pointe des pieds dans ma chambre et allume son briquet au-dessus de mes yeux. Si elle trouve que je ne dors pas, elle me donne une cigarette et s'assoit près de ma tête. Nous ne nous disons presque rien.

— Zut ! J'ai encore oublié d'apporter un cendrier !

— Ne te frappe pas, Céline. Il y a un verre sur le bonheur-du-jour...

Quand elle se sent désespérée, elle cherche à m'apitoyer. Elle fait de la lumière et me fait compter avec elle les sillons qui se sont creusés sous ses yeux. Elle trousse sa chemise de nuit et me montre ses jarrets, ses pauvres gros jarrets comme gélatineux dont la peau jaunit et laisse transparaître des ramifications rouges et bleu de lait de veines éclatées. Pourquoi la peau jaunit-elle ainsi ? Pourquoi les veines éclatent-elles ainsi ?

— C'est ce que je me demande, ma chérie. Je me dis que c'est parce que la vie est mal faite.

— Pauvre Céline. C'est horrible. C'est effrayant !

Quand je suis d'humeur à jouer, elle joue avec moi. Entrant dans ma chambre, elle me trouve debout, dansant, vêtue d'un poncho que je me suis confectionné en pratiquant une ouverture au centre d'une de mes couvertures. Elle admire. Sans mot dire, elle retourne dans sa chambre et revient avec une courte-pointe et une paire de ciseaux.

— Comment as-tu fait pour obtenir un si bel effet ? me demande-t-elle.

— C'est très simple. Regarde-moi faire.

Je prends sa courtepointe et pratique au milieu, avec sa paire de ciseaux, une ouverture en forme de losange. Je lui essaie le poncho. Il ne lui va pas. Pourquoi ne lui va-t-il pas ? C'est dur à dire. Soit que le bon Dieu lui ait fait la tête trop grosse, soit que j'aie fait le trou trop petit. Après avoir élargi le trou, je lui essaie le poncho de nouveau. Il lui va comme un gant. Ayant mis de l'ordre dans ses plis, je proclame ma nouvelle identité.

— Je suis Aricie ! Qui es-tu ?

— Qui est Aricie ?

— Je suis Aricie, la princesse athénienne douce dont personne ne s'occupe. Qui es-tu ?

— Je suis Jupiter, ni plus ni moins.

— Tu es Jupiter ? dis-je à Céline en lui rendant ses ciseaux. Tant mieux pour toi ! Voici tes foudres ! et ne m'épargne pas !

Je me retire en moi-même pour me pénétrer de mon rôle, pour devenir une princesse douce.

— Je suis Aricie. Je suis timide et tendre, rêveuse et crédule. Ils me tiennent à l'écart. Je ne suis pas de la famille des requins ; je n'ai pas ma place au soleil ; j'attends que les requins me laissent une petite place au soleil. Derrière la porte, ils se disputent le mari que j'adore. Par manque de haine et de violence, je l'ai perdu. Parce que j'ai l'âme fragile, ils m'ont destituée. J'ai la voix trop douce, personne ne m'entend. J'ai les yeux trop doux, ils me prennent pour une infirme. J'attends en silence et en prière. Tout à l'heure, quand les requins seront partis, pressant son cadavre déchi-

371

queté contre mon cœur, je pourrai, une dernière fois, m'abandonner à Hippolyte.

Des larmes roulent sur mes joues, grosses, abondantes. Je pleure comme je n'ai jamais pleuré. Je pleure comme un tamis, tout nerf et tout muscle lâches, les viscères grandes ouvertes. Je suis si molle que je m'écroule, comme un manteau tombé d'une patère.

— Plains-moi, Jupiter ! Plains-moi donc !

Jupiter s'agenouille, me prend dans ses bras, presse ma tête dans son cou, me frotte le dos.

— Je te plains de tout mon cœur, Aricie. Pleure ; la pente est si douce...

— Laisse-moi ! Ne me touche pas !

— Laisse-toi faire, Aricie. La compassion aide à pleurer, et pleurer aide.

— N'insiste pas, Jupiter.

Je sens mes larmes s'aigrir, s'envenimer. De quoi avons-nous l'air, ainsi, dans les bras l'une de l'autre ? Nous avons l'air de deux lesbiennes ! Il suffit ! Me relevant, m'essuyant les yeux, j'avise ma bouteille d'encre. J'adore l'encre. Céline emplit mes mains jointes du liquide muet, rapide, volatil, immatériel, léger comme une volée de papillons. Je me baigne le visage dans mes mains remplies du doux noir. Le visage bien baigné, le poncho bien taché, j'applique le reste du doux noir sur la face en état de putréfaction de Céline.

— Nous sommes deux négresses de foire, maintenant. Rions !

Gloria plonge bien. Elle s'élance comme une flèche du tremplin, cambre les reins, plane bras éployés, se met en boule, exécute trois vives pirouettes, se redresse d'un coup, pénètre droite comme un clou dans l'eau verte. Et, derrière elle, il ne rejaillit qu'une frétillaire d'eau blanche. Moi, entre ciel et terre, je perds tout contact avec mon côté corporel. Et, derrière moi, il rejaillit plus d'eau que par une bombe atomique. A l'ouest, rien de nouveau. Les Arabes chantent. Nous dormons avec nos fusils dans les bras pendant que, feuille à feuille, Gloria fait brûler son manuel de calcul différentiel.

81

« Nous ne serons pas vieux mais déjà las de vivre ! »

Dans le palais de justice où les voix se répercutent comme dans un tunnel, Constance Exsangue trône, aigrie, en toge et en cagoule. Constance Exsangue scande, comme à coups de chaîne, les vers de Nelligan. « Nous ne serons pas vieux mais déjà las de vivre ! Ma mie, cultivons nos rancœurs ! » Chaque syllabe tranche, vibre irrévocablement. Que fais-tu là, Bérénice, si loin ? Vite, suicide-toi ! Que fais-tu, si loin de mon cadavre ? Chaque syllabe percute, m'abasourdit. Vite. Bérénice, fixe dans notre cercueil ce que la distension n'a pas encore distendu du visage que je te connaissais, que je prenais, à l'ombre duquel je marchais et dormais ! Nous devions être saignées par la même rapière, comme l'écorce et le bois ! Nous aurions dû être enterrées, encore tièdes l'une de l'autre, dans le même souterrain, comme un seul arbre! Il aurait fallu que tu me transmettes, par contact, dans notre dernière étreinte, pendant qu'elle te rongeait encore, la mort qui te rongeait! Graham Rosenkreutz mange sa viande crue, entre deux tranches de pain. La mie s'imbibe de sang. Pour ne pas avoir l'air de vivre, pour avoir l'air d'être fidèle à Constance Exsangue, je ne mange que de l'eau, aliment stérile. On pourrit. On pourrit. On pourrit. Et on se laisse faire. Pour ne pas avoir l'air de trahir trop docilement ce qui a été beau en soi, on fait semblant de ne pas avoir faim.

Constance Exsangue m'apostrophe.

— Écoute, Bérénice Einberg, lard vivant! Tu te désagrèges! Bientôt, tu n'auras plus rien à sauver! Bientôt, tu ne seras plus que beuverie et coucherie! Rappelle-toi, fourbe! Tu m'avais donné ta parole! Tu m'avais promis de ne pas te laisser avoir!

Comme si je n'avais pas bien entendu, je réponds : « Nahanni! Nahanni! Nahanni! » J'ai des accès de folie. J'ai des ères de vérité. Folie n'est pas déraison, mais foudroyante lucidité. Pendant ces moments d'éclair, l'idée s'empare de la chose, l'esprit prend la matière et la tord, les forces de l'âme s'appliquent dans leur plénitude dans chaque acte. Quand j'ai joué Aricie avec Céline, j'étais folle, j'étais Aricie. Quand j'ai mes accès de folie, ma vue s'intensifie, je ne vois plus que ce que je veux voir, je ne vois plus en moi que qui je veux voir. Je hais. Où clouer ma haine? A quoi fixer ma haine? Quand je suis en folie, je sais violemment que rien ne peut être tenu responsable de ma torture, que

374

ceci ne mérite pas plus ma vengeance que cela. Choisir m'est exclu, devient impossible. Mais il faut qu'une haine se fixe. Ma haine se branchera, comme un oiseau. Je hais, sans discernement, à la seconde, tout ce qui saisit mes sens ou mon imagination. Tout, violemment, se concrétise, est haï. J'ai haï un angle aigu avec autant de férocité que les Grecs haïssent les Turcs. Je ne m'oppose pas à ce qu'on haïsse les Grecs ! Ce à quoi je m'oppose, c'est qu'on se croie, sincèrement, justifié de haïr les Grecs. C'est un vice de raison. Les techniciens ferrés de la haine, les vrais magiciens de cet art, ne cherchent pas d'excuses. Ils ont appris qu'aucune passion n'est justifiable. Ne fondons pas la haine sur les données d'un bordereau ou d'une page d'histoire ; c'est pure duperie. Mes amis, haïssons d'emblée ! Je laisse couler le robinet jusqu'à ce que le plancher soit recouvert d'eau. Fascinée, je m'agenouille et je regarde la plate et mince couche d'eau s'étendre, légèrement arrondie à la limite. Je regarde l'eau s'avancer lentement, et je vois un continent s'avancer dans un océan. J'ai soif. Je remplis un verre d'eau. J'essaie de boire par les oreilles, puis par le nez. Je prends un peu d'eau dans le creux de la main et essaie de la moudre. Je verse un peu du liquide incolore sur ma manche rouge, et je vois ma manche rouge devenir noire. Je me rends sur la place du marché et là, je parle à tue-tête en bérénicien. Tout ce que j'ai dit jusqu'ici est demeuré inférond. Donc tous ces êtres humains ne peuvent pas m'entendre. Je ne fais, en criant ainsi ma haine, que ce que fait une plante en poussant.

— Istascourm emmativieren menumor soh, atrophoques émoustafoires! Uh! Uh! Démammifères! borogènes! Mu! Mu! Mu! Quo la terre templera no ma fara trembler! Ma fara danser!

Une randonnée de vingt-cinq miles en jeep nous amène à l'avant-poste 70, Gloria et moi. La jeep nous dit adieu et nous faisons quelques pas pour nous dégourdir les jambes. Le sable a presque englouti la célèbre casemate. En forme de rotonde, sa large meurtrière lui ouvre comme une bouche d'être humain. Nous y pénétrons. Le poste de radio fonctionne. La casemate est pleine de belles grandes bûches. Nous n'aurons pas besoin d'aller ramasser du bois. Tant mieux. Tout ce que nous avons à faire, c'est d'entretenir toute la nuit un feu assez grand pour que les renforts postés sur la montagne puissent voir ce qui se passera avec leurs sales télescopes, avec leurs sales microscopes. Et il se passera quelque chose. Il se passe toujours quelque chose à l'avant-poste 70. Presque toutes les pertes de la Milice sont survenues ici. C'est ici qu'a eu lieu le massacre de quinze miliciennes qui venait d'avoir lieu quand je suis arrivée au pays. Il ne se passe pas quelque chose chaque nuit à l'avant-poste 70. Mais quand, comme pour cette nuit, on n'y risque que deux volontaires, c'est parce qu'on est sûr qu'il va se passer quelque chose. Deux éclaireurs syriens apparaissent de l'autre côté des barbelés. Ils nous font des signes obscènes. Ils s'en retournent. Quand la nuit sera tombée, il en reviendra cinquante, peut-être cent.

A travers un mince nuage, on voit un croissant de lune d'une brièveté linéaire et d'un jaune violacé. Il y a au moins cinquante Syriens de massés dans les barbelés. On entend des chiens japper. Chaque fois que nous sortons pour aller mettre une bûche sur notre feu, nous sommes bombardées. Nous sommes bombardées d'œufs pourris, de tessons, de boîtes de conserve, de cailloux, d'injures et de rires. Nous avons raconté tout ça à nos renforts. Ils nous disent de nous tenir tranquilles, qu'ils voient tout ça avec leurs sales télescopes, leurs sales microscopes. Ils nous disent de nous tenir bien tranquilles. Ils nous appellent cinq fois par cinq minutes pour nous rappeler de n'ouvrir le feu sous aucun prétexte. J'ai les nerfs à bout. Si je perds patience, ce ne seront pas ces sales renforts qui m'empêcheront de tirer. Nous avons besoin de deux volontaires pour l'avant-poste 70. Si j'avais su ! Des œufs pourris, je suis parfaitement capable de m'en lancer toute seule quand ça me tente.

— Quatre-vingt-dix appelle Soixante-dix ! Quatre-vingt-dix appelle Soixante-dix ! Répondez Soixante-dix ! Répondez ! Nourrissez le feu, nom de Dieu ! Nous ne voyons plus rien avec nos sales télescopes, nos sales microscopes !

Nourrissez le feu ! Nourrissez le feu ! Si tu te trouvais devant moi, sale voyeur, je te nourrirais comme jamais personne ne t'a nourri. Je t'en ferais manger des œufs, sale œuf ! Nous sortons, Gloria avec la bûche, moi avec la mitraillette. Un silence de mort s'est établi dans le désert. Une volée d'œufs pourris ne nous accueille pas. Rires et injures ne fusent pas. Les chiens ne jappent pas. Nous nous dépêchons. Que nous réservent-ils, cette fois ? Est-ce qu'une fanfare va retentir, tout à coup, de nulle part ? Le silence dure. Une charge à la mitraillette enregistrée sur disque va-t-elle être poussée, tout à coup ? Nous rentrons dans la casemate sans que rien n'ait été lancé, sans que rien n'ait troublé le silence. Gloria contacte Quatre-vingt-dix, fait son rapport. Attendez cinq minutes et allez redonner à manger au feu. Qu'est-ce qu'il croit, le sale voyeur ? Croit-il qu'il joue aux échecs ? Nous prendrait-il pour des pions ? Le sale œuf ! Je n'ai jamais été si en colère de ma vie ! Le sale œuf !

— Je sens que ça y est ! prononce soudain Gloria. Oui, ça y est. Les condamnés à mort ont droit à une faveur. Je t'accorde la tienne et tu m'accordes la mienne... D'accord ?

— Ne dis pas de stupidités. Tu me fais dresser les cheveux. Allez ! Prends ta bûche et allons-y ! Prends-en deux si tu peux.

Sous les yeux scandalisés de Gloria, je retire le cran de sûreté de ma mitraillette et appuie le doigt sur la détente. Pour rire, pour l'encourager, je lui braque le canon dans le dos.

— Allons, vilaine lesbienne ! Allons ! Allons !

Dehors, le silence et l'immobilité semblent se durcir à mes oreilles qui se tendent. Nous avançons clopin-clopant dans le soleil et dans le vent. Gloria, soudain, donne un coup de tête. Comme moi, elle a entendu ces crissements derrière nous, ces frous-frous de pas de course. Nous nous retournons.

— Ne tire pas ! Ce sont les chiens ! Ce sont les chiens ! Nous sommes mortes !

Trop tard ! J'ai fait feu. Les douilles éjectées m'ef-

378

fleurent les bras, brûlantes. Les entrailles des chiens gisent éparses et luisantes dans les lueurs du feu. Les Syriens ne mettent pas grand temps à réagir. Déjà, c'est le tonnerre, les balles sifflent à mes oreilles. Nous sommes des cibles immanquables. Seule Gloria peut me sauver. Je laisse tomber la mitraillette, happe Gloria par-derrière et l'étreins de toutes mes forces pour la maintenir entre les balles et moi. Elle se débat et crie comme une possédée. Je réussis à la maintenir ; la terreur et la folie me donnent de la toute-puissance. Je la tiens rivée contre moi, face au feu. Je sens, en contrecoup, chaque balle la pénétrer, la secouer, la fouetter. Elle s'amollit, se disloque. Son poids est plus difficile à maintenir que sa rage. La casemate n'est pas si loin. Je laisse mon bouclier s'écrouler et, le traînant et me traînant à genoux derrière, je me dirige à reculons vers la fosse qui entoure la casemate. Tout à coup, je vois, par centaines, des soldats courir de chaque côté. Ce sont les sales renforts. Ce sont les sales microscopes et les sales télescopes. Et je m'évanouis.

Gloria est enterrée mardi. Je m'en tire avec les bras en écharpe. Je leur ai menti. Je leur ai raconté que Gloria s'était d'elle-même constituée mon bouclier vivant. Si vous ne me croyez pas, demandez à tous quelle paire d'amies nous étions. Ils m'ont crue. Justement, ils avaient besoin d'héroïnes.

DU MÊME AUTEUR

Impression Bussière à Saint-Amand (Cher),
le 3 octobre 1991.
Dépôt légal : octobre 1991.
1ᵉʳ dépôt légal dans la collection : juin 1982.
Numéro d'imprimeur : 2922.
ISBN 2-07-037393-2./Imprimé en France.